София Синицкая

МИРОНЫЧ, ДЫРНИК И ЖЕМОЖАХА

София Синицкая

МИРОНЫЧ, ДЫРНИК И ЖЕМОЖАХА

Рассказы о Родине

ЛИМБУС ПРЕСС
Санкт-Петербург

УДК 821.161.1-32
ББК 84 (2Рос-Рус)6
КТК 610
С38

Синицкая С.

С38   Мироныч, дырник и жеможаха. Рассказы о Родине. – СПб.: Лимбус Пресс, ООО «Издательство К. Тублина», 2019. – 368 с.

Особенность прозы Софии Синицкой в том, что она непохожа на прозу вчерашних, сегодняшних и, возможно, завтрашних писателей, если только последние не возьмутся копировать ее плотный, озорной и трагический почерк. В повести «Гриша Недоквасов», открывающей книгу, кукольного мастера и актера Григория Недоквасова, оказавшегося свидетелем убийства С. М. Кирова в садике на Петроградской стороне (именно так!), ссылают в отдаленные места, а смерть секретаря Ленинградского обкома ВКП(б) обставляют в трагическом свете, удобном для текущего политического момента. И с этого приключения Григория только начинаются.

Поражает в книге не столько занимательность, а порой и фантастичность историй, сколько талант, с каким эти истории рассказаны – талант неоспоримый, убедительный и яркий.

ISBN 978-5-8370-0877-1

www.limbuspress.ru

ГРИША НЕДОКВАСОВ

Гротеск в 13 частях

*Герои этой повести являются вымыслом автора.
Они не имеют ничего общего с реальными людьми –
живыми или мёртвыми*

Памяти Нины Гаген-Торн

Тихо по морю бегут
страха белые слоны.

Даниил Хармс

1

Утром в парке Пётр Иванович Уксусов приставал к швее-бригадирше с неприличными предложениями – звал гулять по-княжески и кутить в казино: «Кто два раза в день не пьян, тот, простите, не улан!» Толстогрудая Катерина Ивановна визгливо смеялась над уланом, мальчишки кидали в него щепки и камешки, в толпе свистели. Швея ударила улана по уху. Пётр Иванович упал, горько заплакал, обозвал швею кикиморой и дурочкой с Фонарного переулочка, потом взбодрился, проехался на лошадке, подрался с усатым цыганом, подрался с аптекарем, у которого череп был обтянут зелёной кожей, подрался с товарищем милицанером. От нетрезвой жизни голова у Петра Ивановича треснула. «Пропадай моя головушка с колпачком и с кисточкой!» – крикнул нарушитель общественного порядка. Вскочив на косматую собачку, исчез за ширмой.

– Нет, лучше, чтобы в ад героя увозил картонный автомобиль.

Вечером молодой артист ленинградского театра кукол Гриша Недоквасов пошёл к Миронычу чинить Петрушку. «Здравия желаю!» – протрещал сквозь пищик охраннику Копытову, тот весело подмигнул и открыл дверь в квартиру, наполненную запахом старых книг и капустного пирога. Мироныч работал за обеденным столом: что-то писал размашисто. Он всё в жизни делал размашисто – писал, говорил, ел, любил, ненавидел, руководил. Мироныч был похож на плотный и чрезвычайно привлекательный подосиновик с красной шляпкой. Такой подосиновик хочется срезать острым ножиком, положить в корзину и накрыть папоротником.

Гриша бочком прошёл на кухню. Там мощно и неторопливо готовила еду домработница Авдотья Никитична. Её пухлые ручки волшебно двигались, и всё вокруг шкворчало, бурлило, подходило, поднималось, румянилось. Гриша прекрасно знал Авдотью Никитичну: когда он был школьником, Авдотья Никитична приходила к Недоквасовым варить обед и наводить порядок в доме. Фиолетовая кофта с перламутровыми пуговицами и клёцки-лодочки, плавающие вокруг утёсов мозговых костей, стали неотъемлемой частью Гришиного в общем-то счастливого детства. Гриша рано остался без матери, он жил с отцом, известным хирургом Иваном Андреевичем Недоквасовым, на улице Красных Зорь. В 1926 году в их доме поселился Сергей Миронович Киров; Гриша тогда с грехом пополам окончил среднюю школу с неудобными чугунными партами, они там стояли ещё с дореволюционных времён, ребята больно бились о них коленями.

Гришу никогда не сажали за стол с Миронычем. Авдотья Никитична кормила Гришу на кухне, а он с увлечением рассказывал ей о кукольном театре и своих новаторских идеях: «Потом выскакивает Петрушка – Лопахин, начинает пилить деревья, с веток слетают вороны, зловещие птицы кружат над Петрушкой, он разгоняет их дубинкой. Вишнёвый сад уходит под землю, на его месте вырастает Дворец культуры. Я его делаю из папье-маше, в окошках будут гореть лампочки и двигаться пионеры».

Никитична слушала Гришу вполуха – и когда он маленький был, и сейчас, – но так убедительно ахала и кивала головой, что, казалось, никто так мальчика не понимает, как она.

– Молодец, Гриша! – на кухню заглядывал Мироныч: ямочки, скулы, щёчки, прищур и добрые морщинки. – Бери судьбу в свои руки, Петрушка, и к делу подходи по-коммунистически. Не держи рассуждения свои при себе! Выбирайся из тёмных лабиринтов голой абстракции на торную дорогу реализма. Жадно, неутомимо и страстно руби гнилое прошлое, переходи к чисто научному мировоззрению, вперёд – от идеализма к материализму!

При виде дорогого Мироныча Петрушка с утробным кваканьем выскакивал из-под стола, пожимал деревянными ладошками крепкую руку члена Политбюро и незамедлительно переходил к материализму.

Мироныч познакомился с Гришей в кукольном театре, на премьере. Ему очень понравился боевой Петрушка в Гришиной импровизации: сначала носатый дурак плачет, жалуется на бедную «жисть», потом – раз! – и взвился кострами, стал буревестником, буржуев колотит палкой.

Гриша часто ездил с Миронычем на заводы – после его выступлений ломал камедь для ижорских и краснопутиловских детей. Мироныч был замечательный оратор: заводил пламенную речь и тут же распухал, ширился, вырастал в болванку весом до восьмидесяти пяти тонн, заполняя собой пространство и время. Он был турбогенератором и мощным зубчатым колесом. Рабочие слушали его внимательно. Инженеры с чувством пожимали стальную руку толщиной до трёхсот миллиметров. Гриша, хихикая, грыз косточку большого пальца и представлял себе Мироныча то футуристическим железным монстром, составленным из шара и кубов, то аккуратным римлянином в тоге, с лавровым венком; хотел бы вырезать такую липовую куклу, сделал даже эскиз.

В одной из комнат Мироныча была отлично оборудованная столярная мастерская, иногда Гриша там работал: на токарном станке делал кукол и детали для декораций. Мироныч по секрету от всех ему помогал, когда было время. Он очень любил строгать, говорил, что его любимый запах – это запах свежих стружек. Как бы удивился директор кукольного театра, если бы узнал, что носы Гулливеру, царю и бабе Бабарихе вырезал отец революции! Мироныч хотел научиться балагурить через пищик, пробовал, но у него ничего не получалось, только слюни текли, глаза слезились от смеха. О дружбе с Миронычем Гриша никому не говорил, о ней знали только охранник Копытов, жена Мироныча, которая часто ездила лечиться, домработница Телятникова и Маргарита Афанасьевна Полутень.

Маргарита Афанасьевна была балериной, Сергей Миронович называл её «моя лебёдушка». Однажды Гриша, забытый в комнатке-мастерской, слышал, как сцепились в любовной схватке Полутень и партийная шишка. Звенели стёкла книжных шкафов, за ними вздрагивали Пушкин, Толстой, Карамзин, Ленин, Шопенгауэр, Ницше, Деникин, Гитлер и поэты-акмеисты, шкура белого медведя ревела от ужаса, а Гриша не знал, как незаметно проскользнуть в прихожую и выбраться из неожиданной засады.

В другой раз Гриша дремал на топчанчике в мастерской – ночь не спал, чинил парусиновую будку, пасмурным утром промёрз в парке Ленина со своей петрушкой. В полусне и полумраке открыл глаза и увидел усатого мужичка, похожего на кукольного цыгана. Цыган ухмыльнулся и вышел, влетел военный, выпроводил Гришу на улицу. На лестнице застыли, как кариатиды, вооруженные люди в форме, у парадной стояло несколько машин, на улице – ни души.

Дома потрясённый Гриша лёг, закрылся папиным халатом. В квартире было тихо, в окна упёрлись зелёные ветки, все предметы плавали в молочном супе, потом на комод упал розовый луч, и Гриша заснул. Сон был тревожный: в дрожащей берёзовой роще росли неестественно крупные грибы, такие мощные, что даже дотронуться было страшно; Гриша видел сквозь траву и землю, как их корни нитями, шнурами, канатами уходят глубоко в почву, гигантская грибница разрастается на многие километры и, словно чудовищный осьминог, охватывает щупальцами землю.

В Последнем переулке два пионера (Гриша Недоквасов и Толя Шелест) перевоспитывали жильцов дома номер три – склочников, лентяев и грязнуль. Надо было навести порядок в доме, а наглого поросёнка Ваню выселить из квартиры управдома Соломки в хлев. «Пионеры» спрятались за фанерным фасадом с разбитыми окнами.

– Толя, я видел вождя, – шепнул Гриша.

– Мой дядька тоже видел, дядька стармех... ходит на «Анохине». Он сидел в кресле плетёном на палубе... с Кировым, Ворошиловым и Ягодой. Им картошку печёную подавали с селёдкой. Его дядька потом домой забрал... кресло то есть. Теперь водку пьёт только в сталинском кресле... И жене, тёте Ане, говорит, чтобы на закуску ему картоху с селёдкой подавала. «Ещё чего, – отвечает, – да я тебя сковородником! Дай мне тоже посидеть!» Так в этом кресле и сидят по очереди.

– Я видел не в порту.

– А где?

– Во сне...

Сначала пьеса называлась «Поросёнок Ваня». Работник типографии Николай Адамович Фагельзам, проявивший в боях под Вильно удивительное самообладание и неустрашимость, зарубивший шашкой восемь немецких драгун, но сильно контуженный снарядом и поэтому несколько тугой на ухо, решил, что напечатать надо «Поросёнок в ванне». Афиши вышли с совершенно неожиданным названием, пришлось скорее придумывать новую сцену. Теперь поросёнок нежился в ванне, а Николаю Адамовичу ничего не сказали, чтобы не расстраивать старика.

«Поросёнка в ванне» играли в школах и детских домах, ребята были от него в восторге. Ленинградские театры часто возили спектакли в детские дома, это было обычное дело. Однажды Гриша поехал с друзьями из ТЮЗа в трудовую колонию «Красные зори». Трамвай привёз молодых артистов на берег Финского залива, в старинную усадьбу забытого князя Михаила Николаевича. Грише захотелось остаться в этом парке, в этом дворце, в этом детском королевстве навсегда. Навсегда не получилось, но Гриша часто ездил со своих городских Красных Зорь в загородные, дышал сладким гнилым морским воздухом, учил детей кукольному делу, на обед ел суп из капусты, выращенной колонистами, и кашу, сваренную на молоке краснозорьских коров, а за ужином намазывал хлеб мёдом краснозорьских пчёл.

Директор Игнатий Ионин говорил: «Каждому – всё!», это был его рыцарский девиз. И у детей, по Гришиному убеждению, было абсолютно всё – огород, коровник, музыка, поэзия, путешествия, лыжи, футбол, счастье и свобода.

Бывало, что в «Красные зори» попадали трудные дети – вокзальники, попрошайки, беспризорные; они никому не доверяли, угрюмо смотрели исподлобья и признавали только силу кулака. В коммуне эти ребята начинали жить красиво, ловили фарт: получали лафовую шамовку и роскошную хавиру. Волшебным образом в кратчайшие сроки они превращались в ответственных строителей светлого будущего: агрономов, зоологов, бравых физкультурников и даже моряков – у колонистов был свой корабль! Наблюдая, как меняются лица и повадки малолетних преступников, Гриша не верил своим глазам. Однажды в столовой он стал свидетелем страшной сцены – новенький мальчик, бледный, в веснушках, с пронзительным криком «Марану, лягавый!» кинулся на Ионина сзади с хлебным ножом. Директор повернулся и совершенно спокойно сказал: «В спину бьют трусы. Бей в грудь!» Мальчик бросил нож и с тех пор повсюду ходил за Иониным, как верный оруженосец.

– Что же ты не поправляешься, Алёша? Ешь, а не поправляешься! – спрашивал рыцарь мальчишку.

– Это я потому такой, что кокаин нюхаю! – отвечал Алёшка, свистя сквозь чёрные гнилушки.

По многочисленным просьбам трудящихся Гриша привозил в «Красные зори» Петрушку. Он ставил балаганчик около дворца на лужайке, окруженной плотно свившимися стеблями оранжевых и красных настурций. На парадной лестнице сидели зрители; небо сияло, чайки орали. «Да у тебя и пашпорта-то нет!» – смеялись над Петрухой бывшие кусочники, безродники и стопари. Гриша чувствовал, что попал в сказочный мир, не имеющий ничего общего с происходящим за его границами, и вот прямо сейчас делает по-настоящему важное дело, ради которого, конечно же, имеет смысл жить.

Петрушка заводил грустную питерскую песню:

Вчера стоял я на стоянке
На Петербургской стороне,
Все фонари мои горели,
Вдруг что-то жутко стало мне.
И в эту странную минуту
Ко мне пристал городовой
Он стал ругаться, придираться,
И записал он номер мой.

(ребята подхватывали)

Я не стерпел такой обиды
И на сцепление нажал.
На полной скорости машины
На эту сволочь наезжа-а-ал...

Петрушка прекрасно знал все задушевные песни мазуриков, поэтому вместе с Гришей был в доверии у новоприбывших. Однажды Алёшка-кокаинист, вообще-то замкнутый, неразговорчивый парень, рассказал Грише историю из своего преступного прошлого. Судя по всему, она врезалась ему в память и беспокоила, хотя закончилось всё хорошо.

Алёшка торговал марафетом – кокаином, смешанным с аспирином. Марафет получал у знакомых в одном доме на Пушкинской улице, прятал в коробочку от карамели и шёл на вокзал: там у него была своя клиентура. Алёшка хорошо зарабатывал. Он любил красивую жизнь и обедал у Ливензона. Про Исаака Ливензона ходили удивительные слухи: говорили, он настолько богат, что может подкупить любого, что он дал на лапу следователю – и тот отпустил красавицу-проститутку Боннель, сунул в зубы врачу и упёк свою старую жену в сумасшедший дом.

У Ливензона была семилетняя дочь Фанечка – пухленькая, с чёрными косами, в круглых очках. Когда официант Аркаша выходил из кухни, было видно, как Фанечка, сидя на ящике с рыковкой, читает толстую книгу наоборот. Как-то Алёша обедал у Ливензона и бездумно смотрел на порха-

16

ющую дверь, на Фанин силуэт, который то исчезал, то появлялся снова. В какой-то момент дверь распахнулась, но Фани на ящике не оказалось. Раздался вопль Ливензона – Фаню похитили. Вечером Ливензон получил письмо с предложением выкупить ребёнка.

На следующий день Алёша пошёл за марафетом на Пушкинскую. Ему выдали товар и предложили постеречь девчонку. Алёша сразу понял, что стеречь надо Фаню Ливензон. Пришли в незнакомую квартиру. Фаню сторожил парень с белым занюханным лицом. Прежде чем войти к пленнице, он надевал на голову мешок с дырками для глаз. При виде этого пугала Фаня заходилась плачем. Занюханный отдал Алёшке свой мешок и удалился, на лестничной площадке его поджидал официант Аркаша. Фаня сидела на ящике с консервами и в отчаянии царапала ногтями руки. Она была привязана за ногу к ящику, около ящика – открытая банка тушёнки и ночной горшок. Алёша походил по квартире. Видимо, хозяева покинули её в спешке и против воли: везде был беспорядок красивых вещей – рисунки, игрушки, одежда. В клетке лежала мёртвая птичка. В одной из комнат стояли книжные шкафы с распахнутыми дверцами. Алёша взял несколько книжек с картинками и понёс их Фане. Мешок надевать не стал. Фаня читать не хотела, она плакала и умоляла отвести её к маме. Алёша напомнил ребёнку, что мать его в сумасшедшем доме, но оказалось, что всё это неправда, что мама

17

живёт с Фаней и папой, и надо поскорее к ним пойти. Алёша никак не мог вести Фаню к Ливензонам, хотя предполагал, что они отвалят ему кучу денег. «Знакомые» его за это просто бы убили. Чтобы успокоить Фаню, Алёша предложил ей попробовать «лекарство» из красной жестяной коробочки с надписью «Карамель». Он сказал, что от этого лекарства запросто взлетают под потолок, и насыпал немного белого порошка на свой пижонский длинный ноготь. Фаня поверила и лизнула, наверно, понадеялась, что сможет вылететь в форточку и отправиться к маме. Алёша высыпал дозу на стол, приложился ухом, прижал мизинцем ноздрю и нюхнул. Он провёл с Фаней два дня, пока Ливензон собирал деньги. Два дня дети отрывались – не чувствуя голода и холода, летали под потолком с лепниной, разговаривали с белыми музами и сатирами. Потом Фаню отдали папе, и Ливензоны исчезли из города навсегда. Ничего страшного не случилось, но Алёше эта история запомнилась, он скучал по Фане...

* * *

Гриша привёз в «Красные зори» отца – показать, как выглядит Главное Место на Земле, и познакомить с Главным Человеком. Иван Андреевич долго разговаривал с Игнатием Вячеславовичем, они нашли кучу общих знакомых: в 1916 году оба жили в Баку и ходили в театр, возможно даже, сидели в соседних креслах. Иван Андреевич сетовал, что Гриша не стал врачом, подался в артисты.

– Игнатий Вячеславович, в нашей семье все мужчины – дед мой, отец, дядя – были хирургами. Мне хотелось, чтобы и Гриша стал врачом, но он тяжело родился, его тащили щипцами, если присмотреться, можно заметить, что голова несколько вытянута. Читать начал рано, но долго не мог научиться писать, ложку мимо рта проносил, пуговицу своему Петрушке ровно пришить не умеет, какая уж тут медицина!

– Иван Андреевич, а я считаю, что ваш Гриша настоящий целитель! Да он уже состоялся как детский врач, знаток детских душ, вы посмотрите, как он с ребятами работает, ведь в его кружке каждый второй – малолетний преступник с тяжёлым прошлым. К каждому Гриша находит правильный подход, каждого может захватить, заинтересовать. Вот у кого нужно будущим психологам учиться, дорогой Иван Андреевич. Ваш Гриша – человековед!

Приближался Новый год, у директора был день рождения. Гриша сделал марионетку – Дон Кихота с лицом Ионина, его мечтательными глазами и бородкой клинышком. Кукла всем понравилась. Отмечали рождение всех декабрьских. К празднику колонисты наморозили несколько вёдер мороженого: вишнёвого, карамельного, клубничного и сливочного. Густые, одуряюще пахнущие реки вливались в старые французские мороженицы под названием «Турбино», кокаинист Алёшка в фартуке и колпаке сосредоточенно перемешивал клёвую хруставку. Рыцарь печального образа играл с колонистами в прятки и ловко забирался на шкаф. У него тоже надо было всем психологам учиться. Он тоже был человековед.

* * *

Иван Андреевич тяжело заболел, Гриша терпеливо за ним ухаживал, не хуже фельдшера. Похоронив отца, поскучал, потом кинулся с головой в работу, дома только спал: с утра бежал в кукольный театр, выходные проводил в парках со своим Петрушкой или в «Красных зорях», иногда заходил к Сергею Мироновичу поболтать о книгах и театре, а заодно поесть. Как-то раз Гриша пошёл к Миронычу обменять стопку прочитанных романов на «Молот ведьм» на французском. Около его парадной чуть не столкнулся со странным человеком, который, казалось, находился в крайней степени нервного возбуждения – бел как мел, лицо кривилось; на тонкой шее около подбородка темнело странное пятно. Псих шарахнулся в сторону…

– Здравия желаю, товарищ Копытов! – протрещало сквозь пищик.

– И ты не болей, Петруха!

Маргарита Афанасьевна плакала, Мироныч хмурился, просил её не быть «истеричной жеможахой», а подойти к делу по-коммунистически. «Жеможаха» Маргарита Афанасьевна не хотела подходить и вздрагивала от рыданий. Гриша понял, что не вовремя, хотел уйти, но хозяин его не пустил, попросил остаться, разрядить обстановку, рассказать про книги. Полутень закрыла лицо длинными пальцами, по её рукам бежали и падали на жёстко накрахмаленную скатерть пружины чёрных волос. Авдотья Никитична высовывалась из коридорчика и отмечала про себя, что на крахмальные простыни и скатерти, пальто, шинель и гимнастёрки иногда падают самые разные волосы, рыжие, например. Взволнованный Гриша стал рассказывать о борьбе за жизнь в условиях дикой природы: в дремучих лесах герои ищут золото и, чтобы не умереть от цинги, пьют отвар из сосновых иголок; затерянные в океане терпят голод и жажду.

— Маргарита Афанасьевна, помните, что вас спасёт сырая картофелина! Натрите её на тёрке. Картофельный сок победит самую запущенную цингу. Всего пять капель в день. Чтобы вызвать слюноотделение, сосите пулю! Можно лизать топорище. Маргарита Афанасьевна, юнгу хотели съесть голодные матросы!

— Он спасся?

— Конечно! Победил и вернулся домой. Сам всех съел!

— Да, пора обедать! — Сергей Миронович хлопнул себя по крепкой ляжке. Гриша помог Авдотье Никитичне накрыть на стол и в первый и последний раз поел вместе с Миронычем — уху, фаршированную щуку с гречневой кашей и малиновый кисель.

Полутень ушла. Мироныч казался озабоченным, злым. Гриша отправился было восвояси, но подосиновик его не пустил. Он хотел развеяться. Поехали на репетицию в ГАТОБ. В царской ложе, под серпом и молотом, Мироныч внимательно смотрел, как пленница хана играет на лютне и вспоминает былую жизнь. Твёрдый профиль Мироныча выступал из мерцающей темноты, Гриша его зарисовывал – и так, и этак: со стаканом, с папиросой, с носовым платком. Выходя с Миронычем из ложи, Гриша снова увидел того психа с глазами загнанной зверюшки и вампирским пятном под подбородком. Псих направился к Миронычу, но Копытов мягко оттеснил его грудью. Мироныч холодно ему кивнул, судя по всему, их что-то связывало, они были знакомы. Укушенный махнул рукой и отвернулся.

Подъехали к дому. Выйдя из автомобиля, Мироныч сделал несколько шагов к парадной, остановился в задумчивости и вдруг быстро пошёл прочь – в тёмные дворы Петроградской. Подрезова, Подковырова, Полозова... Мироныч почти бежал, Гриша еле поспевал за ним, перепуганный Копытов так бухал сапогами сзади, что казалось, будто с ним несётся целый взвод. Мелькали заборы, поленницы, спящие деревянные домики с редким оранжевым окошком, плыли немые громады домов с эркерами, башенками, флюгерами. Хищные птицы, дикие звери и девы со строгим взглядом и голой грудью застыли в задумчивости, не обращая внимания на резкий ветер и колючие снежинки. Мефистофель с тонкой улыбочкой смотрел со своей верхотуры, как тоскует и мечется первый секретарь Ленинградского обкома.

Выбежали обратно на Красные Зори, чуть сбавили скорость. Здесь всё было празднично, во многих окнах горел свет. Снег летел через фонари, пропадал в чёрных лужах, шуршали редкие машины. Подбежали к закрытой столовой. Мироныч застучал кулаком в дверь. Выскочил испуганный сторож.

– Сергей Миронович, можно мне пойти домой? – взмолился Гриша.

– Надо согреться, – сказал Мироныч и снова кинулся в подворотни.

В сквере на скамейке под припорошёнными кустами сирени курили два мужика; два косматых пса крутились рядом и писали на подножия клёнов и фонарей. Мужики пили водку, чокались кружками, были пьяны, бормотали невнятное. Мироныч, тяжело дыша, сел рядом. Мужики посмотрели на него внимательно, собаки обнюхали, одна псина задрала ногу у высокопоставленного сапога.

– От кого бегаешь, дядя?

Опустив голову, Мироныч тяжело дышал.

– На-ко, выпей за здоровье Ефима Митрича Коновалова! – Кирову протянули медную кружку.

– Спасибо. Копытов, что здесь написано? Ты подойди к свету.

– «В память войны России и Германии уряднику Ефиму Дмитриевичу Коновалову от урядника

Иллариона Фёдоровича Рогачёва, 1916 год», – прочитал Копытов по слогам.

Мироныч понюхал кружку, опрокинул в рот содержимое и уставился в звёздное небо. Большая Медведица, Дракон и Царица на троне внимательно смотрели на освещённый фонарями сквер. Гриша гладил собак и перемигивался с охранником – как бы увести Мироныча домой? Да что с ним происходит? Надо что-то делать!

– Вызвать дополнительную охрану! – громко шептал Копытов.

Неожиданно из кустов ловко и бесшумно выпрыгнул давешний псих. В руке у него был ножик. Он кинулся к Миронычу, одной рукой обхватил его подбородок, а другой подрезал шею – ловко, как опытный грибник. Подосиновик завалился, кружка Ефима Дмитриевича покатилась, «звеня и подпрыгивая». Шинель Мироныча почернела, реальность смазалась, кусты и скамейки съехали со своих мест, фонари свернулись в бараний рог, брань мужиков, лай Тузика и Кубика перекрыл бабий визг охранника Копытова: «Полоснул, сковырнул, подреза-а-ал!»

2

В тюрьме у Гриши отобрали всё, кроме пищика – он с привычной ловкостью спрятал его в гортани. В камере было сумрачно, сначала Грише показалось, что он здесь один, но вот началось шевеление, и с нар к нему полезли мужики – знакомиться. Один, со сверкающими фиксами, хотел поменять свои стоптанные сапоги на Гришины ботинки, папины, удобные, хоть и без шнурков. Гриша стал с ним спорить и причитать голосом Петрушки, зубастому понравилось, он отстал.

Гриша был уверен, что скоро его отпустят – не сегодня, так завтра, не завтра, так послезавтра; им, конечно, нужно время, чтобы во всём разобраться, но и сильно задерживать не станут: премьера на носу. Когда начались допросы, Гриша подумал, что, скорее всего, живым из тюрьмы уже не выйдет. Следователь Цементюк требовал, чтобы он признался в сговоре с террористами, которые организовали убийство Кирова. По версии следствия, Гриша с Копытовым заманили Мироныча в сквер, где он и был зарезан. Две ночи подряд Гриша повторял, что Кирова любил, ни в чём не виноват, и Копытов тоже не виноват, потом признался, что виноват, потому что не обратил должного внимания на психа, да и Копытов тоже хорош – бухал сапогами и не слышал, как тот бегает за ними по дворам и ждёт удобного момента, чтобы гриб подрезать. Цементюк решил, что Гриша бредит, он и сам устал, время от времени отворачивался к портрету Дзержинского и нюхал с ногтя порошок. Через несколько дней детали обвинения изменились – теперь говорили, что Киров был застрелен в Смольном опять же по замыслу вредительской организации. На очной ставке Копытов, таращась подбитыми глазами, подтвердил своё и Гришино участие в страшном заговоре. Авдотья Никитична в фиолетовой кофте с ниточками вместо пуговиц вошла в кабинет, чинно села на предложенный стул.

– Авдотья Никитична, расскажите им, как мы дружили с Сергеем Мироновичем. Объясните им!

Цементюк кивнул домработнице, она с готовностью встала и, ткнув в Гришину сторону пальцем, сказала: «Он! Заговорщик. Убийца. Шпион». Кто-то скулил за дверью. Красноармеец привёл косматого чёрного Тузика, тот, увидев Гришу, рванулся и завилял хвостом. «Признаёт хозяина», – записал Цементюк в протоколе.

На следующую очную ставку привели «непосредственного убийцу Кирова». К совершенному Гришиному изумлению, это был не тот псих! Маленький коротконогий мужчина нёс какую-то околесицу и говорил всем «Спасибо, что покормили курочкой».

Гриша перестал что-либо понимать, Цементюка сменили, теперь следствие вёл Павел Осипович Скрежетов, который не принимал отрицательных ответов: на его вопросы нужно было отвечать только «да». Грише всё надоело, он стал разговаривать с Павлом Осиповичем через пищик. Когда в кабинете деревянным голосом вдруг затрещало: «Вся власть советам! Умрём, но не сдадимся!», Скрежетов стал дико озираться по углам, заглянул под стол, дёрнул занавеску. Гриша молча сидел на стуле, при этом откуда-то неслось:

> Смелее, бодрее, под огненным стягом,
> С наукой, борьбою, трудом!
> Пока не ударит всемирный штормяга –
> Последняя схватка с врагом!

Перепуганный насмерть Скрежетов на всякий случай ударил Гришу в челюсть, пищик пробил язык и выпал изо рта. Гришу посадили в карцер, там он провёл пять суток – с распухшим ртом и высокой температурой. Глаза привыкли к темноте, пространство наполнилось мерцанием и плывущими зелёными пятнами, день слился с ночью, в Бакинском театре давали «Ревизора», отец, Ионин и Мироныч сидели во втором ряду партера и дружно смеялись над Бобчинским.

3

В Песчанке контрика-террориста Недоквасова, а заодно кулацкого подпевалу Петю Мотовилова спас от гибели Петрушка – когда оба они доходили на лесоповале, их сняли с работ и отправили устраивать театр в красноягский дом малолетних врагов народа. Петя к миру Талии и Мельпомены не имел никакого отношения, он был этнографом, жалел крестьян, бредил скифами и тихо загибался от недоедания. Когда Гришу морозным чёрным утром позвали в комендатуру и велели собираться со вшами и всеми чучелками в Красный Яг, он категорично заявил, что без знатока перчаточных кукол Мотовилова с театром не справится, и показал свою левую культю: в лесу он умудрился отпилить себе палец. Было темно, онемевший от мороза большой палец попал в стальные зубы. Гриша почувствовал боль, только когда второй раз провёл пилой по рваной рукавице. Гриша подошёл к охраннику и показал ему пропитанную кровью рукавицу.

– Мастырка! – матерясь, Жучков побежал за начальником.

– Саботаж, дополнительный срок! – кратко пояснил прискрипевший по снегу лейтенант Линюк.

Гриша спокойно объяснил лейтенанту, что тяжело родился, тянули щипцами, голова как огурец, пуговицу ровно пришить не может, вот и с пилой не справился. В больнице покалеченный палец отрезали, послали работать дальше, а ведь могли намотать ещё несколько лет за такое членовредительство.

– Без Мотовилова я кукол делать не могу...

Полковник Зобов вспомнил, как в Новый год в столовой перед охраной, состоящей из демобилизованных красноармейцев, Петрушка бил дубинкой Гитлера по голове. Хлеба у личного состава ИТЛ было достаточно, а вот со зрелищем повезло впервые. Полковник размяк и разрешил Грише ехать с подручным. Так Гриша с Петей пролезли из своего профундиса в калашный ряд придурков и аристократов.

Лагерная жизнь носатого героя началась, когда он, находясь ещё в зачаточном состоянии, свёрнутый из тряпок и разрисованный углём, стал веселить тех, кто от усталости и болезней даже разговаривал с трудом. Враги народа улыбались Петрушке, блатные угощали его хлебом и сахаром. Гришин Петрушка смягчал сердца самых суровых охранников, ему вдруг разрешили иметь деревянную голову, руки, дубинку, лошадку, разнообразных друзей и врагов, он совершенно очеловечился, по нему даже блохи запрыгали; его актёрская карьера складывалась чрезвычайно удачно – слава о нём доползла до начальственных полубогов и богов.

В трясущемся на ледяных колдобинах грузовике Гриша ехал в Красный Яг с Петрушкой и Мотовиловым, который из-за крайней своей худобы сам смахивал на деревянную куклу. Бесконечно разматывалась колючая проволока, пространство расчленяли дозорные вышки и дымовые столбы, длинной цепью тянулись свежесрубленные, не успевшие ещё почернеть бараки. Гриша вспоминал Мироныча: «Не было террористической организации. Был псих, были женщины, был театр. Всё переврали. Было волнение души и кружка Коновалова, рыдала красавица Полутень. Мироныч любил театр и умер таинственно и театрально. И ведь психа того не нашли, даже не искали. Выстрелы в Смольном придумали. Тюрьму на полстраны построили».

* * *

Малолетние враги народа оказались похожими на Гришиных чучелок: на них было наверчено столько тряпок, что самого врага не сразу удавалось разглядеть. Несмотря на то, что печки гудели без перерыва и в бараке висел банный пар, полы были холодные, гуляли сквозняки. Совсем юные враги сидели в кроватках – обструганных деревянных ящиках на ножках. Старшие бегали и дрались. Те, кто умел только стоять, стояли, держась за ящики. Когда кто-то из этих стоящих задумывал сесть, главняня Броня шлёпала по набитому тряпками заду, и жидкие ножки тут же выпрямлялись.

Гриша со своим подручным должен был создать театр, который мог бы идейно воспитывать сбившихся с прямого социалистического пути обитателей ползунковых, младших, средних и старших детских групп, а также гастролировать по зонам, поднимая рабочий дух как зэков, так и вохровцев. Кроме того, Недоквасову с Мотовиловым предписывалось снабжать детдом водой, дровами и быть на посылках у раскулаченного истопника Арихипыча.

Архипыч был изобретателем. В прошлой жизни, которая счастливо протекала в деревне Добрые Пчёлы, в старинном доме, оплетённом кружевной резьбой, он изобрёл Особую Механическую Маслобойку. Кузнец Силыч выковал цилиндрики, накладочки, винты. Рюмочка дала ведро жирного молока. Архипыч стал крутить ручкой – шестьдесят махов в минуту – и получил такое вкусное масло, какого в Добрых Пчёлах и не нюхали. Архипыча как имеющего сельскохозяйственную машину эксплуататора винтов отправили с семьёй в дремучие леса, Рюмочку зарезали, в доме устроили клуб. На поселении изобретатель похоронил всю свою семью, он состарился, согнулся, был спокоен, добр, аккуратен – за это ему доверили печное хозяйство детского дома.

Артист Недоквасов произвёл приятное впечатление на толстомясую, похожую на сытую летучую мышь начальницу Гвоздеву – он выгодно отличался от общей массы лагерных аборигенов: держал осанку, говорил баритоном, умел заразительно смеяться и ласково смотрел красивыми глазами, романтически обведёнными чёрными кругами, как у любовников, убийц и самоубийц в немом кино. На новой зоне Гриша был «самоохранником»: Гвоздева разрешала ему бесконвойно перемещаться по лагерю, отлучаться в лес в поисках «правильного» дерева для кукол и декораций. Она помогала доставать краски, бумагу, фанеру и прочий театральный заготовочный материал, а главное – сквозь пальцы смотрела на то, что «артисты» свободно заходят в группы, возятся с детьми и разговаривают с Броней. Общаться с женщинами в лагере не разрешалось, но Гриша и его подручный были на особом положении: в детдоме они выполняли культурно-воспитательную работу и, следовательно, не могли обойтись без помощи няньки.

Алиментарный дистрофик, умный книжный человек Петя Мотовилов поначалу никакого участия в театральном деле не принимал, он носил с кухни чаны с серой жижей, терпеливо ждал конца вражеского обеда, потом вычищал хлебной коркой жестяные мисочки и на детских объедках здорово поправился. Через запотевшие окна дети смотрели, как он ловко колет дрова – своим секретным способом: так, чтобы полено от удара разлеталось на четыре части. Для защиты от резкого ветра Мотовилов наматывал на лицо платок. Большой, с топором, в тряпичной маске, Петя был похож на мифическое существо, демона из народных преданий. С позволения начальницы Гвоздевой он рассказывал детям волшебные сказки и читал стихи, которых знал великое множество, однако выбирал только те, где говорится про еду. Ему не нравилось, что в орешках ядра – изумруд, а вот снег, похожий на сахар и творог, вызывал в нём поэтический восторг. Дети не знали, что такое творог, но с интересом слушали стихи старшей Петиной подруги по ИЛЯЗВу, институту сравнительной истории литературы и языков Запада и Востока:

Аксинья-полухлебница –
Зима на перевал.
Мороз суровый след лица
В деревья надышал.
Стоят они как в сахаре,
Как сахаром хрустят.
А брёвна ночью ахали,

С морозом говоря:
Ах, колемся, расколемся –
Тяжка твоя рука!
Святой Аксинье молимся,
Заступе бедняка.
В печи Аксинья солнечный
Раздует огонёк,
Осядет иней полночью,
Как белый творожок.
Аксинья-именинница
Всем шанег напечёт;
Зима на север сдвинется,
Нам – солнца поворот,
В последний раз, Аксиньюшка,
Метелица метёт*.

Главняня назначила Петю дегустатором манной каши, приняв во внимание его сердечное отношение к детям и выпирающие кости. Через несколько месяцев детдомовской жизни Мотовилов настолько растолстел, что мог уже безболезненно сидеть на стуле. Начальница Гвоздева влюбилась в Петю. Однажды она подловила его в коридоре и попыталась обнять. Книжный человек с перепугу уронил ей на ногу ведро с водой и бежал от неё, как Иосиф от жены Потифара. Всесильная Гвоздева могла бы стереть Петю в порошок, выслать его подальше от манной каши и друга Недоквасова, но она проявила великодушие и простила доходягу. При встрече с Иосифом лишь улыбалась

---

* Нина Гаген-Торн. *Примеч. ред.*

и снисходительно шутила про его «хотелку», которую, видимо, сдали в стирку со штанами, а забрать забыли. У Гвоздевой не было недостатка в восторженных почитателях её крепких мясов. Среди вохровцев попадались настоящие сатиры и приапы. Гвоздева купалась в мужском внимании и чувствовала себя Клеопатрой и Екатериной Второй. У Гвоздевой был сын на фронте, она по нему скучала и свои материнские чувства переносила на молодых охранников и заключённых. В чувствах этих Гвоздева заходила слишком далеко, однако её никто не осуждал, вреда никому не было. Ещё начальница любила выпить, но её ни разу не видели осовелой – она всегда находилась на одном градусе бодрости и веселья. Мужское внимание и выпивка были, пожалуй, единственной слабостью Гвоздевой. Она ела самую простую пищу, форменную одежду донашивала до дыр, в быту не терпела никаких «украшательств». Пила разбавленный спирт или «шампанское» – забродивший берёзовый сок Архипыча: старик собирал сок для детского стола и хранил его в подполе в бутылках. Если сок начинал бродить, экономная начальница забирала его и пила, «чтобы добро не пропадало».

В подчинении у Брони были три няньки – две бытовички, у которых здесь же, в детдоме, находились собственные малыши, что было для них несказанным счастьем, устроенным заступницей Гвоздевой, и деревенская девушка Тоня, которая всё не могла понять, за что её отправили в лагерь.

Однажды Петя рассказывал детям шотландскую сказку о том, как мальчик победил морское чудовище. Чудовище грозило разорить королевство и погубить всех людей. Злой звездочёт посоветовал королю раз в неделю отдавать чудовищу на съедение нескольких девушек. Девушек отводили на берег, чудовище слизывало их раздвоенным языком. Каждая деревня должна была предоставить шесть девушек – это было постановление королевского совета. Тоня вместе с детьми слушала сказку. Вдруг она зарыдала, её не мог утешить счастливый конец и королевский пир.

Мотовилов знал, каким образом Гриша «записался в террористы». Гришины симпатии к Кирову он не разделял.

– Душегубец был твой Мироныч, не за что простому народу его любить. Что он делал для того, чтобы крестьянин быстрее усваивал лозунги революции? Да в затылок стрелял за пять колосков. Палач он и душегубец, и не говори мне, Гриша, про него. Из таких театралов утончённых, декадентов, самая мразь получается, ты уж мне поверь. Вот спроси у Архипыча, каково ему было без дома остаться и всех детей похоронить, иди спроси. Обсосал твой Мироныч их косточки и выплюнул.

– Петя, а вдруг он иначе не мог? Может, мы чего-то не понимаем?

– Ты что, его оправдываешь? Палачей народных оправдываешь? Дурак с культёй, глуп, как и его Петрушка!

– Ну не сердись, я правда ничего не понимаю, сколько лет уже живу как во сне...

Дети в средней группе не умели говорить и боялись всего нового – когда из-за Гришиной спины выскочил Петрушка, раздался рёв. Петрушку устранили, начали с чучелок. Чтобы не пугать детей, Гриша стал перед ними сворачивать чучелок из пелёнок и полотенец. Раскрыв рты, малыши смотрели, как зарождается жизнь: вот голова, вот руки, вот рот, нос, глаза! Каждое утро начиналось с кручения чучелок, дети сами рисовали им пуговицы и волосы, они научились складывать слова в предложения и перестали драться. Появились чучелки кошек, собак, охранников, начальницы Гвоздевой (ей очень понравилось) и разных неведомых детям зверей – жирафов, слонов, крокодилов. Самое красивое чучелко было няни Брони – с голубыми глазами и жёлтой косой, уложенной на голове.

Одним из немногих детдомовцев, не испугавшихся Петрушки, был Костик по кличке Мухомор – серьёзный вдумчивый мальчик с крупненькой головкой, но косноязычный, худенький, бледный. У него, несомненно, был научный склад ума. Познавать мир в тюремном бараке было непросто. Костик собирал на подоконниках мумии мух и комаров и часами рассматривал их устройство. У Костика была мама, Броня сказала, что она бывшая балерина, работает на скотном дворе в колхозе имени Кирова и несколько раз в год навещает

Мухомора. Когда-нибудь освободится и заберёт ребёнка «насовсем».

Костик обожал Гришу и его театр, он был такой правильный, рассудительный, что ему доверяли ножницы и отвёртки.

— Сто бы тебе больсе понлавилось — ходить в цистой, но лваной одезде или в глязной, но осень аккулатной?

— Костик, лучше, конечно, чистый костюмчик.

— Когда я выласту, буду в цыстом костюмцыке ходить. Иглать с тобой Петлуску. Выступать хоцу. Буду главным.

— Костик, ты молодец, будешь главным. Руководителем будешь, да?

— Буду луководителем театла.

Мухомор единственный из группы мог спокойно сидеть на стуле — другие разбегались, расползались. Гриша рисовал его: с мисочкой, с чучелком, с карандашиком.

В старшей группе Гриша ставил спектакль по башкирской сказке. Эту сказку ему рассказал Петя, а Пете её рассказал фольклорист Мухаметши Абдрахманович Бурангулов — в Уфе, в институте языка и литературы. Сопливые враги народа превращались в богатырей, зверей, драконов, дивов и царей. Петя громко читал сказку, а Гриша и дети показывали сцены. Вот мощно шагает Урал-батыр; минуту назад он стоял за фанерным лесом и ковырял в носу, а теперь идёт искать родник жизни, чтобы победить смерь. Вот доедаемый глистами небесный царь птиц Самрау – у него маска с острым клювом, он парит над землёй и задевает бумажным крылом сидящую в первом ряду начальницу Гвоздеву. Вот дефективный Максимка. Максимка – змей, проглотивший оленя. Змей идёт биться с батыром. Максимке тяжело держать равновесие, но он старается изо всех сил: весь извивается, потому что олень хочет из живота выбраться, и сосредоточенно плюёт ядовитой слюной. Со змея съезжает маска, у него доброе мягкое лицо и монгольский разрез глаз.

Батыры и звери росли на зоне, территория их обитания была ограничена деревянным забором и колючей проволокой, они видели только бараки, сторожевые вышки, зимой – снег, летом – утоптанную землю и где-то там, далеко, розовые кущи иванчая. На собрании ударница Броня внесла рацпредложение «водить детей любоваться природой». Гвоздева разрешила ей гулять с детьми по лесу в сопровождении военизированной охраны. Прогулки, правда, пришлось на время отложить после того, как два курносых приапа не смогли удержаться от искушения проявить свою античную сущность: добравшись до первых берёз, они побросали винтовки и сняли штаны. Дети шли «чинною кучкою», близорукая няня с букетом полевых цветов плыла в жарком воздухе, жужжали мухи, Панов и Головкин тряслись в приступе гомерического смеха.

Вскоре приапы пересмотрели своё легкомысленное отношение к зэчке Броне. На зоне они были не только стрелками, но и гробокопателями. Ребята, поступавшие в детский дом, были, как правило, чем-то больны либо очень ослаблены. Няньки ложились костьми, выхаживая маленьких врагов народа, но смерть ходила среди кроваток, заглядывала в детские лица. За лагерным забором росло кладбище. Гриша делал фанерные гробы. Вместе с Пановым и Головкиным Броня провожала маленьких покойников в последний путь. Видя, как скорбно нянька прощается с умершими, вохровцы прониклись к ней уважением. Своей строгостью и простотой Броня напоминала Панову и Головкину деревенских старух. Когда Броня снова стала водить детей в лес, стрелки вперёд уже не убегали, штаны под берёзками не снимали, держали себя пристойно, помогали собирать грибы и ягоды.

Броня старалась наполнить смыслом жизнь своих подопечных и к Гришиному театру относилась с благоговением – в нём мир красноягских малолеток становился прекрасным и огромным. В детском воображении нарисованные горы, реки, звёзды, деревья оживали, начинали шевелиться и перешёптываться. Возникали важные понятия – «земля», «космос», «жизнь», «смерть», «добро», «зло». Во вшивых головах выстраивалась чёткая модель мироздания, картина реальности, размазанная, как манная каша по миске, собиралась в стройный и выразительный рисунок. Вместе с героями эпоса дети странствовали по земле и небу, сталкивались с силами природы, боролись за счастье и свободу.

Искренняя, непосредственная игра детей в залатанной одежде, с грубыми масками из веток и шишек, производила огромное впечатление на Петю Мотовилова. «Вот она, древняя мистерия! – говорил про себя этнограф-водовоз. – Вот оно – таинство! Вот оно – чудо. Чудо – в преодолении того, что кажется несокрушимым: дети счастливы в сущем аду. В сказке истина и простота. Народная мудрость – защита для ребёнка... Со сказкой в сердце он пройдёт сквозь заборы и колючую проволоку».

Гриша видел, как меняются, взрослеют, добреют его артисты, он вспоминал театр на взморье и мечтал рассказать о своём тюремном опыте работы с малолетками Игнатию Вячеславовичу Ионину. С детьми Гриша ставил спектакли и выступал в детдомовском зале КВЧ. С Петрушкой ездил по клубам Печорлага. Однажды на гастролях, на дальней зоне, он встретил осуждённого краснозорьского воспитателя и узнал, что огороды, пчёлы, корабль, вишнёвое мороженое и прочие составные детали детского счастья были следствием злоупотребления властью. Дон Кихота приговорили к расстрелу, друзья и воспитанники отчаянно пытались его спасти, он умер в тюрьме. Спектакль был сорван, Гриша забился в угол, деревянный друг тяжело вздыхал на его груди.

К будущему «луководителю театла» Костику приехала мама. Несмотря на редкие свидания, Костик хорошо её помнил и ждал. Был тихий час, но «луговодитель» не спал, няня Броня разрешила ему раскрашивать с Гришей космического коня. В дверь постучали, вошла высокая женщина, худая и бледная, как тень, её щёки по-старушечьи ввалились: не спасли от цинги пять капель картофельного сока. Опрокинув баночку с краской, Костик бросился к маме, зарылся в пружины седых волос, а Гриша, когда обрёл дар речи, спросил:

— Маргарита Афанасьевна, почему Мироныч вас жеможахой называл? Что это значит?

— Это из тропаря, Гришенька. «Преобразился еси на горе, Христе Боже, показавый учеником Твоим славу Твою, якоже можаху». Это значит: «Ты, Христе Боже, преобразился на горе, показав ученикам Твоим славу Твою, насколько они могли её видеть». «Якоже можаху» — «насколько они могли её видеть», Гришенька. Купчиха не знала — что за жеможаха, вот Сергей Миронович и обзывался.

— А почему наврали про выстрелы в Смольном? Ведь Мироныча зарезали в скверике, я же был с ним тогда, я видел!

— Гришенька, он так любил своего Кирыча, ну каково ему было признать, что друга рабочих, революционера, первого ленинградского коммуниста, как барана, зарезали? Он ведь в молодости видел, наверное, как баранов режут... Ну каково ему было, представь.

— Маргарита Афанасьевна, Мироныч знал про Костика?

41

— Знал, я ему сказала, что будет ребёнок.

— Сын Кирова — враг народа?

— Гриша, никому не говори.

— А кто Мироныча зарезал?

— Илья Ефимович Бобриков, первая скрипка. Он был в меня влюблён.

— А что же он сейчас делает?

— Когда война началась, мама мне написала, что бобровый воротник отправили посылкой в Молотов. То есть эвакуировали весь театр. Потом я получила мамино письмо с записочкой от Ильи Ефимовича. Илья Ефимович писал, что сильно поизносился, и ему из театрального гардероба выдали костюм Ротбарта, поэтому он по улицам ходит в костюме гения зла. Ещё он написал, что желает мне поскорее выйти из комы. Может быть, не понял, что я в Коми?

— С ножиком больше не бегает ваш гений зла?

— Он музицирует, Гришенька. Илья Ефимович — первая скрипка.

4

Террористов Недоквасова и Мотовилова переполняло чувство любви к няне Броне. Чувство это проявлялось в том, что Броню они друг с другом никогда не обсуждали, по Брониному заповедному пространству, то есть детскому бараку, даже с охапками дров ходили на цыпочках, разговаривая с самой Броней, смотрели исключительно на её ботинки. Для Пети Броня была неразрывно связана с той серой питательной биомассой, которая по утрам вулканически хлюпала в закопчённых чанах на кухне детдома и в своё время спасла ему здоровье, а может, и жизнь. Гриша был уверен, что, несмотря на дальность расстояния и разность миров, Броня состоит в тайных дружеских отношениях с одним хитрым маскароном на Петроградской стороне: там со стены дома смотрит женское лицо. Маленький Гриша думал, что это его умершая мама просунула голову сквозь стену и притворилась каменной маской, чтобы подглядывать, куда он ходит и как себя ведёт. Ему казалось, что маска водит глазами, но это было не страшно, он делал вид, что не замечает маминой слежки, и всякий раз шёл мимо неё вежливо, не плевался, читал стихотворение или пел песню.

Броня училась в восьмом классе, когда её семью отправили на спецпоселение: оказалось, что тихий Бронин папочка, скромный работник детской поселковой библиотеки, вёл пораженческую агитацию. Агитация выражалась в неправильном распределении книг на полках – до Крупской первоклассник ни за что не смог бы дотянуться, зато контрреволюционная заумь про человека ростом с маленькое ведёрко была расставлена на козырных нижних полках. Кроме того, дома у папочки нашли переписанные от руки антисоветские стихи про профессора

Тартарелина, в них милиционеры были изображены идиотами. Решили, что папочка пропагандировал запрещёнку детям в библиотеке, хотя этого не было – в библиотеке он вслух читал журнал «Чиж», а про Тартарелина читал своей жене дома: они вместе хохотали, Броня смотрела на них и радовалась, что родители счастливы:

– «Катенька, – сказал профессор, – брось пришивать ухо где-то сбоку, пришей мне его лучше к щеке».

Папочку звали Иван Адамович Щенкевич. У него был брат Василий, его тоже судили, но не за старушку, которая чернила покупала, а за четырёх коров. В вагоне, пахнущем животными, забитом людьми и узлами, Броня с мамой, бабушкой и папой поехали на север. Их имущество конфисковали, единственной уцелевшей Брониной ценностью было голубое пасхальное яичко на бронзовой подставочке. Бронины воспоминания о переезде были совершенно фантастические: в лесу она заболела и видела вокруг себя не людей, а картинки из книжки про научные изобретения. Настоящие люди валили деревья, складывали их длинным шалашом, сверху закидывали лапником, песком и снегом. Броне же казалось, что всю эту работу делает спрыгнувший со страниц детской книжки ловкий робот Топотун, друг мальчика Толи в белой майке и синих трусах. Ещё к Броне приходили большевик Том Сойер и его злая толстая тётка:

44

Тётя Полли была настоящей жадиной –
Это всем рассказывал Том,
И сахар, и варенье, и каждую виноградинку
Прятала она под замком,
И Тому давала только по воскресеньям
В награду за хорошее поведенье и ученье...

«Тётя, тётя, покажите,
Где страна большевиков!
Вы всегда меня браните,
Я туда уйти готов».
И, смеясь сердито, тётя
Показала – «Ленинград.
Там и петлю вы найдёте!» –
Том ответил: «Очень рад!»*

Броня лучше помнила то время, когда отец работал на конюшне и вся семья жила в длинном бараке со множеством чужих людей. Щенкевичи занимали угол с буржуйкой, сделанной из железной бочки; от прочего мира их отделяло подвешенное к потолку пальто. Было холодно и голодно, Бронины косы примерзали к обледенелым стенам, крыса покусала бабушке нос. Ивана Щенкевича в бараке недолюбливали и обзывали паном. Бабушка защищала его, грозно взмахивая тряпкой: «Какой из него пан, если он и в Польше-то ни разу не был и по-польски-то никак не говорит!» Бедная бабушка – её покойный муж, Адам Щенкевич, самый красивый инженер путей сообщения Николаевской железной

_____

* Надежда Павлович. *Примеч. ред.*

дороги, мечтал, чтобы сыновья были «столь же хорошими поляками, как и хорошими русскими», но в 1939 году в РСФСР это было совершенно невозможно.

Папочка подворовывал – с конюшни приносил овёс: в сапоге, шапке, кармане, рукаве, портянке; ночью тихонько толок его в ступке, утром из кулака высыпал в Бронину чашку с кипятком серый порошок. Получался то ли студень, то ли кисель. Особенно он был вкусен с клюквой и морошкой. В полуночной тишине, составленной из храпа, всхлипов, бормотания, детского плача, время от времени слышалось осторожное «тук-тук».

– Тук-тук!

Ближайший сосед Щенкевичей – ленинградский слесарь Пятаков – из-за стука не мог заснуть. Каждую ночь, услышав ненавистное «тук-тук», он принимался кашлять и материться. Стук прекращался. Румяный пионер с крылышками обкладывал лысину Пятакова тёплой ватой, усталое тело слесаря обретало невесомость, отлетало на василеостровскую кухню, где пахло сардельками и уютно шелестели тараканы, но неумолимое «тук-тук» пробивало брешь в стене, выкрашенной зелёной масляной краской, царство Морфея трещало по швам, верёвки с бельём раскачивал космический сквозняк.

– ... твою мать! – кричал Пятаков.

Стук прекращался.

Кто-то донёс, что поляк зерно ворует. Пришли два красноармейца, толкнули нарушителя порядка, стащили с него сапог. На землю высыпалось несколько зёрен. «Бронечке кипяточек забелить!» – отчаянно кричал Иван Щенкевич. Воришку расстреляли, его жену, дочку, мать судили и развели по разным лагерям. Броня осталась совершенно одна, она жила с чувством бесконечной вины перед родными. Что бы она ни делала, перед глазами стоял папочкин кулак с разбухшими костяшками, её единственным желанием было прижаться к нему щекой.

На зоне с Броней могло случиться всё самое плохое, но она снова заболела, а когда поправилась, узнала, что её оставляют в больнице санитаркой. Главным врачом был вольнонаёмный доктор. Он пожалел Броню – то ли за красоту, то ли за доброе отношение к лежачим, долго держал на стационарном лечении, при выписке не разрешил посылать на тяжёлые работы. Этот доктор ничего не делал, только для вида обходил больных, по большей части сидел в своём кабинете и перебирал бумажки. За него работали врачи-зэки. У них Броня научилась колоть вены и лечить обморожения, она в совершенстве овладела техникой возвращения уголовников с Того Света, начальство поощряло её мылом и хлебом. Через два года Броню отправили в детдом нянчить малолетних врагов народа. Там она по-стахановски сократила показатель детской смертности и вскоре была назначена главняней. Броня жила в одном помещении с детьми, в своём «уюте», спрятанном за занавеской. От прошлой жизни у Брони осталось лишь хрустальное гранёное яйцо. Чтобы утешить плачущего ребёнка, она забирала его к себе в уют, доставала яйцо и крутила на свет. Детскому глазу открывалось множество голубых фантастических миров.

5

Пошёл десятый год Гришиной лагерной жизни, заканчивалась война, заканчивался Гришин срок. Гриша об освобождении не думал, ему хотелось бы остаться в детском доме с Броней, Петей и Архипычем. «Красные зори» на взморье смыло волной, в отцовской квартире жили и умирали чужие люди, ехать было некуда, да и не пустили бы Гришу в Ленинград, его ждал либо новый срок, либо поселение.

– С нами ещё поживёшь, – утешала Гришу начальница Гвоздева, – куда же мы без Петрушки?

Гвоздева воспринимала детдомовский театр как свою собственность, это был предмет её гордости и зависти крепостников из соседних и дальних лагерей. Гвоздева покровительствовала «артистам» Мотовилову и Недоквасову: они не голодали, им выделили тёплую мастерскую, там стояло большое мутное зеркало, которое начальница чудом раздобыла в печорской тайге, Гриша часами оттачивал перед ним движения зайчиков и лошадок.

Начальница прекрасно понимала, что это Гриша кукол делает и водит, а друг его Мотовилов сбоку припёка, что зря его в артисты записали, хотя он артистически колол дрова, артистически таскал воду и артистически чистил детский нужник. Но она всё равно держала его в «артистах» – видимо, не остыли её романтические чувства. Плотная, курносая, она была похожа то ли на властную помещицу, то ли на шустрого купчину – мецената провинциального театра, осталось только бороду приклеить. Гвоздева заботилась о своём маленьком народце и всеми силами старалась повышать его куртульный уровень: беспрестанно хлопотала – что-то выбивала, добывала, складывала, заносила в списки и охраняла. В детдомовском зале КВЧ образовались библиотека, музыкальный уголок с празднично мерцающими духовыми инструментами и кружок естествоиспытателя с образцами полезных ископаемых, которые кайлом добывали родители юных натуралистов. Питание детей было однообразным, они неделями ничего не нюхали, кроме манной каши с сушёной черникой. При этом культурно-воспитательная сторона их жизни была яркой и интересной.

Со своим балаганчиком Гриша без конца гастролировал по зонам: Петрушка агитировал измождённую почтеннейшую публику выполнять и перевыполнять трудовую норму. Иногда лагерные начальники вызывали Гришу для домашних представлений и детских праздников. С позволения Гвоздевой Гриша брал с собой Костика как ассистента – во время спектакля мальчик подавал ему кукол. Гриша торжественно назначил Костика руководителем театра. «Луководитель» был бесконечно счастлив, после выступления протирал кукол тряпочкой и аккуратно складывал в ящик. Спрятавшись за ширмой, Костик смотрел в щёлку на весёлых сытеньких детей, иногда ему перепадало что-нибудь вкусненькое с праздничного стола. Однажды после представления в доме полковника Грише налили водки. Пришлось выпить. По дороге домой в ледяном кузове захмелевший Гриша обнял закутанное чучелко Костика и сказал, что вообще-то в городе на Неве у них есть большой каменный дом, и в один прекрасный день они туда поедут, будут делать кукол в собственной столярной мастерской и выступать в больших театрах. «Луководитель» пробормотал, что надо бы не забыть маму, главняню и Петю Мотовилова.

На гастролях в Абези Костик впервые увидел северное сияние: в чёрном небе носился золотой ветер – туда-суда, туда-сюда. Там же, в театре, он увидел «самое красивое в своей жизни» – репетицию балеринок: вдруг услышал, как колотят молотками по полу, подумал – ставят декорации, зашёл в зал, оказалось – прыгают воздушные женщины в белых перьях. Они подлетали, застывали в невесомости и мягко опускались на сцену. Так виделось издалека. А вблизи Костик услышал хриплое дыхание, плечи резко поднимались и опускались, на лицах блестели капли, на пачках из бинтов и марли – бриллианты.

В Абези Гриша выступал в театре и в примыкавшей к посёлку лагерной зоне. Однажды ему пришлось репетировать в бараке для инвалидов. На нарах лежали старики с открытыми чёрными ртами, ввалившимися щеками; несколько стариков пришаркали к балаганчику, они скорбно смотрели на Петрушку, его шутки никого не смешили. Костику было страшно от этих стариков. Один старик дал ему кусок концентрата, Костик из вежливости его погрыз. Старик погладил Костика по голове, сказал, что они с Гришей хорошие пуримшпиллеры и если они поедут в Прагу со своим театром, то все будут их смотреть. Там они разбогатеют, будут есть кнедлики, брамбораки и гуляш. Эта идея понравилась Костику, он предложил Грише поехать на зону в Прагу, если это, конечно, не очень далеко.

Больше всего Костику нравилось выступать в садах для детей личного состава лагеря – там давали тушёнку и компот, – и в Печорском клубе – там были большие концерты и весёлые зрители, после Гришиных представлений другие артисты показывали акробатические номера, потом на улице все плясали и пели что-то задорное и непонятное:

> Начинаем хулиганить,
> Будем вам частушки петь.
> Разрешите для начала
> На ... валенок надеть!

В клубе на руководящей должности работал инженер Николай Иванович. Николай Иванович увлекался механикой, его стол был завален чертежами и проектами. Он по-доброму относился к Грише с его «луководителем», старался, чтобы артистов хорошо кормили и селили в удобном бараке. Инженер рассказывал Грише, как можно устроить канализацию в условиях вечной мерзлоты и подключить к станкам вечный двигатель. Ему очень нравились Гришины марионетки и декорации, больше всего на свете он любил болтики, винтики, шестерёнки и чай с колотым сахаром. У него на столе был ящичек с кусками сахара. К ящичку крепились щипцы для колки, ещё была маленькая пила. Пока Николай Иванович разговаривал с Гришей, Костик колол и пилил сахар, складывал кусочки в сахарницу и в рот, это было замечательно.

* * *

Однажды начальница Гвоздева, сияя от радости, внесла в детский барак пачку новых, пахнущих типографией портретов вождей. Среди них был и Сергей Миронович Киров. Гриша прибил Мироныча над кроватью «луководителя». Киров очень полюбился Костику. По утрам, открыв глаза, Костик первым делом видел засиженного мухами Кирова, который отечески ему улыбался и настоятельно советовал жить, учиться и бороться.

Гриша учил Костика ломать камедь и разговаривать через пищик. Мальчик оказался способным учеником. Костик был шутом-любимцем у Гвоздевой. Часто, пируя в компании приапов, подруга Талии призывала Костика балагурить и веселить народ. В прокуренном бараке, тоже украшенном прибитыми вождями, Костик давал петрушку, талантливо импровизировал, показывал лаццо с мухой и тараканом и приводил пьяную вохру в буйный восторг. Мироныч подмигивал наркомам и отцу народов, те с завистью смотрели на Костика. «Мой!» – говорил Кирыч. «Твой!» – моргал усом Коба.

Гвоздева разрешала Костику свободно гулять по зоне. Иногда он подходил к забору с протянутой поверху колючей проволокой и подолгу там стоял, вызывая недоумение взрослых. У Костика была своя игра, которая называлась «пальцы на свободе». Костик просовывал ладонь в щель между гнилыми досками и шевелил «свободными» пальцами. Сам он был на зоне, а пальцы – на свободе. Для детдомовцев понятие «свободы» было совершенно абстрактным, они росли за забором и не знали, как выглядит другой населённый пункт – город или деревня. Костик же хлебнул «свободы» в посёлковых клубах, он-то знал, что такое вольная жизнь. Костику хотелось на «свободу», ему представлялось, что «на свободе» он всегда будет с мамой, которую давным-давно не видел и устал уже ждать, Грише не придётся ездить с Петрушкой по дальним тюрьмам, они будут все вместе жить в каком-нибудь хорошем домике на берегу реки, плавать в лодке, ловить рыбу. Без детского плача, без крика охранников. Сами, одни, в тишине.

На гастролях Гриша с Петрушкой ударно клеймили лодырей, отказчиков, промотчиков, агитировали заключённых перевоспитываться и поднимать рост производственных показателей. Измученные надрывной работой зэки засыпали во время представления, неизмученные выкрикивали гадости. Однажды в тёмном зале, пока Петрушка-стахановец ловко валил лес одноручной пилой, был убит зритель – блатные сводили счёты. Во время аплодисментов человека со всаженной в грудь скобой выносили вперёд ногами.

Начальники КВЧ хотели, чтобы Гриша знакомил зэков с основами актёрского мастерства и организовывал театральные кружки на зонах. Ему предлагали выбирать из заключённых, построенных перед отправкой на работу, «артистов» для будущего «театра». Это было очень трудно – как можно определить по внешнему виду наличие актёрских способностей у совершенно незнакомого человека? Гриша в замешательстве смотрел на усталых, невыспавшихся людей. В каждом взгляде он читал: «Меня! Возьми меня, придурок!» После некоторых колебаний Гриша выбирал каких-нибудь дистрофиков, какого-нибудь старика с обмороженной чёрной щекой (в одном таком старике Гриша не признал следователя Скрежетова, Павел же Осипович Гришу узнал, на репетициях старательно «балагурил» и осваивал технику разговора через пищик). «Артистов» освобождали от работы, остальных уводили, Гриша ловил взгляды, полные упрёка и ненависти. Однажды в Гришиной рукавице оказалось битое стекло, он сильно поранил пальцы: так кто-то ему отомстил за свою несостоявшуюся артистическую карьеру.

Грише не хотелось уезжать из детского дома, он просил Гвоздеву избавить его от гастролей, но это было невозможно – Петрушка пользовался исключительной популярностью у лагерных поклонников и покровителей изящных искусств.

На детдомовских стенах можно было увидеть многочисленные вырезки из лагерных газет про Гришин театр. Под фотографиями Гриши, Петрушки, сопливых батыров и зверей с трубами, тубами, барабанами в руках и лапах было подписано: «Благодаря активной работе КВЧ бывшие воры, убийцы и враги советской власти прониклись поэзией труда. Под звуки своих оркестров, под стройное хоровое пение они мобилизуются на выполнение и перевыполнение производственных заданий, вытекающих из указания товарища Сталина. На театральных подмостках перекованные артисты борются за чистоту и гигиену, поднимают культурный уровень заключённых, помогают им правильно разбираться в вопросах текущей политики».

Относительно спокойная Гришина жизнь под перепончатым крылом Гвоздевой пошла под откос, когда на сцену выступила новая лагерная начальница – тоже плотная и энергичная, но злая как чёрт, товарищ Иадова. Впервые появившись в детском доме, она, яко тать в нощи, прокралась к младшей группе и резко распахнула дверь в надежде всех застать врасплох и обнаружить беспорядок. Увидев Бронину спину с жёлтой косой и голубое яйцо в поднятой руке, новая начальница остолбенела. Нянька обернулась, Иадова вскрикнула так, будто увидела привидение, и выбежала вон.

6

Агата – Тата – Иадова была дочерью потомственного аптекаря Ядова. В юности она увлекалась стихами, ходила в поэтический кружок и дружила с девочками из профессорских семей, бывшими стоюнинками Мусей и Алей. Муся и Аля жили в одном доме с Ядовыми. Аптекарь их недолюбливал и за глаза обзывал барыньками. Эти девочки были благородных кровей и двойных благозвучных фамилий, революция лишила их всего и наделила всем, их родители воодушевлённо строили новый мир, безропотно уплотнялись и не жалели о прошлой жизни с прислугой и излишками жилплощади. В первые годы «нового мира» девочки питались воздухом и чаем. Словно северные охотницы, румяные, с длинными косами и горящими глазами, они бегали на лыжах по заснеженному обездвиженному городу и успевали на все значительные лекции и встречи. Их интересовало всё – химия, этнография, театр, поэзия, марксизм, биология, а главное – люди, общение с людьми. Для них все были друзья, все – товарищи. Дома Мусю и Алю ждали интересные разговоры с родителями и их друзьями, бедная же Ядова имела угрюмого отца, который таскал её за волосы, и похожего на рептилию фармацевта Гипова, которого угораздило неприятно в неё влюбиться. Муся и Аля были весёлые, уверенные в себе, Тата Ядова, напротив, ненавидела себя и мир вокруг, однако ненависть свою скрывала и отчаянно пыталась выглядеть тоже весёлой. Стоюнинки с детства поражали Тату исключительной смелостью и демократизмом. В своей либеральнейшей гимназии Муся и Аля носили под лёгкими сатиновыми халатиками штаны и матроски, они запросто обращались ко взрослым, не боялись проявлять эмоции, для них не было ничего запретного, они требовали ответов на все вопросы и ответы эти получали сполна. Тата Ядова училась в казённой гимназии, панически боялась начальницу в поблёскивающем пенсне, её душило и кусало шерстяное форменное платье, дома была тоска.

Отцы Муси и Али были химиками, на своих семинарах они собирали толпы студентов и вольнослушателей, в нетопленых аудиториях, чернобородые и вдохновенные, обсуждали фундаментальные законы мироздания и поили учеников чаем из медного самовара. Слушатели приносили угощение – сахар, хлеб, сало. Милиционер Коля приходил со связками сушек на шее, он ставил в угол свою винтовку и призывал через гипотезу и эксперимент непременно выходить к марксизму.

Вслед за Мусей и Алей Тата Ядова пошла учиться на факультет общественных наук, она старалась всюду успевать за девочками, ходила на заседания Вольно-философской академии, корчила из себя антропософку, разучивала роли для студенческого театра, писала стихи и ратовала за духовную революцию в умах мещан. Однако ей не удавалось влиться в компанию передовой университетской молодёжи. Барыньки были с ней приветливы и любезны, охотно знакомили её со своими друзьями, но между ними всегда была пугающая Тату пропасть. Она чувствовала, что никогда не сможет стать такой же, как они, – яркой, лёгкой, свободной; все усилия проявить творческие или научные способности и обратить на себя внимание «интересных» Мусиных и Алиных друзей имели обратный результат: над ней посмеивались, её сторонились.

Две неприятные истории (первая – с белым слоном, вторая – с Пушкиным) стали причиной полного разрыва с Мусей и Алей и отчаянного Татиного бегства из университета. Произошло всё осенью, когда подруги после раздельно, в разных галактиках проведённого лета снова встретились на факультете. Тата летом жила на старенькой отцовской даче у Финского залива: почти голодала, полола грядки, переливала из пустого в порожнее с соседками, била комаров, читала неинтересные книжки по философии и газету «Известия». Пуды картофеля, Индия, спекулянты, польские беженцы и Роза Люксембург сбивались в ком и уходили на дно сознания, потом всплывали в совершенно бессмысленных сновидениях. Унылое Татино времяпровождение разбавлялось встречами с фармацевтом Гиповым, который раз в две недели вползал на дачку и делал Тате серьёзные предложения вечно мокрой руки и сердца. Он не был мобилизован из-за каких-то своих болезней. Два раза на тёмном огороде, у мокрых листьев ревеня, Тата проявила благосклонность к Гипову, потом вспомнила про барынек, подумала, что они будут над ней смеяться, и отвергла отцовского ассистента. Гипов затаился среди колб и мензурок, он решил «пока работать» и выжидать.

Осенью выяснилось, что Муся без памяти влюблена в усатенького лингвиста Митю – и главное, что Митя был в неё без памяти влюблён. Митя называл себя эсером-народником. Тата изо всех сил делала вид, что счастлива за подругу. Она узнала, что Митя – поклонник Рильке, и задумала произвести на него и на всех впечатление. На заседании поэтического общества Тата с выражением прочитала «Карусель». Её немецкий был сносен, но дело испортили пафосное Татино подвывание, сопровождаемое покачиванием коренастого тела и взмахами рук, и особенно «таинственный» шёпот на рефрен про белого слона: «Und dann und wann ein weisser Elefant»*. Кому-то от Татиного чтения было неловко, кому-то – смешно, и впоследствии, когда Тата входила в аудиторию или шла по университетскому коридору, кто-нибудь обязательно провозглашал: «Und dann und wann ein weisser Elefant!»

Вторую и последнюю обиду Тата претерпела на студенческой постановке «Маленьких трагедий». Обидчицей стала избалованная всеобщим вниманием красавица Варенька, её Муся нашла в сельской библиотеке где-то под Боровичами. Варенька страстно любила стихи Андрея Белого, плотоядно их смаковала, проживая и прожёвывая каждое слово. Ночью девочки, которым было уже по девятнадцать, купались в лесном озере, жгли костёр, пекли картошку и громко читали «Северную симфонию»: «С жаждой дня у огня среди мглы фавны, колдуньи, козлы, возликуем. В пляске, равны, танец славный протанцуем среди мглы!.. Козлы!.. Фавны!» Муся притащила Вареньку в Петроград, чтобы познакомить с любимым поэтом. Варенька с удобством расположилась в её комнате и сердце. Мусины родители улыбались ей так, как никогда не улыбались Тате, было видно, что Тата барыньке-Вареньке не чета.

На постановке Ядова была за Сальери. В белом парике и камзоле, который не сходился на выпирающей груди, она старательно декламировала.

---

* И вот опять всё тот же белый слон. (Пер. с нем. В. Куприянов.) *Примеч. автора.*

На значительно протянутой фразе «Тру-у-уден первый шаг и *ску-у-ушен* первый путь» Варенька зашлась тихим смехом, а на словах «Вот яд, последний дар моей Изоры» захохотала в голос. Видя замешательство Сальери, Варя смутилась, но на следующей постановке была та же история – Митя-Фауст пожаловался обёрнутой в чёрный плащ Ядовой: «Мне скучно, бес»; на это бес ответил: «Вся тварь разумная *скушает*», и тут опять послышался сдавленный Варенькин смех.

Тата не могла понять, в чём дело, за что её так ненавидят. Не в силах больше терпеть насмешки «передовой молодёжи», она бросила университет и сошлась с поэтом Виньеткиным, который называл себя «поат». Ей нравились его чувствительные стихи о полях и сёлах, она их горячо хвалила. У Виньеткина были связи, его регулярно печатали в журналах. Этот человек выполнял осведомительно-информационную работу при Петроградском отделе ГПУ, затем ОГПУ. Виньеткин дружил со знаменитыми артистами и поэтами, он был щедр, внимателен, оказывал друзьям тысячу мелких услуг, был вхож во многие дома, аккуратно пил чай, отставив мизинец. Будучи истинным демократом, Виньеткин знакомился с домработницами, расспрашивал о житье-бытье – их собственном, а заодно хозяйском. Верная подруга Тата Ядова помогала «поату» располагать к себе, вынюхивать и доносить.

Как-то весной Муся увидела Тату с Виньеткиным на своём пороге. Муж Митя был на кухне, обсуждал с соседкой Анной Фёдоровной рецепты куличей, вспоминал детство, таскал из-под носа у старушки древние размоченные цукаты и жадно нюхал в пальцах древний кардамон. У окна в Мусиной комнате сидела нагрянувшая в гости барынька-Варенька. На подоконнике в овальном блюде сверкала гора стеклянных пасхальных яиц – детская коллекция сестёр. Варенька посмотрела на Тату и «поата» сквозь гранёное яйцо, не удержалась и пропела: «Und dann und wann ein weisser Elefant». Вспыхнув, Тата потащила Виньеткина к выходу, Муся пожурила Вареньку за издевательство над Ядовой, о которой, впрочем, тут же забыли. «Девочки» не знали, что белый слон сейчас прогнал смертельно опасного врага. Ядова дала себе клятву погубить барынек – но не сейчас, потом, в тот момент, когда они меньше всего будут ждать изощрённой мести. В своих мечтах Ядова представляла, как какие-нибудь привлекательные духи мщения с наганами насилуют барынек, а потом делают семь выстрелов им в грудь.

В январе Виньеткин впал в депрессию, что-то его мучило – то ли нечистая совесть, то ли страх перед завтрашним днём. По ночам «поат» просыпался с криками «Он не сам, он не сам повесился!», вздрагивал при малейшем скрипе, прикуривал одну папиросу от другой, пил водку стаканами, потом попросил свою подругу Тату достать ему яд. Тата решила, что он хочет отравить врагов. «Ради своей высокой любви» она изобразила чувство к ассистенту Гипову и добыла цианистый калий. Поэт-осведомитель при ней же покончил с собой. Тату арестовали по подозрению в убийстве ценного партийца, стоявшего на страже государственной безопасности. Было следствие, основное обвинение сняли, но Ядова всё равно оказалась в тюрьме. Там с Татой приключилась удивительная метаморфоза – она каким-то образом превратилась из уголовницы в начальницу охраны, полностью поменяла фамилию и химический состав. Теперь это была уверенная в себе, неумолимая в своей злобе товарищ Иадова-Тихогнидова, Иадова – для благозвучия и чтобы забыть про яд, Тихогнидова – потому что муж был чекист Тихогнидов.

С Тихогнидовым Тата познакомилась в организованной ОГПУ крупной разведывательной экспедиции на север, тогда она была ещё зэчкой, доматывала срок. Вскоре она стала завхозом на базе ухтинской экспедиции, потом начальницей охраны в одном из лагерей. Первым делом Тата взялась проводить среди солдат специальную агитацию, объяснять им, *кого* они охраняют. После разъяснительной Татиной работы конвой становился ещё злее, держал на людей штык, науськивал собак.

К бытовикам, ворам, убийцам Иадова-Тихогнидова была снисходительна, тех же, кто хоть отдалённо напоминал ей ненавистную «передовую молодёжь», старалась извести. Однажды она была с ревизией в бараке, где жили заключённые химики и геологи, которые работали на буровой. Когда она вошла с мороза в тёплое полутёмное помещение и грозно посмотрела на всю учёную контру, кто-то отчётливо произнёс: «Und dann und wann ein weisser Elefant». Тата медленно стряхнула с себя снег, загадочно улыбнулась и вышла. Через день расстреляли специалиста по девонскому периоду Васю Ханина.

Иадова-Тихогнидова совсем озверела, когда стала просто Иадовой: с места в карьер от неё ушёл муж. Ответственный инспектор Тихогнидов променял свою бровастую статную Тату на седенькую пигалицу Пульхерию Ивановну. Пульхерия Ивановна была вольнонаёмной фельдшерицей, она искусно залечила Тихогнидову застарелый геморрой. Благостная, тихонькая, Пульхерия Ивановна была полной противоположностью мятежной Тате. При новой подруге суровый Тихогнидов становился ласковым мурлыкой. С Пульхерией Ивановной Тихогнидов по инспекторской должности своей поселился недалеко от известкового карьера, на холме, в избушке под берёзкой. В карьере стоял пердячий пар и скрежет зубовный, а в избе пел чайник и шептали шкварки на сковородке. Под хромовыми сапогами Тихогнидова простирались толщи древних отложений с остатками фораминифер, криноидей, гастропод. Среди окаменелостей ползали с тачками представители запроволочной фауны. Поднимались столбы доломитовой муки, хрустели кости зэков и раковины брахиопод. Зэки вынимали изо рта свои зубы и скармливали их иглокожим. Активно размножались морские лилии, похожие на шестерёнки инопланетных летательных аппаратов. Лаяли собаки, материлась охрана. Тихогнидов ездил вокруг карьера на гнедом Фигаро. Пульхерия Ивановна размачивала сухофрукты.

На карьере Тата служила в охране. Предатель семейных ценностей всё время был у неё перед глазами, с сердечной болью она наблюдала за его новым счастьем, но делала вид, что ни о чём не жалеет. Пульхерия Ивановна напоминала Тате классную даму из детства в поблёскивающих стеклышках на носу; хотелось её задушить. Однажды Тата выросла на пороге избушки с крысиным ядом, припрятанным в рукаве гимнастёрки. Она попыталась незаметно подбросить его в сухофрукты, но была застукана зоркой фельдшерицей. Сцепившись в смертельной схватке, соперницы покатились по полу, Тата пыталась расстегнуть кобуру, Пульхерия Ивановна кусала её пальцы. То ли сердце у Таты сдало, то ли зубы фельдшерицы были ядовитые, но одержала победу новая пассия Тихогнидова. Дело замяли, Тату сослали в питомник служебных собак, там она начальствовала несколько лет, хорошо себя проявила и в один прекрасный день получила назначение на руководящую должность в лагерный детский дом. На новое место собачную начальницу сопровождал её единственный друг – старый полуслепой злой пёс

Патрон. Лагерных детей Тата называла «враженята». Она их ненавидела всей душой.

Треть своей жизни Иадова положила на перевоспитание врагов народа, лучшим методом она считала пулемётную очередь. Вглядываясь в лица заключённых, Тата искала университетских интеллектуалов, подпортивших её и без того несвежую юность. Ей часто снились набережная в сугробах, счастливые лица профессорских девочек и их друзей. Она надеялась, что все они умерли – в тюрьме или от голода. Каково же было её изумление, когда, взойдя на новый пост, она обнаружила среди зэчек обидчицу Вареньку...

7

Иадову удивило, что барынька-Варенька за четверть века совершенно не изменилась – те же лицо, фигура, волосы, только глаза грустные. Неужели родственница, дочь? Надо было всё разъяснить. Тата разъяснила, и однажды Броня увидела новую начальницу в столовой. Иадова сидела на низенькой скамеечке рядышком с враженятами, она и себе попросила мисочку каши, однако есть не торопилась. Поставили миску для Патрона, пёс жадно чавкал, но никакого чувства благодарности не испытывал: когда мимо проходил ребёнок, он скалился и страшно рычал. Броня не могла понять, почему начальница смотрит на неё с таким торжеством. Иадова похвалила её за порядок, спросила, все ли хорошо работают – другие няни, истопник, водовоз. Броня очень аккуратно отвечала, что всё у них в полном порядке, замечаний к обслуживающему персоналу нет.

Иадову поразила обстановка в детском бараке. На входной двери красовалась табличка со звездой и надписью: «Самый чистый барак». Действительно, там всё блестело чистотой, пол и деревянные поверхности были выскоблены добела. Пахло ёлкой. На столах у печки сушились ягоды, к потолку были подвешены мешочки с сушёными грибами. К стенам были прибиты нарядные портреты вождей, между ними качались на нитках чудесные куклы, они кивали и улыбались Иадовой, как доброй знакомой. Вокруг детских кроваток стояли фанерные леса и горы; фанерные крылатые кони и прочие звери на колёсиках желали малышам спокойной ночи. На полках среди обычных детских книжек стояли рукописные сборники стихов и сказок: Петя диктовал по своей феноменальной памяти, Броня каллиграфически записывала, Гриша делал картинки и сшивал. В длинном коридоре с дверями, ведущими в детские группы, висела доска почёта с итогами социалистического соревнования, живописными портретами главных ударников и описаниями их достижений. Рисовал, естественно, Гриша. Иадова увидела барыньку-Вареньку, сурового Архипыча в ушанке, серьёзного Петю.

Вокруг барака был устроен «индивидуальный» огород с картофельным полем, грядками, яблоньками и пугалами. Не чуждая самоиронии Гвоздева отдала главному пугалу свой полинявший берет с кокардой и френч с прорехой ниже пояса. Теперь она вечно встречала гостей у калиточки детского дома, отгоняя птиц и злых духов. Иадова знала, что гвоздевский детский дом считается образцово-показательным, что туда на праздники начальство своих детей возит, но она не ожидала увидеть такого великолепия. Всё это было теперь в её руках – Гвоздева шла в увольнение, чтобы ухаживать за безногим сыном. Тате предстояло навести свои порядки в Красном Яге, и для начала надо было сжить со света социально неблагонадёжную Броньку.

Иадова заняла квартиру уехавшей Гвоздевой и совершенно её преобразила. Тата питала страсть к рукоделию, у неё была большая коллекция кружев и вышивок, сделанных крепостными зэчками. Первым делом Иадова украсила спартанское жилище Гвоздевой множеством салфеточек, полотенчиков и подзоров, на стол постелила расшитую скатерть, свисающие с окон старые детские простыни заменила на красивые занавески. У Гвоздевой Иадова обнаружила несколько сборников стихов, изданных культурно-воспитательным отделом НКВД. Эти книжки Гриша привозил из гастролей по дальним зонам. Иадова открыла наугад:

Над полуночным покоем
Из восточной стороны
Вышли звёзды под конвоем
Ослепительной луны*.

Это были прекрасные стихи, написанные заключённым. Жуя губами, Иадова читала их – как бы сквозь сон, как будто что-то припоминая, потом решительно разорвала, растёрла в сильных ладонях и отправила на растопку. Новое жилище Иадова называла «мои пенаты». В свободное время, которого у неё было довольно много, читала «Правду», «Известия», «Производственный бюллетень», старые подшивки «На вахте» и «Северного горняка», пила сладкий чай со спиртом, разговаривала с Патроном, иногда вышивала крестиком.

У крыльца Иадовой обычно стояли на дежурстве Панов и Головкин. Как-то вечером Тата пустила их погреться, провела политинформацию с двумя человеко-посещениями и громкую читку газет, расспросила про родителей и деревеньку, напоила до сально-чесночной отрыжки и ловко натравила на барыньку-Броньку. Дети уже спали, приапы пробухали сапогами в младшую группу и дёрнули занавеску нянькиного уюта. Плясал огонёк керосинки. Броня поднялась на локте, у её бока сопели два чучелка. Она покачала головой и погрозила пальцем; дикая ухмылка сползла

_____

* Стихотворение Николая Жигульского; он был расстрелян в 1937 году. *Примеч. ред.*

с пьяных рож, приапам стало стыдно, страшная месть не свершилась.

Злоба душила Иадову – даже вохра уважала Броньку! Тата кляла мягкотелую Гвоздеву за то, что она «распустила» охранников. Надо было срочно отправить передовичку-стахановку на карьер: оттуда она не вернётся, там вместо еды – мука известковая, там духи мщения с наганами, а блатные подпыривают ножиками, там барынькины потроха очень быстро пропитаются белой смертельной пылью, и можно будет обойтись без семи заветных пулек.

Прежде всего надо было уличить Броньку в халатности и головотяпстве. Но проклятая барынька работала безукоризненно, Тате не к чему было придраться. Ночами она ворочала потной седеющей головой на вышитой подушке и придумывала, как бы подловить, оговорить, разоблачить, казнить. Выли собаки, фонарь на улице скрипел, бил по глазам, мешал заснуть.

Однажды утром начальница увидела, как Броня с явным удовольствием заплетает девочек. Она подкралась сзади, больно ткнула пальцем в детский затылок и провозгласила: «Вши!»

Вшей не было, их давно вывели специальным мылом, которое Архипыч с Петей варили из собственноручно добываемого дёгтя. Это заживляющее, обеззараживающее и изгоняющее вшей мыло было придумано Архипычем, оно пользовалось большой популярностью на зоне, было лицом, маркой и твёрдой валютой детского дома. Случалось, что Гвоздева расплачивалась этим мылом за сокровища с вещевых и продовольственных складов, подкупала им завхозов, дарила начальству на Новый год.

За кладбищем Петя с Архипычем устроили ямную дёгтеварку. Весной дети помогали им собирать и сушить берёзовую кору. Нагнувшись, глядели между своих ног, чтобы увидеть суседко, лешего видели через свёрнутую в трубку бересту. Топилась сложенная по древнему обычаю печь. Петя разливал пахучую чёрную целебную жижу по бутылкам. Однажды Гвоздева променяла детдомовский дёготь на розовое сало, с этим салом варили кашу, солёная корка от сала стала для многих маленьких врагов самым вкусным воспоминанием детства.

Броня предложила обработать детские головы дегтярным мылом Архипыча, однако Иадова потребовала, чтобы няньки и себя и враженят обрили наголо и намазали керосином. Тату разозлило, что Броня невозмутимо подчинилась приказу, зато она с утробным удовлетворением смотрела на синие детские головы и голый Бронин череп, который, кстати, произвёл огромное впечатление на артистов-водовозов. Они утверждали, что его форма с удлинённым затылком – эталон красоты. С тех пор запах керосина был у водовозов неразрывно связан с сильным любовным переживанием.

Иадова запретила водить детей в лес, теперь они могли гулять только вокруг барака в сопровождении сторожевых собак. Большим Татиным разочарованием стали четвероногие охранники. Их Гвоздева тоже распустила – собаки были недостаточно бдительны: вместо того чтобы рычать и лаять на детей, они виляли хвостами и глупейшим образом скулили. Сырые собаки, необученные! Один Патрон приносил ей утешение – он мог без предупреждения вцепиться в ногу; однако по старости своей пёс потерял былую хватку, его укусы были незначительны, и приходилось довольствоваться лишь испуганным детским криком.

Время от времени Иадова устраивала шмон – обыскивала Бронин уют и детские карманы. Когда она нагрянула впервые, все очень удивились – раньше такого не было: Гвоздева всецело доверяла главняне. Тата принялась лихорадочно выворачивать детские карманы, почти в каждом из них была краюшка. «Не положено!» – вопила Иадова. «Это няня нам хлебушек даёт, чтобы леший нас не увёл, – объясняла начальнице маленькая девочка, – возьмите, тётя, пососите корочку».

Иадова шарахнулась в сторону уюта. Там, казалось, не к чему было придраться: нары аккуратно застелены, столик с керосинкой, на гвозде бушлат. Иадова дёрнула одеяло – пусто, сорвала бушлат – опять мимо, потащила тюфяк – под ним обнаружилась стопка листков, перевязанная верёвочкой. Тата жадно распотрошила бумаги, но ничего запретного там не нашла: Бронины грамоты, книжка ударника. Тихо матерясь, Тата разглядывала книжку. Там объяснялось, что соревнование превращает труд из зазорного и тяжёлого бремени в дело чести, в дело славы, дело доблести и геройства. Тата тяжело опустилась на пол и стала шарить под нарами. Обнаружила ящик с чулками, набитыми сушёными растениями.

– Кто разрешил? – орала Иадова, вытряхивая на пол жёлтые и синие цветочки. – Что это? Что?

– Это пижма. Пижму даём от глистов, – отвечала бесстрастно Броня, – настой пижмы, столовая ложка в день. Это валериана. От латинского valere – «быть здоровым». Успокаивающее средство, чайная ложка перед сном.

– Травку собираешь? Нарушаешь! Не положено! Запрещаю покидать территорию! Думаешь, ты рублёвая? Нет, ты пятнадцатикопеечная! Сообщу куда надо! Дадут четвертак в зубы! На карьер пойдёшь! Делать нечего? *Скушаешь* без работы?

– Работы много, мне с детьми не скучно, – сказала Броня и улыбнулась в сторону.

– «Вся тварь разумная скучает!» – на шум прибежал истопник-водовоз Петя. – Разрешите обратиться! Это я собирал растения по приказу начальницы Гвоздевой!

Тата дико посмотрела по сторонам и бросилась выворачивать Бронины карманы – посыпалась махорка, выпало голубое пасхальное яичко. Иадова пнула его ногой и, ведя рукой по стенке, вышла

73

из барака. Патрон ковылял за ней. Накрапывал дождь, вокруг проложенных по двору мостков дрожало глиняное месиво; Тата поскользнулась на мокрых досках и упала, больно ударившись мощным крупом. Пёс от неожиданности хватил её за локоть.

Следующим актом Татиной мести за неудавшуюся молодость был удар тяжёлой артиллерии по детдомовскому огороду, где враженята с няньками выращивали овощи. Иадова не могла найти повод, чтобы его уничтожить. Она без повода бросилась на грядки и стала топтать ботву моркови и свёклы. Начальница плохо себя чувствовала, приступ ярости вызвал сильную пульсацию в голове, в глазах летали мухи, сердце колотилось. Броня, воткнув лопату в землю, спокойно смотрела на бешеного слона, дети замерли в ужасе и изумлении. К начальнице бросился «луководитель» театра. «Злая жеможаха! Ты злая жеможаха!» – кричал разгневанный Костик. Этому ругательству он выучился у Гриши. Тата оторопела, потом с такой силой ударила Костика по уху, что он упал в грязь и ненадолго потерял сознание.

На следующий день Гриша отправился к Иадовой, он шёл, сам не зная, что ей сказать. Его к начальнице не пускали, он ждал у крыльца под дождём два часа. Приапы-гробокопатели смотрели на него с сочувствием. Наконец начальница вышла. Не дав Грише и слова сказать, Иадова стала орать на него, обзывать фигляром, саморубом и прихлебателем КВЧ, грозить известковым карьером. Гриша напомнил ей о своей ударной работе в театре и предстоящих гастролях, в которые известковый карьер никак не был вписан. Иадова изобразила, что впервые слышит о Петрушкиной культурно-воспитательной деятельности. Тату душила злоба – она ничего не могла сделать со знаменитым театром. Театр существовал в пространстве детского дома и формально находился в её ведении, но он был гордостью всего Печорлага, почитателями Гришиного таланта были очень крупные начальники, которые могли саму Иадову стереть в известковый порошок.

Наступила осень, над лагерем с жалобным криком текли перелётные птицы, небо закрылось шинелью с длинными рукавами, из дыры под мышкой шёл бесконечный дождь. Тата целыми днями сидела в своих пенатах, отгородившись от тусклого мира весёленькими занавесочками. Дети позвали начальницу смотреть спектакль «Баба-яга мешает соревнованию», но она не пошла: ей было противно всё, что имело отношение к новым подопечным. Вот Гвоздевой нравилось возиться с враженятами, она не брезговала есть их еду, хлопотала, суетилась, что-то запасала, как мышь. Тата же в душе всегда оставалась суровой начальницей охраны, своим внутренним взором она продолжала внимательно следить за тем, как копошатся и гибнут трудовые единицы в раскрытой пасти четвёртого геологического периода палеозойской эры.

Иадова чувствовала, что обитателям детского дома живётся хорошо, и это не правильно, несправедливо, не положено. Последние приступы ярости не прошли для неё бесследно – голова кружилась, по утрам было не сжать кулак. Ненависть к Броне полностью пропитала Иадову, она думала только о том, как бы её ликвидировать.

В детском бараке готовились к годовщине Октября. В зале КВЧ Петя с Гришей всю ночь мастерили броневичок и крейсер «Аврору» на колёсиках. Под утро Гриша пошёл будить Костика и грузить декорации – театр ехал на гастроли. Петя остался работать над маской буржуя. Он решил переделать в буржуя старую, кое-где расклеившуюся, погрызенную мышами и от этого ещё более страшную Бабу-ягу. Петя надел маску. Через дырки-глазницы окружающее виделось совсем по-другому. Этнограф-водовоз представлял себе, что проник в потусторонний мир, в сакральное пространство, которое охраняется духами и чудовищами. Петя побродил по бараку, подкинул дрова в печки, почувствовал, что живот свело от голода, и, не снимая маску, вышел на улицу. Уже неделю стояла морозная бесснежная погода. Резкий ветер трепал седые космы высокой тощей Яги в сапогах и ватнике. Стремительно, широким шагом шла она через двор на кухню дегустировать манную кашу. В тающей темноте слонялся сонный водитель, Гриша гремел фанерой.

Это была обычная Петина работа – каждое утро приходил он на кухню, чтобы следить за качеством манной каши. Петя чинно надевал белый халат, съедал миску серой питательной жижи, заносил в журнал замечания об опробованной пище, затем снимал халат, пил кипяток и ждал в тишине и покое, когда в него вольётся волшебная сила. Дождавшись, хватал богатырскими руками чаны с кашей, переносил их на сработанную Архипычем специальную повозку – то ли большую тачку, то ли маленькую телегу, впрягался в специальный хомут и, «себя в коня преобразив», вёз детям завтрак. В бараке Броня насыпала в кашу растёртые сушёные ягоды, и дети начинали есть. В ползунковой группе было одиннадцать едоков, их надо было кормить одновременно, пока каша не остыла. Броня ставила в ряд одиннадцать стульев, каждого едока крепко привязывала полотенцем к стулу, так, чтобы ручки были спрятаны. Строго таращa глаза, няня бегала вдоль стульев и вмазывала в ротики кашу. Кто-то из едоков жевал сознательно, кто-то плевался, кто-то смеялся, кто-то крутился в своём коконе, кто-то с треском пукал, кто-то хныкал...

Петя открыл дверь на кухню и замер на пороге – над чанами склонилась ведьма в гимнастёрке, она что-то осторожно сыпала из газетного кулька в детскую еду. «Разрешите обратиться!» – гаркнул взволнованный Петя. Ведьма вздрогнула и невзначай высыпала в кашу всё, что было в кульке. Взглянув на Петю, она закричала от ужаса.

– Разрешите обратиться! Что вы сыпали в кашу? – Петя в беспокойстве подошёл к плите.

Иадова, не прекращая кричать, пятилась от него, выставив перед собой ладони.

– Кто вы?! Кто?! – орала ведьма.

– Я представитель санчасти. Приготовленная пища должна быть опробована. Я несу ответственность за качество манной каши. Я – ударник-специалист по манной каше. Что вы сыпали в еду?

Иадова обезумела от ужаса, она кричала не переставая. Петя сорвал маску и понюхал кашу. Несомненно, был посторонний запах – чего-то неприятно-сладкого. На крик прибежали с улицы, в открытую дверь ворвался Патрон. Петя зачерпнул миской кашу и поставил на пол. Патрон, обжигаясь, стал жадно есть. Иадова хотела отобрать у Патрона миску, пёс вцепился ей в ногу. Прибежала Броня. Иадова, хромая, бросилась на неё с кулаками:

– Отравительница! Хотела отравить детей! Охрана! Тревога! Спустить собак! Стрелять ракетами!

Петя оттащил взбесившуюся Иадову от Брони и вытолкнул на улицу. Припадая на укушенную ногу, начальница кругами бегала по двору, потом кинулась к грузовику и стала яростно крутить кривой стартёр. Мотор не заводился. Петя вспомнил детские кошмары, которые настигали его во время высокой температуры: там нечто бегало по кругу, стремительно уменьшая радиус вращения, съёживалось в точку и взрывалось. Дети, охранники, зэки и растерянный водитель

78

смотрели, как начальница пытается завести машину, но к ней никто не подходил, все боялись. Забурчал мотор. Тата вытащила стартёр, широко размахнувшись, бросила его в людей, забралась в кабину, хлопнула дверцей, закопошилась, как паук, суча руками и ногами, приводя в движение усталый от непогоды и плохих дорог ЗИС-5, сделала прощальный круг и выехала с зоны. Все пошли на кухню. Там рядом с миской лежал околевший Патрон.

8

Костику снилось, что в прокуренной сторожке начальница Гвоздева визгливо смеётся, Панов парит на стуле, Головкин намазывает хлеб жиром, посыпает сахаром и даёт всё это ему, «луководителю» театра. За окном вьюга, даже внутри перед дверью бело – намело. Костик хочет попробовать лакомство, но что-то ему мешает, что-то толкает его, и мороз пробирает до костей. Незнакомый красноармеец с потным лицом опрокидывает в пасть содержимое железной кружки, крякает, ухает и рассказывает, как геройски задерживал в Кедровом Шоре диверсионную группу немецких десантников. Костику кажется, что он врёт. Дверь на улицу скрипит и хлопает.

Мальчик открыл глаза и понял, что находится в едущем грузовике, в кузове; одна сторона брезентовой крыши отстала от борта и хлопала на ветру. Гриша спал мёртвым сном, на его усах повисли белые капли, в бороде застряла солома. Костик удивился, что они так долго едут до станции. Он подполз к борту и глянул под брезент. Никакой железки и в помине не было. Грузовик шёл по незнакомой дороге, по её краям ровным строем стояли зелёные ели. Костик посмотрел в заднее окно кабины и глазам своим не поверил – машину вела жеможаха! Он растолкал Гришу – «Жеможаха! Жеможаха!» – тот встрепенулся и застучал кулаком.

Тата испугалась – она думала, что едет одна. Начальница ударила по тормозам, и ЗИС заглох. Все вылезли из машины и уставились друг на друга. Падали редкие снежинки, грузовик стоял на широкой дороге – это была замёрзшая река, под слоем льда печорские рыбы активно обсуждали сложившуюся ситуацию. Сорога предполагала, что начальница сейчас всех порешит из наградного нагана. Окунь с сомнением шевелил красными плавничками, он возражал, указывая на то, что Захар Иванович заглох, кривого нет, и кто-то должен помочь Иадовой завести машину с толкача, иначе – верная смерть от холода в этой пустыне. Старый толстый язь ослепил присутствующих серебряным блеском мундира: «Товарищ Иадова не помнит, что нет кривого. Она находится во власти нелепых идей и обманчивых чувств. Её болезнь очевидна: душевное расстройство, паранойя. Начальница думает, что против неё что-то замышляется, что её чести и жизни грозит опасность. Она считает себя жертвой интриг. Она принимает меры самообороны и обнаруживает прямо враждебное отношение к своим мнимым преследователям – аристократам, троцкистам, магнетизёрам, нянькам, артистам. Сейчас может случиться всё что угодно».

Иадова посмотрела по сторонам – вокруг тишина, никаких признаков жизни.

– Ты кто такой? – крикнула она, схватившись за кобуру.

– Заключённый Д-147, активист КВЧ, кадр, овладевший техникой вождения марионеток и сколачивания детских гробов. Куда вы едете? Куда вы нас привезли?

– Я еду на карьер, жаловаться!

– На что?

– На красивую жизнь в детдоме. Не положено!

– Вы неправильно едете! Здесь нет карьера! Вы плохо себя чувствуете, поедем обратно!

– Врёшь! Здесь карьер!

– Хорошо, поедем на карьер, это в другую сторону, скоро стемнеет, вы устали, я сяду за руль.

– Врёшь! А ну заводи!

Стартёра не было. Гриша с Костиком стали толкать машину, Иадова тоже навалилась, потом влезла в кабину. Захар Иванович заворчал и рванул вперёд, артисты остались одни. «Ну что же, пойдём, Костик, домой!»

Лес и речная дорога серели, день убегал. Артисты были очень далеко от лагеря, ведь они ехали с жеможахой несколько часов. Самым страшным оказалось отсутствие спичек, Гриша не мог развести костёр. «Костик, придётся всю ночь идти по реке, чтобы не замёрзнуть». Облачное небо сливалось с припорошённой землёй. Грише показалось, что по высокому берегу пролегает тропа. Может, она приведёт к людям? Артисты по-звериному вскарабкались наверх – да, еле заметная тропинка уводила в лес. Решили быстро посмотреть, что там, и, если нет жилья, вернуться к реке до полной темноты. Побежали вперёд. Среди сосенок стояла избушка, к её углам и двери были прибиты дощечки с гвоздями.

– Гриша, зачем эти гвозди по углам?

– Не знаю, Костик. Может, от медведей? Медведь избу с угла ломает.

– Гриша, я боюсь!

Осторожно, чтобы не пораниться, Гриша открыл дверь. Внутри – ни зги, холод, нары со свернутыми задубевшими одеялами, меховая задубевшая подушка. В углу наткнулись на груду камней – печка-каменка, в топочку заложены ветошь и поленья. Гриша не нашёл ни спичек, ни огнива. Нащупал топор. Бил топором по камню, чтобы высечь искру, – ничего не получалось, искры не хотели поджигать ветошь. Поводив руками, нашли на вешалах тулуп, ватник, какую-то одежду. Закутались, легли на нары, отключились.

Проснувшись, Гриша увидел, что через дырку в крыше льётся свет и падают снежинки. Рядом сопел Костик, его голова лежала на странной подушке – это была пушистая мёртвая кошка. Осмотревшись, Гриша обнаружил, что свёртком одеял, к которому он ночью прижимался, был одетый по-зимнему мертвец. Судя по всему, он был охотник и умер несколько лет назад. Чтобы не пугать ребёнка, Гриша накрыл одеялом голову с пустыми глазницами, осторожно вытянул из-под Костиковой щеки кошку и стал искать огниво. Вот оно, в кармане тулупа, в сумочке. Развёл огонь, открыл дверь. Избушка топилась по-чёрному, дым потянулся вверх и повалил наружу. В жестянках на полке была крупа на несколько дней...

9

Костик не любил лес, ему казалось, что за каждым деревом прячутся враги, да и сами деревья – враги: хватают за одежду, хлещут по лицу сучками, иголками. Однажды он отстал от группы, пустил струю сначала на листик, потом на ягодку, потом на веточку и угодил в осиное гнездо. Вылетел рой, Костик закричал от укусов. Вихрем принеслась няня Броня, схватила Костика за руку, так дёрнула, что чуть не выдрала из плеча. Они бежали, не разбирая дороги, кусты и ёлки пытались их сцапать, задержать, отдать на съедение осам. Полосатые истребители рассеялись, а для Костика Броня на всю жизнь осталась олицетворением мощной силы, которая вырвет с корнем из любой беды.

В охотничьей избушке было холодно и страшно, Гриша сказал Костику не подходить к свёрнутым на нарах одеялам, но мальчик догадывался по очертаниям, что там кто-то есть. Грише не хотелось тревожить мертвеца, вытаскивать его из избушки: во-первых, звери растащат кости, во-вторых, они не собирались тут оставаться, надо было искать людей или наварить каши и идти по реке домой, на зону.

Людей искать не пришлось – они сами явились, заметив дым: старик и молодой парень, у которого глаза глядели в разные стороны, он плохо видел. Парень опирался на настоящее копьё – сверху блестел острый наконечник. Это были охотники, они пришли с другой стороны реки. На мертвеца смотреть охотники не захотели, к Грише с Костиком отнеслись с большим подозрением, кажется, у них не было сомнений в том, что это беглые. Они говорили по-русски, но часто вставляли в разговор неведомые слова – всё «кыкъён» да «кыкъён», «ворса» да «васаён». Гриша попросил охотников проводить их в какой-нибудь населённый пункт, те согласились, но вели себя недружелюбно. Не дали наварить в дорогу каши: «кымёра», мол, «ошъяс ыджыж-ось»; быстро перебрались через реку и углубились в лес. Охотники шли своими тропами, кое-где были капканы, они их осматривали, налаживали, потом спешили дальше. К вечеру привели Гришу и Костика в избушку, которая была так похожа на первую, что могло показаться, будто они вернулись обратно, – только не было реки, мертвеца и дохлой кошки.

Старик развёл огонь, Костик, измученный холодом и тяжёлой дорогой, свернулся калачиком около каменки. Он несколько раз просыпался, видел, что Гриша разговаривает с охотниками. Гриша дал ему кусочек сала. Костик пожевал его – жёсткое – засунул за щеку, снова заснул, иззябшее тело согрелось, он перестал его чувствовать и будто бы парил в невесомости. Ночью Костику стало жарко, душно. Старик спал в углу, полуголый потный парень сидел на нарах и напряжённо вглядывался в Гришу, который вёл себя как-то странно: пытался встать и не мог. Костик заснул на минуту, упал в кошмар с тлеющими углями и выкипающей водой, усилием воли стряхнул сон. Гриша лежал на нарах с открытым ртом, парень замотал его руку тряпкой и пытался ножом отрезать палец. Гриша застонал. Костик страшно закричал, схватил копьё. Старик проснулся, совершенно не удивился тому, что здесь пытаются отрезать палец, шуганул кривоглазого, перевязал Гришину рану. Палец был спасён.

Костик до утра таращил глаза, с копьём сторожил мёртвым сном спящего друга и плакал от страха. Парень со стариком ругались на своём странном языке: всё «зэки» да «зэки», «дырник» да «дырник». Гриша зашевелился, застонал, схватился за голову, схватился за руку, замотанную окровавленной тряпкой. Старик цыкнул на парня, тот выскочил из избушки. Старик накинул Грише на плечи тулуп как бы в подарок и стал выпроваживать гостей: «Идите к дырнику, прямо, прямо, налево, налево, нёль-нёль, дырник, керка-кык, керка-кык». Так Костику слышалось. Покачиваясь, Гриша вышел из избушки, Костик его поддерживал. Парень колол дрова, посмотрел злобно на «зэков» и всадил топор в полено.

Это был указательный палец на правой руке. На левой вместо большого – давний обрубок.

– Гриша, почему ты заснул? Ты шатался и говорить не мог, ты мычал. Почему ты так мычал?

– Костик, не могу говорить. Подожди, я сейчас упаду. Всё, пойдём... Без этого пальца я бы не смог кукол водить. Стал бы зрителем. Тебе одному пришлось бы выступать, Костик.

– Что ты! Я не умею! Зачем ему понадобился твой палец?

– Может быть, для колдовства. Петя бы нам объяснил. Или суп сварить. Или отнести в милицию. Ему бы сахару дали за палец с отпечатком зэка. Он ведь и бушлат забрал. На бушлате номер. Он меня грибами кормил. Угощал. Сам не ел, всё мне скормил. Он плохой человек, Костик. Опасный. Ты людям не доверяй. Приглядывайся. Если я вдруг помру.

Артисты шли по лесу, Гришу рвало. Забрели на болото. Хрупкий лёд, ярко-зелёный мох хрустели под ногами. Гриша привалился к кочке, у него было обезвоживание. Костик собирал замёрзшие ягоды, которые от тепла превращались в бурое месиво, и с ладони вмазывал их в Гришин рот.

Надо было идти «нёль-нёль» налево в указанном направлении, в поисках того, кто сможет помочь без членовредительства, либо возвращаться к охотникам и просить, чтобы отвели обратно к реке. Гриша старался идти быстро, но шатался от слабости, тупо смотрел себе под ноги, его посещали странные видения: мох казался порослью доисторических деревьев, собственные сапоги – каменными глыбами, которые всё крушат. Казалось, что отовсюду надвинулись тени, сбежались духи леса – вот они бормочут, высовываются из веток. Гриша садился под ёлку и показывал Костику тётку в платочке: «Пойди, Костик, спроси у неё, где зона». Костик тряс Гришу, молотил его по голове кулаками, чтобы прогнать тётку. Тётка исчезала, Гриша с трудом поднимался, брёл по тропинке дальше. Тётка снова прыгала по кочкам, хихикала и задирала себе подол, словно подвыпившая Гвоздева.

В этом лесу водились звери. Артисты видели лосиные орешки, заячий горох, большую кучу говна, похожую на медвежий пирог, рядом валялся обрывок «Социалистического Севера».

Гриша остановился. Среди хвощей и папоротников блеснул бурный поток. Костик толкал его в спину – пойдём, ну пойдём! – а Гриша, покачиваясь, пялился на непонятную реку.

87

Сознание прояснилось: хвощи съёжились в мох, по мху была протянута проволока. «Осторожно, Костик!» – Гриша встряхнулся, нашёл сук, ткнул в проволоку. Что-то сорвалось с дерева, будто птица, и в землю воткнулась стрела. «Всё, Костик, дальше не пойдём, здесь натяжки. Я должен поспать». Гриша заснул. Костик собрал палочки, развёл костерок. Ночью Гриша проснулся, ему стало лучше. Он притащил старую ёлку, кинул в угли. Вспыхнули коричневые ветки, взлетели искры. Духи леса пересвистывались, перешёптывались. Они придумывали казнь для активистов КВЧ, вторгшихся в их владения. Костик спал. Гриша следил, чтобы волосы и одежда ребёнка не загорелись от жара костра. «Третья ночь на свободе. Что будет завтра?»

* * *

Костик проснулся от голода. Его карманы были набиты крупой, позаимствованной у мертвеца. Варить было не в чем. Гриша положил в костёр несколько камней. На их нагретую поверхность артисты сыпали крупу и поливали её болотной водичкой. Каша прела потихоньку, над болотом стелился живой домашний запах.

Гриша обнаружил ещё несколько натяжек. Они были выставлены большим полукругом. Гриша тыкал в них веткой, приводил в действие. Всякий раз вылетали стрелы. Наконечники стрел были сделаны из консервных банок. Может быть, здесь есть ещё одна охотничья избушка? И правда, на территории, окружённой натяжками, нашли лабаз – избушку на курьих ножках без окон, без дверей. Вход в избушку был снизу, через лаз. К курьей ножке была приставлена лесенка. Артисты проникли в логово Бабы-яги. В потёмках Гриша пытался найти еду, посуду и одежду. Посередине лабаза с ужасом нащупал кого-то похожего на давешнего мертвеца: на табурете сидел задубевший человек. «Костик, не лезь сюда! Подожди!»

Костик на четвереньках пополз обратно к лазу.

Похоже, это была женщина: на голове – шерстяной платок, на шее – множество бус. От прикосновения мёртвая покачнулась и со стуком грохнулась на пол. Костик вскрикнул.

– Не бойся, Костик! Она ненастоящая!

– Как это?

– Деревянная. Вот, слышишь, я по ней стучу!

– Что она здесь делает?

– Кто-то её сюда посадил.

– Она точно не мёртвая?

– Точно! У неё деревянное лицо.

– А еда там есть?

– Тряпья много. Вот, котелок нашёл. Еды нет. Сейчас... Консервы!

– Давай их мне!

Артисты украли у Яги ящик консервов и несколько одеял. Ещё сутки провели они у костра, вздрагивая при каждом шорохе: боялись волков и хозяев разорённого капища. Однако никто не приходил. В консервных банках варили кашу с мясом, это было очень вкусно. Собравшись с силами, рано утром артисты снова двинулись «нёль-нёль» налево.

– Гриша, тот, к кому мы идём, его как зовут? Старик его как называл – дырник или дурник? Кто он такой?

– Костик, я сам ничего не понял. Нам надо срочно на зону попасть. Ведь получается побег.

– Так ведь мы же не сами!

– Не сами. Но надо скорее на зону вернуться.

На сухую мёрзлую землю падал первый снег. Вышли к реке. Непонятно было – та ли это река, по которой они с жеможахой приехали... Дымок! Жильё, люди.

Дом был большой, древний, накренившийся двор подпирали свежеобтёсанные жерди и столбы. Пахло сеном, скотиной. Артисты пошли вокруг дома. «Хозяева! Хозяева!» – негромко звал Гриша. Вдруг оба вздрогнули от неожиданности – в стене на высоте Костиковой головы была дырка, а из дырки торчала жуткая жующая морда с драконьими ноздрями и жидкой бородой. Неслось бормотание: «Возбнув от мглы нечистых привидений дьявольских и всякия скверны, сподоблюся чистою совестию отверсти скверная моя и нечистая уста...» В нескольких шагах от страшной морды была другая дырка! Из неё смотрели чьи-то злые глаза и высовывался крючковатый нос.

– Здравствуйте, мы не беглые!

Нос и глаза исчезли. Послышался скрип шагов по снегу, из-за угла выбежал старичок ростом с Костика в женском платье. Он размахивал топором. За ним на всех парах неслось белое чудовище с грозными рогами. Костик завопил – он впервые в жизни увидел не чучелко козла.

10

Логин Самсонович Евсеев родился в 1868 году. Отец бил его по голове ложкой, рукой, Библией, веретеном, варежкой, лучинкой и говорил, что весь мир за пределами их дома будет гореть в аду, поэтому лучше сидеть на печке и никуда не соваться. Логин сидел на печке, работал и молился. Чтобы Богу было слышнее и понятнее, Евсеевы молились летом на полянке или через открытое на восток окно, а зимой, когда окна были законопачены и на улицу идти не хотелось, – в дырки, прорубленные в восточной стене дома: «Без числа согреших, Господи, помилуй и прости мя грешнаго!»

Боженька на облаке радовался, что слух напрягать не надо, всё прекрасно слышно. В награду он посылал Евсеевым здоровье, погоду, рыбу, молоко, репу и морковь. Помолившись, дырку закрывали брусочком, подпихивали солому, чтобы не дуло.

Померев, родители оставили Логину корову и стадо коз. Логин жил один, он был маленького роста, но очень сильный. Бог был его единственным собеседником. Ему всё время хотелось разговаривать с Богом – и когда он работал, и когда ел, и когда дремал. Но это было неприлично, неуважительно. Логин сдерживал себя изо всех сил, и только закончив свои дела, выходил на улицу или высовывался в дырку и всласть молился. Чтобы помолиться в отцовскую дырку, Логин вставал на табурет. Несколько низких дырок пропилил в сенях и в хлеву.

Однажды приехали красноармейцы, они забрали у Логина корову, вытащили из погреба овощи, которые хранились от мышей и сырости в куче песка, даже дрова перекидали к себе в телеги. Козёл Остап, услышав звук приближающейся беды, быстренько повёл своих жён и детей в лес тайными тропами. Красноармейцы не смогли найти стадо. В досаде они хотели забрать с собой Логина, но смутившись его маленьким ростом, оставили в покое. Через некоторое время они вернулись за козами. Остап, обладавший даром предвидения, снова увёл стадо в безопасное место, а сам одиноко стоял во дворе и презрительно смотрел на солдат. Попытались взять Остапа. Козёл знал, что лучшая защита – это нападение. Наклонив голову, он смело бросился на врага, сшиб с ног рядового Задова и боднул в зад рядового Зубова. Логин насилу оттащил козла от красноармейцев – Остап хотел довести дело до победного конца. Задов выстрелил Остапу в голову, а Зубов трусливо воткнул в него, завалившегося на бок, штык. С матом и хохотом солдаты убрались, обещая вернуться и убить Логина, если он не отдаст коз.

Пуля, попавшая в голову, пробила навылет щёки, сильно окровавив Остапа и на время лишив его соображения. Штык вошёл в рубец, не задев жизненно важных органов. Впервые Логин стал молиться не в дырку и не на полянке. С Божьей помощью он достал щипцами и пальцами пулю из рубца и замазал раны дёгтем. Логин спал на земле рядом с Остапом, плакал и просил его не умирать. Через день Остап с трудом поднялся и пошёл в лес – он не мог бросить стадо. Вернулся с двумя козами и козлёнком, остальных задрали волки.

В один прекрасный день снова появился Задов – верхом приехал узнать, как там стадо. Увидел коз, новорождённых козлят, обрадовался. Потребовал у Логина роскошные Остаповы рога, протопал грязными сапогами в дом, стал там рыться, рога искать. А когда вышел на солнышко, увидел призрак Остапа. Наклонив голову, чудовище готовилось к отмщению. Задов схватил винтовку, но выстрелить не успел – козёл встал на дыбы, положил передние копыта Задову на плечи, пощупал сукно гимнастёрки и в глаза посмотрел со значением. Тихонько боднул в лоб. Задов рухнул, закричал, вскочил и побежал к реке. Остап – за ним. Задов кинулся в воду, течение подхватило его и понесло. Остап смотрел на реку до тех пор, пока враг не скрылся под водой. Убедившись, что гроза миновала, вернулся на двор, шуганул красноармейского Сивку, сунул нос Логину под мышку, пошёл к Шумилке и Лупанде. Зимой у него родилось ещё четверо детей.

Уже в преклонном возрасте Остап совершил свой главный подвиг – спас стадо от волка. Как-то Логин услышал тревожное блеяние и пошёл проверить скотину. Козы жались к ограде, Остап на дворе бился с волком. Оба были окровавлены. Волк вцепился в спину Остапа. Остап рванулся, оставив кусок мяса в волчьих зубах, в прыжке развернулся и боковым ударом рогов швырнул врага. Едва волк поднялся – новый страшный удар. Волк околел. Логину тоже досталось – когда он подбежал к любимому Осе, козёл и его сгоряча шарахнул в плечо.

Из сыновей Остапа лучшим был Белый Остапыч. Статью, характером, бородой он походил на папашу: тоже красавец, умница, заботливый отец, преданный муж. Белый Остапыч любил Логина и стадо, остальных – ненавидел. Единственным человеком, кроме хозяина, к которому Остапыч почувствовал расположение, стал Костик. В день первого снега козёл вместе с Логином бросился в атаку на незваных гостей, но, увидев мальчика, резко затормозил и дал задний ход. Что-то его поразило в облике Костика. Может, смутил маленький рост – как у хозяина? Гнать и бодать артистов Остапыч не стал. А Логин не стал их рубить топором, наоборот – проводил в дом, накормил. Он очень давно не видел ребёнка. Костик был похож на ангела – такой добрый, внимательный, кроткий, с голубыми глазками и светлыми волосиками, едва отросшими после бритья, которое случилось в детдоме по велению жеможахи. Логин почувствовал к нему нежность, как к козлёнку. Гриша, косясь на приставленный к поленнице топор, пошёл валить деревья. Старик с удовольствием смотрел, как быстро Гриша работает, как растут Гришины профессиональные кубометры дров. Клиньями Гриша расширкивал стволы, делал заготовки для досок, укладывал их для сушки. Сам Логин такую работу выполнял уже с трудом. Потом Гриша столярничал, чинил хромые столы, починил кривой шкаф, кривой буфет, кривые двери, заменил в доме прогнившие брёвна, поправил крышу. Он измерил Логина и сделал ему удобный гроб. Гроб старику очень понравился – на чердаке его дожидался крепкий просмолённый гроб, сработанный ещё дедом, но он был слишком большой, просто гигантский – предки Логина отличались ростом и шириной плеч.

Однажды за ужином из-под Гришиного колена выскочил Петруха, поздоровался деревянным голосом, низко поклонился Логину, погладил Костика по щёчке. Старик засмеялся впервые за полвека. Остапычу Гриша выказывал почтение, по утрам говорил ему «дратути». Остапыч на Гришу смотрел со строгостью, однако позволял рисовать свой портрет. Костика полюбил всем своим косовертикально расположенным сердцем, разрешал гладить себя по морде, вытаскивать из бороды солому и кормить корочкой.

Артисты прожили у Логина Самсоновича всю зиму, в его доме они чувствовали себя в безопасности, правда, сначала очень боялись чёрта в подполе – он с такой силой стучал снизу, что пол ходил ходуном. Чтобы усмирить чёрта, Логин часами молился в отцовскую дырку; Бог прекрасно слышал Логина и старался помочь.

Чёрт прокрался на двор к Логину за несколько дней до появления артистов. Логин пошёл с утра коз доить, в хлеву увидел чёрта, обернувшегося толстой тёткой в военной форме. Логин притаился и стал наблюдать за чёртом. Чёрт доил Лупанду-младшую – грубо, как бы обрывая соски. Чтобы Лупанда стояла смирно, привязал её короткой проволокой за шею. Как только в ведёрко набиралось немного молока, чёрт одним махом его выпивал, затем снова принимался доить. Бедная Лупанда терпела из последних сил. Остапыча рядом не было – по дьявольскому наущению он отлынивал от своего хозяйского дела, гулял у застывшей реки. Лупанда брыкнулась и опрокинула ведёрко. Чёрт выругался и так треснул козу, что чуть хребет не переломил. Бедняжка жалобно заблеяла.

Логин побежал за козлом, он знал, что в одиночку с чёртом не справится. С Остапычем они завалили чёрта, отняли наган, загнали в подполье. Сначала чёрт буянил страшно, грозил известковым карьером, ножиком и семью пульками. Встав на табурет, Логин усердно просил Господа избавить его и скотину от лукавого. Остапыч тоже совал морду в дырки. И ему хотелось избавиться от всякия скорби и получить краюшку хлеба насущного, густо посыпанную солью.

* * *

Костика поразил дом дедушки Логина – такой большой, тёмный, тёплый, забитый красивыми и непонятными предметами. Старые книги кисло пахли Остапычем. Логин подарил Костику удивительную ложку с длинной ручкой. На конце этой ручки были вырезаны пальцы – два поднятых, три сжатых. Это была очень старая ложка, ею маленького Логина в прошлом веке бил в воспитательных целях отец, Самсон Спиридонович. Костик дни напролёт рылся в вещах и аккуратненько протирал их тряпочкой. Из сундуков вылетали мотылёчки. Чего там только не было! Дедушка и сам не знал, что там хранится. Костик вытаскивал мотки льняных ниток и крючки для рыбалки, дырявые скатерти, сапоги, стаканы, расписные чашки, деревянненьких зверушек, чёрные доски с трещинами – очень старые, на них было что-то нарисовано, но что именно – не разглядеть. Костик тряпочкой протирал тряпочки. Старик постелил на полу шерстяное одеяло. Костик сидел на этом одеяле и перебирал вещи. Ему было очень тепло и хорошо. Гриша стучал молотком. В печке шипела в чугунках еда. В заледенелые мутные окна било солнце. Чтобы дотянуться до верхних полок, Костик забирал дедушкину табуретку. Дедушке не нравилось, что нет табуретки и до отцовской дырки не достать, он ворчал себе под нос, но Костику ничего не говорил, не ругал его.

Костик нашёл стеклянное яйцо – большое, тяжёлое, гладкое. На нём было процарапано «ХВ». На свет оно тускло рдело и бросало красные отблески. Костик решил выпросить это яйцо для Брони. Логин взвесил яйцо на чёрной ладони и покатил его по полу. Сорок лет назад дядя Мануил Евсеев подарил это яйцо своей сестре, то есть Логиновой матушке, на Пасху. Дядя торговал солью, льном и фаянсом, у него была своя лавка в Санкт-Петербурге.

Для тепла и порядка Логин выдал Костику подрясник с подрезанными подолом и рукавами, мальчик стеснялся его надевать, не хотел быть как девочка, потом в угоду дедушке согласился, натянул «платье» и неожиданно получил в награду и утешение портупею с настоящим острым тесаком. Чтобы портупея держалась как следует, Логин пришил к подряснику на правое плечо старый погон и просунул под него ремень. В этом наряде Костик чувствовал себя воином, богатырём. С верным Остапычем он ходил в лес и к реке, крался по берегу, ползал по льду, с воплем выскакивал из засады и рубил вражеский тростник.

Логин рассказывал мальчику о Боге и приглашал вместе молиться в дырку – специально пропилил для Костика ещё одну. Костик знал про Бога – Он иногда появлялся в стихах и сказках Пети Мотовилова. В представлении ребёнка Бог был добрым начальником, который в зависимости от своего настроения посылал или же не посылал людям что-нибудь хорошее, например, в ночь – дочь.

Грише, главному оформителю лагерных уголков безбожника, история с дырками не нравилась, но он помалкивал, чтобы не раздражать «сумасшедшего старика». Чёрт в подполе стучал всё реже и наконец смолк. Логин кормил его кашей. Всё это было странно и страшно. Грише хотелось на зону – к Пете, Броне и Архипычу, но он не знал, в каком направлении идти, да и боялся замёрзнуть с Костиком в зимнем лесу. Надо было ждать весну и благодарить Бога в дырку за то, что Он послал активистам КВЧ Логина Самсоновича.

Однажды тихим безветренным утром, когда на землю большими хлопьями падал снег, к дому подошли на лыжах двое. Из заплечных мешков вынули хлеб в тряпочке, какие-то вещи, продукты, сложили всё кучкой, встали скромно в сторонке и заголосили: «Дыра моя, дыра моя, помилуй мя! Изба моя, дыра моя, помилуй мя!» Они повторяли это удивительное заклинание, с мольбой и надеждой взирая на Логина. Логин же вёл себя недружелюбно – ругался, потрясал кулаками, путаясь в подряснике, бегал по двору, подпрыгивал от ярости, наконец, схватился за топор. В испуге пришельцы нырнули в лес, оттуда без конца неслось: «Изба моя, дыра моя, помилуй мя!»

Старик позвал Костика в дом, хлопнул дверью. Судя по всему, он этих людей знал и не любил. Остапыч не побрезговал угощением – фыркая, стал есть хлеб и рыться в мешках носом. Он думал, что, скорее всего, там окажется его любимый фасолевый концентрат. Гриша пошёл на голоса – необходимо было поговорить с молельщиками, какими бы безумными они ни казались. Раз они дошли сюда на лыжах, значит, не так далеко есть жилое место, населённый пункт. Надо добраться до людей. Надо во что бы то ни стало вернуться на зону.

Молельщики приплясывали от холода и пели про дыру. Из совершенно бестолкового разговора Гриша понял, что они почитают Логина то ли за колдуна, то ли за святого, уверены в каких-то его сверхъестественных способностях и особой «дырной» силе, которую ему даёт некая дыра – но не та, что пропилена в стене, а нечто совершенно другое. Молельщики называли себя дыромоляями, а Логина – сильным дырником. Они расстраивались, что старик не хочет уделить им внимание. В рукавицах у них были спрятаны куски хлеба, они этот хлеб нюхали, жевали, раскачивались и подвывали.

Было ясно, что где-то неподалёку живут люди, но они поклоняются «дыре», и нет никакой гарантии, что кто-то из них окажется в здравом уме. Про Бога молельщики не говорили, в своих молитвах они обращались исключительно к «дыре» и «избе»: «Дыра моя! Изба моя! Помилуй мя!» После истории с порезанным пальцем Грише не хотелось идти к незнакомцам. Вдруг они захотят ему голову отрезать, кто их знает... Похоже, весь здешний лес населён сумасшедшими.

«Какая дикость, – думал Гриша, глядя на пришельцев. – Что за странное верование? Дыра – это же пустота. Разве можно поклоняться пустоте? Ничто, помилуй мя. А изба? Какая связь у избы с дырой? Петя бы объяснил... Дыра прорублена в избе... или дыра – это изба... то есть мой дом – пустота... всё – пустота, я живу в пустоте, нет ничего вокруг и нет ничего внутри; всё, что вижу, – грёза, мечта, бред; жизнь – обман, действительность не имеет смысла. Истина в дыре. Царство пустоты. Как соблазнительно. Что, провалиться в пустоту? Нет, нельзя пока проваливаться. Надо, чтобы с Костиком всё было хорошо».

На закате молельщики ушли.

– Логин Самсонович, не хочу вас беспокоить, но объясните мне, что за дыра такая? Почему вас называют дырником?

– Я не дырник! Они дырники, поганые, бесье мытарство, моя наигоршая беда! А я – истинно православный христианин!

Гришу с Костиком ждало новое испытание – Логин решил выпустить чёрта, то есть не самого чёрта, а то, что с Божьей помощью от него осталось. Чёрт потерял свою силу, стал совершенно безопасным, съёжился, распался. Чёрта поглотила дыра-изба, он растворился в пустоте, а на его месте возникла блаженная Агафья. «Иди сюда, Агафьюшка, иди!» – выманивал старик кого-то из подполья. Каково же было изумление артистов, когда из подпола вышла жеможаха. Но её как будто подменили – она ласково улыбалась, крестилась, кланялась. Судя по всему, она окончательно сошла с ума.

* * *

Тата Иадова на ЗИСе недалеко по реке уехала. Побурчав немного, грузовик заглох и начал погружаться в воду – лёд под ним треснул. Тата успела выскочить из машины. Она бегала вокруг тонущего Захара Ивановича и причитала – ей казалось, что в кабине остался Патрон. Сутки Тата шла по лесу – уверенным шагом, ни на что не отвлекаясь, не сомневаясь, что направление выбрано верно, – и в результате добралась до обители Логина Самсоновича, которая стала конечным пунктом её мытарств и метаний...

Тата била несуществующих мух «Социалистическим Севером» и просила чаю с сахарком и с водочкой. Логин воспитывал дурочку Агафьюшку: кидал в неё сапогом, говорил, что чай, водка, сахар – соблазн и грех:

– Всякое падение начинается грехом, а кончается ересью!

– Самоварчик бы поставить, дедушка!

– Самовар яко шипящая дымящая змея! Самовара в доме не держу! Чаепитие есть пристрастие, а пристрастие есть грех. Сахар делают из человеческих костей с бычачьей кровью! Твой грех – гортанобесие. Человеку нужны только хлеб и вода. Есть надо умеренно.

– Хочу побольше!

– Это чревобесие.

– Картошечки!

– Поганая трава, зовомая картоф – антихристова похоть!

Блаженная Агафьюшка смиренно кушала сушёный творог, сушёную рыбу и хлеб с берёзовыми опилками. Сладко зажмурившись, она без табурета шептала что-то из Рильке в отцовскую дырку, доила коз под присмотром Остапыча. Логин научил её чесать шерсть и прясть. Иногда Агафья начинала плакать – вспоминала любимого пса, жаловалась: «Жили мы с ним в контакте, куда я – туда и он, душа в душу. А потом убили Патрошу злые люди! Отравили!»

Тата совершенно изменилась – стала добренькой и безобидной. Только Костик ей не верил, считал, что она притворяется. Иногда он ловил её взгляд исподлобья – тяжёлый, мрачный, тлеющий, почти погасший, но готовый вспыхнуть. И слышал шёпот: «Враженёнок!» Но всё это чудилось Костику. Больше не было жеможахи, некого было бояться.

11

К весне Гриша построил лодочку-плоскодонку, чтобы уплыть с Костиком на зону. Идти по лесу он не хотел – во-первых, не знал, куда, собственно, идти; во-вторых, боялся зверей и людей. Расчёт был такой: река доставит артистов куда надо, а там разберутся.

Логин полагал, что плыть «дотуда» артистам недолго. Старику хорошо, весело жилось с Гришей и Костиком. Мысль о том, что скоро они уйдут навсегда, беспокоила Логина Самсоновича. Воздух был мягким, как парное молоко и шёрстка козлёнка, всё журчало, распускалось, лопалось, цвело и било в ноздри. Но Логин замечал дурные знаки, чуял приближение беды: в наползающем тумане кривлялись черти, под землёй ворчал дьявол, на дворе было слышно, как он набирает силу и готовится выйти из преисподней.

Логин собрал артистам еду на несколько дней: сложил в короб узелок с сухарями, узелок с сушёными грибами, узелок с шариками твёрдого сыра – такого, что не разгрызть, его рассасывать надо было. Накануне торжественного отплытия старик долго не мог заснуть, ворочался – ему не хотелось отпускать Костика. Ныло плечо, выбитое покойным Остапом. Пылающая круглая луна заглядывала в окна и дырки, обливала Логина световым космическим потоком. Ему снилось, что Лупанда снесла большое мекающее яйцо, что берёт он это яйцо в руки и несёт бережно в дом, а яйцо из рук у него вываливается, падает и разбивается. Борода Логина мокрая от слёз, кто-то жалобно блеет, лоб овевает холодный утренний ветер.

Он проснулся от того, что Агафья положила ему на грудь свою тяжёлую руку. Блеял козлёнок. Логин вышел в молочную ночь. Гремели птицы. Старик сделал несколько шагов и встал как вкопанный, перекрестился – перед ним в земле зияла ровная чёрная дыра, со дна её доносился испуганный плач новорождённого Остапыча. Кряхтя, старик полез в дыру. Под ногами почва мягко уходила вниз. Логин подхватил козлёнка, но вылезти не мог, он тихо опускался, над его головой качались молодая трава и белые цветочки. Логин подбросил козлёнка, тот, хромая и жалуясь, поковылял прочь. Старик всё глубже ехал под землю. Это было так странно, так неожиданно, что он не догадался звать на помощь. Крестился, говорил про сокрушённые зубы грешников и веселье смиренных костей. Уверял Бога, что ложе давно омыто слезами, и, наверное, нет смысла в данный момент обличать, гневаться и наказывать.

На Логина посыпалась земля, сверху замаячила толстая Агафьюшкина рожа, она на четвереньках подползла к дыре и с изумлением смотрела на оказавшегося в западне Логина.

– Агафьюшка, вытащи меня! – попросил старик. Тата замычала, попятилась и исчезла. Логин боялся шевельнуться, от каждого его движения почва начинала проседать. Ему казалось, что под ногами – тонкий слой земли и пустота, что до падения и гибели остался один шаг. На краю дыры снова возникла Тата, затмив своей фигурой занимавшийся день. В её руках была лопата. Из-под сапог посыпалась земля в глаза Логину...

– Дедушка, ты зачем меня в подполье держал?

– Я из тебя злого кова изгонял, Агафьюшка! Тебя злой ков мучил!

– Что за ков, дедушка?

– Ты кофий в миру пила, вот в тебе злой ков завёлся. Я его выгонял.

– Выгнал, дедушка?

– Выгнал, Агафьюшка, нет его! Вытащи меня!

Дурочка сунула в дыру лопату: «Хватайся, дед!» Мощным рывком вытащила Логина на свет Божий. Дыра росла на глазах и подступала к дому. Разбудили артистов. Казалось, что пустота подлезет под дом и захватит его, зажуёт. Логин молился, Агафьюшка выла от страха. У крыльца дыра остановилась.

Дыра задержала артистов на две недели: надо было её завалить камнями, засыпать землёй, закрыть досками. Пока они работали, к дому сползались дыромоляи. Подкрадывались в сумерках. По утрам вокруг дома, как гигантские сморчки, вырастали полотняные мешки с едой и вещами. Внезапное появление дыры окончательно убедило лесных жителей в том, что Логин – великий дырник, способный управлять пустотой, например, вызывать её; укрепило их веру в его «дырную» силу. Старик кидал в дыромоляев камнями, они прятались в кусты, но не уходили. На месте уже заложенной дыры росла гора подарков. Зная, что Логин ничего не возьмёт из рук «поганых», артисты складывали дары в лодку – кто знает, сколько им странствовать, фасолевый концентрат спасёт от голодной смерти.

Отплывая, артисты слышали, как из леса несётся заунывное пение: «Изба моя, дыра моя, помилуй мя!» Тата в рубахе и штанах Самсона Спиридоновича крестила лодочку, Логин утирал слёзы. Костик тоже плакал – он хотел бы остаться с добрым дедушкой, но не мог бросить друга Гришу. В его заплечном мешке, собранном Логином, лежали сухарики, деревянный зайчик, красное яйцо «ХВ», ложка с двумя пальцами и тяжёлая яйцеварка на смешных куриных ножках. К ножкам была приделана керосиночка с фитильком, на крышке стоял петушок. Эту яйцеварку привёз из Петербурга Мануил Евсеев. Костик нашёл её в сундуке. Логин долго её разглядывал, потом почистил песочком и передал в подарок няне Броне – яйца варить ребятишкам. Он не знал, что в красноягском детдоме никто отродясь не видал настоящих яиц. Там по праздникам готовили омлет из яичного порошка, который начальница Гвоздева ловко выменяла на шесть ящиков дегтярного мыла Архипыча.

Первый день плаванья был очень счастливым для Костика – лодка тихо скользила по разноцветной воде, сияло огромное небо, в яйцеварке бурлил кипяток. У Костика была удочка с блесной на окуня, эту блесну Гриша сделал из своей алюминиевой ложки, которую всегда носил за голенищем. Костик намотал на палец льняной шнурок и ждал, когда дёрнет. Ложка мелькала за бортом, будто маленькая рыбка, лучи солнца, как шпаги, пробивали зелёную толщу воды. А Грише было неспокойно, он боялся, что его расстреляют за побег.

Река несла артистов туда, откуда их привезла жеможаха. Проплыли мимо затопленного ЗИСа, на его макушке сидела чайка. Старик был единственным свидетелем того, как товарищ Иадова бросила на верную смерть активистов КВЧ. Его колёса были схвачены водорослями, в кузове металась стайка ряпушки, в кабине за рулём спала белобрюхая пелядь. Заночевали у костра. Печорские берега тонули в густом тумане, ночной мир наполнился таинственными звуками – что-то звенело, стрекотало, плескалось и грустно вздыхало. Укладываясь, Гриша сказал Костику: «Иди ко мне под крылышко». Ребёнок ткнулся головой Грише под мышку, спрятался от всех врагов под дырявым тулупом. Успокоительно пахло потом и шкурой. Гриша чмокнул Костика в лоб, пощекотав своей мягкой, как у Остапыча, бородой. Он понимал, что завтра их, скорее всего, разлучат: его оставят под следствием, мальчика, если очень повезёт, отправят в Красный Яг.

– Костик, что бы ни случилось, ты должен быть сильным. Если останешься без меня, рассказывай всё, как было. Расскажи, как мы хотели вернуть жеможаху, но она сошла с ума. Расскажи, как нас спас Логин Самсонович. Только не говори никому, что он её в подполе держал. Тверди, что побега не было, что мы постарались на зону вернуться, как только смогли.

– Хорошо, Гриша. Но ведь мы не виноваты! Гриша, я с тобой буду, я без тебя никуда не пойду!

– Костик, тебя поведут, не кричи, не сопротивляйся.

– Гриша, пойдём к дедушке Логину! Зачем мы от него ушли?

– Не плачь, Костик! Нам нельзя было там оставаться. Если нас у него найдут, ему будет плохо, нельзя беглых зэков укрывать. Может быть, всё и обойдётся. Разрешили бы нам вернуться, отвезли бы к Пете...

– Гриша, я помолюсь, чтобы всё было хорошо, меня дедушка научил.

– Ну хочешь – молись. Спи, не бойся.

Костик что-то зашептал в дыру в тулупе. Дыра пахла избой, подгорелой кашей и козлёночком. Это был божественный запах, Костик подумал, что так пахнет Бог.

* * *

Лодка вошла в зону лесосплава, сильное течение втолкнуло её в гущу брёвен, дальше артисты плыли, суша вёсла. Теперь от них ничего не зависело.

Впереди были сторожевая вышка и пристань, но они не могли причалить – брёвна плотно обхватили лодку и глухо, грозно стучали в борт. Послышался лай собак, по лодке пальнули. Артисты легли на дно. По небу шло стадо курчавых Остапов, мимо плыли сторожевые вышки, кто-то кричал, лодку видели, но ничего с ней сделать не могли, вода и брёвна несли её в Ледовитый океан. Вечером артистов баграми подтянули к берегу.

– Заключённый Д-147, заключённый Д-147! Мы не беглые!

Раздался смех – багром работал тоже заключённый Д-147.

В комендатуре Гришу с Костиком развели по кабинетам. Костик просидел весь вечер, продремал всю ночь на стуле, а утром за ним пришли, отняли мешок с яйцеваркой и повели на улицу. В коридоре Костик услышал, как кто-то стучит и грубо разговаривает за плотно закрытой дверью. Ему показалось, что грубо разговаривают с Гришей. Его сердце ушло в пятки, подпрыгнуло и забилось в голове. Гриша здесь! А его уводят! Костик кинулся к двери кабинета, охранник рванул его за шиворот и выволок наружу. Шёл мелкий дождь, Костик промочил ноги в первой же луже, охранник больно толкал его в спину. Костик помнил Гришин наказ не кричать и не сопротивляться, идти, куда ведут. Хлынул ливень. Охранник потащил мальчика на крыльцо какого-то барака, под навес. Это была столовая, оттуда вышли знакомые охранника, о чём-то его спросили, он отвлёкся. Под навесом столпились люди, дождь так барабанил по железной крыше, что все друг друга перекрикивали. Костик бежал, задыхаясь, не разбирая пути. Его пытались догнать, он знал, что злой охранник, если поймает – изобьёт до потери сознания. Сараи, бараки... Костик заскочил в нужник. Там, наклонившись вперёд, сидела огромная баба в ватнике и цветастой юбке. Не шевелясь, она тупо смотрела на мальчика, который тоже на неё смотрел и плакал. Послышался мат охранника. Баба усмехнулась и медленно подняла подол.

Охранник рванул дверь. Баба сидела, будто каменное изваяние, с неподвижным загадочным лицом, как сфинкс.

– Несёт меня, начальник! – прогудел сфинкс.

Охранник в сердцах так шарахнул дверью, что ветхое строеньице чуть не рухнуло.

Костик сидел, не шевелясь, под юбкой, похожей на петрушечную ширму. Вокруг кричали, бегали. Судя по всему, уже несколько человек искали Костика. Неоднократно вламывались в нужник, и всякий раз сфинкс бесстрастно повторял:

– Несёт меня, начальник!

Дождь кончился, голоса затихли. Костик вылез из-под юбки. Баба спала.

Пробираясь в сумерках к комендантскому дому, к Грише, Костик вдруг понял, что бывал в этом посёлке. Это же Печора! Где-то здесь должен быть клуб, в котором они выступали. Добрый Николай

Иванович с ящичком для сахара! На лавочке бездельничал босой мальчик в компании крупной рыжей собаки. Мальчик теребил мохнатую морду, пёс рычал, изображая ярость, и ласково прикусывал мальчика за руку. Костик начал издалека, поговорил с мальчиком про акробатов и фокусников. Мальчик сказал, что приезжала опера. Вместе с псом проводил Костика до клуба. У входа толпились люди, кто-то узнал Костика и закричал: «Вот он, держи!» Костик кинулся к раскрытому окну, влез, сорвав занавеску, и побежал искать Николая Ивановича, расталкивая зэка Арлекина, зэка Панталоне, визжащих зэчек Коломбину и Франчискину: в Печоре давали комедию дель арте.

* * *

Гришины дела были плохи – требовали, чтобы он вернул товарища Иадову: куда она подевалась? ЗИС затопленный видели, а начальница сгинула! Грише очень не хотелось выдавать Логина – люди могли принести ему только зло, но пришлось рассказать, что товарищ Иадова по своей воле осталась жить в лесу в доме одинокого старика. Это был единственный способ выкрутиться. Грише, естественно, не поверили. Ждали признания, что он захватил грузовик и убил начальницу детдома. Никто не хотел искать жеможаху, следователь стремился как можно скорее закрыть дело об исчезновении ценного кадра товарища Иадовой и передать его в суд.

Гришу держали в тюремном бараке, в камере с земляным полом. Под самым потолком было пропилено маленькое окошко. Чтобы до него дотянуться, Самсону Спиридоновичу пришлось бы встать на табурет. На допросе Грише сломали руку. Он лежал на лавке, смотрел, как в окошечко бьёт солнечный луч и пляшут галактики пылинок, и повторял: «Дыра моя, дыра моя, помилуй мя!»

По ночам к нему подсаживали заключённых. Однажды Гриша проснулся и увидел в лунном свете китайца – щуплого и очень улыбчивого. Китайца подсаживали несколько ночей подряд. Он очень жалел голодного Гришу, и всё хотел его покормить сомнительной едой:

– Глиша, кушай клысу! Ай, какая вкусная клыса! Кушай, Глиша, кушай!

Потом появился черноволосый красавец с горящими глазами. Он протянул Грише консервную банку, до краёв наполненную тёплой лошадиной кровью. Гриша кровь пить не захотел, тогда красавец широко улыбнулся и в несколько глотков сам осушил банку, швырнул её в стену. Взмахивая длинными руками, красавец читал стихи. Он говорил на восточном языке, но Гриша почему-то всё понимал. Красавец познакомил Гришу со своими бабушкой и дедушкой: бабушка была необыкновенно милой и красивой – маленькая, стройная, как девочка, с огромными ласковыми глазами. Она называла внука Исмаил. Подарила Грише рукавицу, набитую кишмишем. С дедушкой пообщаться не удалось – он оказался совершенно мёртвым, с тусклыми, навсегда погасшими глазами, как у замороженной рыбы. Исмаил сказал, что дедушку отправили на лесоповал «фальшивые коммунисты». Там он сел на снег под елью и замёрз; теперь толку от него никакого не было.

В один прекрасный день следователь сказал Грише, что дело его передают в другой отдел – в связи с появлением новых сведений и деталей, нуждающихся в проверке; самого же Гришу отправляют в тюремную больницу – в связи с загниванием руки. Рука и вправду распухла, онемела, почернела, надо было её подлечить.

Гриша подумал, что раз его отправляют в больницу, значит, кто-то за него заступился и есть надежда оправдаться и выжить. Осмелев, он спросил у начальника охраны, кого к нему подсаживали по ночам, – что за китаец был и восточные люди? Начальник вытаращил глаза, позеленел, замахал руками, и Гришу увели. Оставшись один, он хлебнул из фляжки, закусил солёным огурцом, который у него хранился в кобуре: Гришу держали в расстрельной камере, зимой там дожидались казни два зэка: китаец Миша – за кражу – и перс Исмаил – за убийство охранника. У Гриши были сомнения в реальности его сокамерников, но их рассеивало появление варежки, набитой вкусным изюмом. Изюм он съел, варежку забрал с собой на память. После месяца тюремной жизни Гриша плохо соображал и находился в сумеречном состоянии.

12

Броня получила письмо от матери: Вареньку досрочно освободили, теперь она жила в Инте с бывшим заключённым Ван Ли, Ваней, из санитарного отдела. Ваня был лагерным врачом, фельдшерил там, куда пошлют, ездил с проверками по зонам. Также он был личным врачом полковника Раскорякина, с которым его свела судьба на Дальнем Востоке в лагпункте на острове Пахтусова. Массажем и прижиганиями Ваня вылечил полковника от цирроза печени, расстройства памяти как следствия контузии, а также импотенции, во всяком случае, сам Раскорякин так считал. Когда голову полковника схватывала боль – примерно как ржавые обручи дубовую бочку, – а в глазах носились жирные слепни, китаец принимался тереть её в правильных местах. Слепни разлетались, раскалённое солнце садилось, Раскорякин потихоньку засыпал, ему снились родное Зуботычино, дедушка – герой Луцкого прорыва, мама с тазиком варенья. Полковник очень ценил своего китайского доктора, совершенно не мог без него обходиться. Когда Раскорякина командировали на Север – контролировать работу по организации особых лагерей, – он взял с собой Ван Ли. В Печорлаге китаец со своей экзотической медициной имел высокий спрос у партийного руководства, можно сказать, вошёл в моду. Раскорякин охотно одалживал Ваню сотрудникам и начальникам. Ваня всех успешно лечил – массировал и прижигал специальные точки на теле. Ходили слухи, что китаец знает точку, нажав на которую можно запросто убить человека. Русские лагерные врачи говорили между собой, что Ваня шарлатан и обманщик, но в целом хорошо к нему относились за его услужливость и доброе сердце.

Полковник Раскорякин не сомневался в сверхсиле своего доктора. Он знал, каким образом маленький Ван Ли победил Виолончелиста. Уголовник-рецидивист Виолончелист назывался так потому, что жертв своих душил струной. Виолончелист не был маньяком – он убивал за деньги и вещи. Виолончелист хотел, чтобы доктор признал его больным, а Ваня написал «Здоров»: в этом лагпункте он мог освобождать от работы не более восьми человек зараз, действительно больными – с температурой, кирпичной мочой и красным калом – в тот день оказались больше сорока. Ваня не нашёл у Виолончелиста признаков сифилиса, не нашёл туберкулёза лёгких: «Здолов, совелшенно здолов». Через несколько дней симулянт подкараулил «китайскую суку» в нужнике и стал душить. Ловко извернувшись, Ваня надавил ему большим и указательным на череп в короне и ленту с «Memento mori». Виолончелист рухнул как подкошенный и перестал дышать, это видели охранник Кановеров, по демократизму своему зашедший отлить в арестантский нужник, и стоявшие на шухере Флейтист с Барабанщиком.

После этого случая полковник Раскорякин позволял себе ходить по зоне без вооружённой охраны, в сопровождении одного Ван Ли с фельдшерским чемоданчиком: с таким телохранителем он чувствовал себя в полной безопасности.

Поговаривали, что китайский доктор не только классно лечит своих пациентов, но и наоборот – делает больными тех, кому очень нужно заболеть. Ваня помогал самым измученным зэкам: ставил доходяге градусник, брал чёрные ладони в свои ручки, замирал, и тут же ртуть начинала ползти вверх: 37, 38, 39! Человек получал освобождение от работы и, если очень везло, направлялся в больницу.

Ван Ли родился в маленькой деревне недалеко от «крыши мира». Его детство прошло в глиняном домике среди скал и облаков. Весной цвёл рододендрон, отец приносил подбитую птицу, больше всего из еды мальчик любил гусиную шейку – с хрустом разгрызал позвонки и высасывал жилки. По дороге, пролегающей через деревню, шли в Тибет самые разные люди: бродячие шаманы, монахи, русские, немцы, англичане. Странники часто ночевали в доме родителей Ван Ли. Русские показали мальчику радиопередатчик, монахи объясняли, как правильно читать мантры и защищаться от демонов, шаманы учили укреплять здоровье и силой мысли устраивать снежные обвалы и землетрясения, немцы тоже показывали рацию и кричали «хайгитлер».

Ван Ли захотелось отправиться в путешествие. В семнадцать лет он ушёл из дома в поисках счастья, дороги судьбы привели его на берег реки доброго Чёрного дракона: Чёрный дракон победил Белого, злого, который мешал людям рыбачить. В реке Чёрного дракона водилось много рыбы: калуга, сиг, горбуша. Ван Ли стал рыбаком. Однажды он поймал осетра, который весил в три раза больше него самого.

На противоположном берегу была другая страна. Там солнце светило ярче, зелень была сочнее. Рассказывали, что в той стране живут невесты с жёлтыми волосами. Время от времени кто-то из рыбаков уплывал туда – посмотреть что и как. И никто не возвращался – вот как там было хорошо! Ван Ли тоже поплыл в СССР и превратился в шпиона. В лагере он вспомнил многое из того, чему его учили монахи-паломники и скитальцы-целители. Шпион забился в угол, задышал ровно, спокойно и на выдохе замычал: «Ом мани падме хум». Долго сидеть, дышать и мычать ему не дали – надо было работать. Ван Ли солил рыбу в огромных чанах, копал, пилил, рубил – всё с оммани падмехумом, бодро, аккуратно, с огоньком. Зэкам и чекистам поправлял спины, ноги, головы. Наконец, попал к Раскорякину и в медсанчасть Печорлага, там освободился и работал уже как вольный.

Однажды Ван Ли был командирован в дальний ИТЛ в составе комиссии по проверке санитарно-гигиенического состояния жилых помещений.

В женском отделении его попросили осмотреть заключённую на предмет сумасшествия: опасались, что М-183, в общем-то тихая зэчка, в один прекрасный день впадёт в буйство и подожжёт барак, ибо что можно ожидать от женщины, которая мажет голову жиром и заматывает солдатскими кальсонами. Насчёт жира и кальсон было произведено расследование. Оказалось, что жир и кальсоны дал зэчке молодой стрелок Васин. Он охранял женщин на прополке брюквы и умудрился без памяти влюбиться в опухшую от укусов насекомых М-183. Сначала Васин забрал у зэчки тяпку и в течение нескольких дней пропалывал за неё грядки, потом подарил ей свои кальсоны, чтобы закрылась от мошкары, потом отдал свой паёк с порцией свиного жира. Всех поразило, что истощённая М-183 жир есть не стала – она намазала им лицо и голову.

– Что ты, милая, жил не кушаешь? Кушать надо жил! Зачем на голову мажешь? – спросил Ван Ли М-183.

– Доктор, мажу для красоты. Чтобы волосы не выпадали. Чтобы не было морщин. Я не хочу быть страшной как смерть.

Ван Ли диагностировал у М-183 несколько заболеваний, отправил её в больницу, сам лечил и, видимо, нащупал особую точку – Варенька почувствовала к нему расположение. Она получала усиленное питание и за два месяца больничной жизни превратилась из старухи в барыньку. Ваня сделал всё, чтобы барыньку не отправили обратно на грядки, лесоповал и снегоборьбу. Её взяли работать в аптеку под начальством фармацевта Гипова, там она подписывала баночки, поливала и рассаживала цветы: Гипов не любил людей, зато обожал растения.

Ваню удивляло, как в этой женщине уживаются нищенство и барство: Варенька сушила и прятала корки, несмотря на то, что хлеба было достаточно, при этом драгоценный кусочек масла растирала в ладони и артистическим движением вмазывала в лоб.

Китайский доктор влюбился в Вареньку, он жал на самые важные точки лагерных начальников и добился невероятного: М-183 досрочно освободили. Варенька пошла жить к Ван Ли. Китаец сделал подарок беззубой невесте с жёлтыми волосами: в Инту доставили чугунную ванну на львиных ногах. Хитрый Ваня убедил Раскорякина, что тёплые ванны окончательно вернут ему память; полковник выписал ванну, хотя в его жизни были моменты, которые вспоминать совершенно не хотелось. Раскорякин про ванну забыл, она осталась в распоряжении китайца. Туманным августовским вечером Ваня повёл подругу на берег реки. Там в укромном месте среди кустов стояла наполненная ванна, под ней тлели угли. На табуретке – мыльный порошок «Нильская лилия» с красавицей в колеснице. Вода была очень тёплая. Порошок от старости слипся и не хотел вытряхиваться из жестянки.

Раскорякин поехал лечиться в Печорскую больницу водников – там работали хорошие врачи из ссыльных. Печорводздравотдел прикомандировал туда Гипова с Варенькой – в аптеку, Ван Ли – помощником анестезиолога: китаец снимал боль точечным массажем. Сначала врачи над ним смеялись – никто не верил, что можно избавить от боли без дикаина или хлороформа. Пожилой хирург с немецкой фамилией в раздражении выгнал Ваню из кабинета, показал ему кукиш и даже столкнул с лестницы. Грустный Ван Ли пошёл в акушерское отделение. Там рожала молодая женщина, ей было очень больно. Китаец в белом халате стал давить ей на заветные точки – на руках, на спине; боль существенно ослабла, через полчаса родилась девочка. В хирургию Ваню так и не пустили, зато в родилке он был незаменим.

– Что ты, милая, валяешься, как блевно? Сядь на колточки, сла-азу лодишь!

Варенька приехала к Броне в Красный Яг. Она была в два раза старше дочери, но выглядела как её ровесница: главняня была больна. Сутулая, с плотно сжатыми губами, горящими глазами и трясущейся головой, она металась по группам и тряпкой, смоченной в дезинфекционном растворе, пыталась прогнать курносую бабу, которая шастала по бараку, садилась тощим задом на детские головки и замирала в свете белой ночи; на сквозняке вместе с осиротевшими Гришиными куклами качался её силуэт. Дети умирали один за

121

другим от кишечной инфекции, гробокопатели Панов и Головкин, матерясь, рыли ямы на несколько человек, Архипыч не вставал с лежанки, Петя, впрягшись в телегу, с утра до вечера возил воду, дрова, мешки с грязными пелёнками и одеждой. Он боялся, что Броня умрёт. У няни был плеврит, она кашляла, температура не опускалась. Лагерный врач несколько раз ржавой иглой откачивал у неё воду из лёгких.

После исчезновения Иадовой с артистами КВЧ в детский дом был назначен новый начальник – мужчина, похожий женщину: тонкоголосый и медлительный полковник Собачкин. Дети ему, как и прежней начальнице, были совершенно не интересны, он ни разу не появился в группах, зато туда часто заглядывал Коленька, его тень, вечный спутник, мелкий начальник из заключённых. Коленька был неоднократно судим за вооружённый разбой, кражи, грабежи и лагерный бандитизм. На зоне он провёл большую часть своей жизни и пользовался исключительным покровительством Собачкина. Коленька приходил к детям, чтобы изобразить полезную деятельность. Он всегда был пьян, мешал нянькам, дети его боялись. Коленьку поразили Гришины марионетки – живые и прекрасные: рыцарь, лошадь, солдат, комиссар. Коленька снял их с гвоздей и попытался вести, нитки тут же запутались. Коленька унёс кукол, больше дети их не видели. Потом из уголка природы исчезли тряпичные чучелки диких зверей и красивые образцы горных пород. В зале КВЧ пропала часть музыкальных инструментов. Однажды Броня застукала Коленьку в своём уюте – он шарил под подушкой. Коленьку не смутил ледяной взгляд главняни.

– Вы вор. Зачем вы здесь?

– Я – вор. Я честный авторитетный вор и прибыл в этот лагерь для наведения должного воровского порядка. А ты – п...а. Я женщин не люблю.

Броня заговорила с Коленькой на языке, которого от неё никто никогда не слышал. Коленька смутился, особенно когда няня пообещала ему перегрызть артерию: «Я видела, как это делают, а мне умирать не страшно».

Коленьке умирать было страшно. В нянькиных глазах он прочитал себе приговор и в детский барак больше не заходил. Он часами показывал представления Собачкину, разнежившемуся среди Татиных салфеточек и кружавчиков. Рыцаря и солдата запутал окончательно, но с лошадью и комиссаром справился. Он ставил их в самые неожиданные и весёлые позы. Собачкин пил водку и тоненько ржал, в окно к начальнику заглядывала тощая баба, она освоилась в Красном Яге и чувствовала себя как дома, шмыгала в столовой, в бане, в нужниках, шуршала в зарослях отцветающего иван-чая, смеялась над Броней, которая бессмысленно, ритуально бросала пригоршнями хлорку в её курносую наглую рожу. Численность детей сократилась вдвое. Коленька нашёптывал Собачкину, что виной всему Бронька и таких паскуд халатных расстреливать надо. Собачкин собирался выступить по этому поводу на совещании руководящих работников ИТЛ.

Варенька умоляла Ван Ли повлиять на ситуацию в детском доме, спасти детей и больную няню, в которой никак не могла признать свою нежную мечтательную Броню. Маленький китайский доктор принялся строчить доносы на курносую бабу, кишечную палочку и Собачкина. В Красный Яг была направлена комиссия. Детдом расформировали, детей на барже вывезли в Печору, одинокое пугало Гвоздевой прощально махало им вслед.

Во время переезда Броня с воодушевлением, температурой и хрипами собирала детей. Ей казалось, что всех ждёт новая жизнь в Печоре. Подальше от детского кладбища, подальше от гиблого места. В Печоре дети будут жить в новом тёплом и светлом доме с крепкими полами и стенами, с большими окнами. Они пойдут в школу. У них будет добрая учительница. Их будут отлично кормить, и больше никто не умрёт. С баржи Броню вынесли на носилках.

* * *

Надо было идти с Раскорякиным в клуб на оперетту. Больной одинокий полковник не хотел расставаться с Ваней, он относился к доктору и Вареньке совершенно по-родственному: выделил им комнату в своей квартире и обедать без них не садился. Дома они были частью его семьи, на культурных мероприятиях – неотступной свитой. Барынька в платье из занавески и боа, сшитом зэками из шкурок летяги, в антракте утирала слёзы: Варе не хотелось слушать весёлые арии, её дочь загибалась от отёка лёгких и никто не мог ей помочь – ни мобилизованные Раскорякиным лучшие лагерные и вольные врачи, ни китайский доктор. Неожиданно к Вареньке подбежал незнакомый мальчик, крепко обнял её, сказал, что привёз яйцеварку и надо скорей выручать Гришу: «Няня, ему не верят! Мы не убивали жеможаху!»

13

Логин поссорился с Агафьюшкой – она накормила его скверной гадиной змеёй из бочки. Дурочка отнесла на берег бочку с грязной одеждой. Потёрла одежду, постирала, развесила на кустах сушиться. Бочку оставила лежать на отмели и ночью в неё заплыла минога. Утром Агафьюшка подняла бочку – а в ней рыба! Агафьюшка сварила суп, чтобы порадовать дедушку. Логин съел несколько ложек, похвалил ушицу, поддел кусок и вдруг страшно закричал. Агафья не могла взять в толк, почему он сердится: минога – хорошая рыба!

– А чешуя где? Нельзя голую рыбу вкушать! И прикасаться к ней нельзя, Левит запретил! Отравила меня! В грех ввела душепагубный!

125

– А я, дедушка, деткам крысиный яд и стекло толчёное в кашку подсыпала, да.

– Дура ты, Агафьюшка! Бог тебя простит.

Над Печорой стали собираться тучи, подул ветер, хлынул дождь. Он лил несколько дней, вода в реке поднялась, под землёй опять заворчало, заворочалось. Двери в доме перестали закрываться – косяки странно искривились. Остапыч повёл своих жён и детей в лес. Наследственное чутьё подсказывало ему, что скоро случится неприятность. Козлу хотелось, чтобы Логин пошёл со стадом, он оборачивался в сторону дома и тревожно, требовательно блеял, но старик не обращал на него внимания, молился в дырку и ругался с Агафьюшкой.

Молнии раскалывали кобальтовое небо. Остапыч тихо стоял под берёзой, принюхивался к грозовому озону, помавая головой то в ту, то в другую сторону. Он-то знал, откуда тучи и шевеление земли, он знал, что это маленький китаец из Печорской медсанчасти с тайными целями замычал свой «ом». Энергетические колебания самой мощной мантры полетели в сторону Кедрового Шора, распространились на сотни километров, вошли в резонанс с молитвой Логина и заклинаниями дырников. По лесу пронеслись невидимые потоки и завихрения (Остапыч улавливал их рогами и чуял крупом). Началось повсеместное проседание грунта, побежали известняковые трещины. Ночью дом Логина опустился в расползшуюся дыру. Через чердак старик вылез на крышу, вытащил воющую от ужаса Агафью.

– Уйду от тебя, дедушка! Уху мою не ешь, ругаешь меня, не любишь, не уважаешь!

– Куда же ты пойдёшь, в лесу тебя волки съедят!

– А я на лодочке поплыву!

– Дак нет у меня лодки, была, да сгнила!

– Врёшь, дедушка, у тебя лодка на чердаке спрятана, и вёсла в лодке!

– Это гроб, дура!

– Врёшь, дедушка, не удержишь!

Через чердачное окно, которое теперь находилось на уровне травы, Агафьюшка вытащила старый запасной гроб Евсеевых и поволокла его к реке.

– Дай-ка мне, дедушка, ведёрко – воду вычерпывать.

Блаженная спустила гроб на воду, уселась. Логин оттолкнул гроб от берега и запричитал: «Господи Боже сил, кто подобен Тебе? Силён еси, Господи, и истина Твоя окрест Тебе. Ты владычествуеши державою морскою: возмущение же волн его ты укрочаеши». Река подхватила Агафьюшку и тихо понесла в Печорскую комендатуру.

Сначала Агафья читала молитвы, которые были забыты с детства, но вспомнились в доме Логина. Потом над водой прозвучали прекрасные стихи немецкого поэта про одиночество, которое переполняет реки. Потом Тата затянула печальную песню про то, как «по реченьке, по мутнёшенькой неснащёное судно плавало». Когда гроб миновал Красный Яг и взял курс на Печору, вертухаи на береговых вышках услышали грозные революционные песни.

Ван Ли стоял на мостках среди кувшинок. Прямо к нему плыл гроб:

Из пристани верной мы в битву идём
Навстречу грозящей нам смерти,
За Родину в море открытом умрём,
Где ждут желтолицые черти!

Опираясь на руку китайского доктора, товарищ Иадова вышла на сушу. Гроб отпихнула ногой, он покрутился среди речной травы и ткнулся в берег. Ближайшим зданием к воде была амбулатория. За невысоким заборчиком копался в грядках фармацевт Гипов. В аптеке стерилизовала пузырьки барынька-Варенька.

Товарища Иадову совершенно не удивила встреча с тенями из прошлого.

– Здравствуйте, Тата.

– Боже мой, Тата!

В фуражке со звездой и одежде Самсона Спиридоновича Тата выглядела странно, но очень начальственно. Она прошлась по амбулатории, со всеми поздоровалась и попросила проводить её в комендатуру. Маленький Ван Ли побежал показывать дорогу. Он что-то говорил ей, в чём-то убеждал.

– Не суетись! Я наведу порядок!

В комендатуре Тата потребовала зачислить на дополнительный паёк фигляра КВЧ и враженёнка.

* * *

Старый хирург-профессор, обычно хмурый и раздражительный, находился в приподнятом настроении, можно сказать, был счастлив: его угораздило влюбиться в операционную санитарку Катеньку, и Катенька, кажется, отвечала ему взаимностью. Она смотрела на вытащенные, вывернутые, вывороченные внутренности и не верила, что всю эту дрожащую бесформенную массу Карл Иванович сможет запихнуть обратно, более того – разместить там, внутри, в правильном порядке. В маске, шапочке и очках Карл Иванович вовсе не казался старым, думала Катенька. Его фигура была мощной, кряжистой, красные руки с короткими пальцами мягко совершали магические пассы: тянули, резали, сжимали разноцветные кишки. Катенька стирала капли пота со лба Карла Ивановича и чувствовала, что её сердце начинает сильно биться.

После удачно проведённой операции Карл Иванович прикорнул на кушетке, проснулся свежим, отдохнувшим. В окне был красивый вид на Печору, вечернее солнце сверкало на водной поверхности, на всех стеклянных и металлических предметах в кабинете. Карл Иванович сладко зажмурился, вздохнул, мотнул головой и шумно выдохнул –

сегодня! Он объяснится с Катенькой сегодня. Карл Иванович спустился в пустую приёмную. Там Катенька читала истории болезни. Увидев доктора, пошла кипятить воду для чая. Она очень волновалась – было ясно, что Карл Иванович захочет открыть сердце, но найдёт ли он правильные слова? Не окажется ли смешным, глупым, грубым?

Карл Иванович держал кастрюльку с надписью: «Шприцы», ему было страшно, неловко, стыдно.

– Катенька, вы простите меня! Катенька, паданцы! Пошёл погулять, а там паданцы! Я сварил вам компотик, Катенька!

В кастрюльке в жёлтом сиропе плавали яблочные дольки, словно джонки браконьеров и нарушителей границы по реке Амур.

– Собрал, почистил и сварил... Простите меня, старика!

Катенька взяла кастрюльку, поставила на стол, понюхала компот и, поражаясь себе, сильно, широко, крепко обхватила шею Карла Ивановича.

На следующий день Карл Иванович ампутировал руку Грише: в тюремной больнице ему наложили неправильно гипс, и началась гангрена. После вмешательства высших сил и жеможахи Гришу оперировал лучший врач в лучшей больнице, но надежды на выздоровление было мало, Карл Иванович ждал осложнений. Визжала пила, Катенька вытирала пот со лба хирурга, Ван Ли, в порядке исключения допущенный в операционную, стоял в растерянности на пороге, он чувствовал своё и всеобщее бессилие перед дырой, в которую утекает жизнь, и никак не вмешивался в происходящее.

Грише снилось, что он идёт по лесу, а кто-то звонко зовёт: «Сюда! Сюда!» Кажется, голос Костика. Чавкают сапоги в болотной жиже, вспархивают мотылёчки, качаются на ветру цветочки с ватной головкой. Грише очень грустно и одиноко.

– Сюда! Сюда!

– Куда сюда-то?

Среди накренившихся гнилых стволов – изба. Дверь отвалилась, окна нараспашку. «Костик, ты где?» Гриша заходит в избу, садится на стул и ждёт. Засыпает. Снова звонкий голос – бодрый, пионерский:

> Сдыгр аппр устр устр
> Я несу чужую руку
> Сдыгр аппр устр устр
> Где профессор Тартарелин?
> Сдыгр аппр устр устр
> Где приёмные часы?

Гриша разлепил веки. Над ним склонилась женщина – голова, остриженная под нулевой номер, синие глаза:

> Ход часов нарушен мною
> Им в замену карабистр
> На подставке сдыгр аппр
> С бесконечною рукою...

Это Броня пришла к Грише, чтобы остаться с ним навсегда.

ЭПИЛОГ

14 августа 1945 года был заключён Советско-китайский договор о дружбе и союзе. Ван Ли получил паспорт гражданина Китая и решил вернуться на родину. Раскорякину не хотелось расставаться с врачом, его направляли в Москву, он звал с собой Ваню с Варенькой, сулил красивую жизнь на Садовом кольце в комнате для прислуги. Китаец мягко, но настойчиво убеждал полковника, что в какой-то момент своей жизни люди должны возвращаться домой – в Тибет, в Ленинград, в Зуботычино. Раскорякин благородно отпустил Ван Ли, всячески способствовал его отъезду и, главное, усыновлению Костика. Оставшийся без мамы и няни «луководитель» привязался к Вареньке. Он ей рассказывал, как жили в красноягском детдоме, как няня заботилась о мальчиках и девочках, сочиняла с ними письма живым и выдуманным мамам. Костик стал для Вареньки связующим звеном с ушедшей дочерью, стал частью Брони, для которой все красноягские дети были собственными, родными.

В Китай Ван Ли уехал с лучшими рекомендациями советских товарищей. На родине он продолжал жать нужные точки на начальственных туловищах и конечностях, поправил ногу главного инженера Харбинского паровозо-вагоноремонтного завода, спину начальника Шанхайского котельного завода, шею и голову управляющего

Чанчуньской железной дороги. Ван Ли быстро продвигался по карьерной лестнице на юг – в сторону острова, где летают огромные бабочки и на песчаный берег набегают тёплые волны. На Хайнане доктор открыл клинику, лечил министров, крупных партийных работников и разбогател. Варенька дожила до ста лет, у неё было хорошее здоровье, она отлично плавала и вторую половину жизни провела по большей части под водой в компании трепангов, морских звёзд и разноцветных рыб. Все партийные и беспартийные восхищались красивой женой маленького Ван Ли, доктор рассказывал, что влюбился в неё с первого взгляда. Кто бы мог подумать, что он увидел свою судьбу, свою невесту с жёлтыми волосами в скелете с опухшей головой, обмазанной свиным жиром.

Костик стал энтомологом, на острове Хайнань нашёл нового жука в гнилой древесине и назвал его Жеможаха Ли. Костик помнит своё детство, помнит Гришу, маму, няню, помнит дедушку Логина и Остапыча. Он так и не узнал, кто был его отцом.

Сергей Миронович Киров стоит перед Печорским речным училищем, по своему обыкновению произносит пламенную речь. Он очень доволен. Зимой на нём белая папаха и белый тулуп.

В 1954 году было много амнистий, людей освобождали колоннами. Тата Иадова ходила по опустевшим баракам, скучала и плакала: «Ох, разваливается наш Печорлаг!» До 1959 года она работала в комендатуре ИТЛ и с душевной болью наблюдала, как рушится мощный правильный механизм, под звуки оркестров перемалывавший трудовые единицы. Два года Тата прожила в сторожке с Хозяином, зорко охраняя въезд и выезд из опустевшей зоны. Территория лагеря быстро зарастала травой, иван-чаем, зимой за забором с колючей проволокой бегали волки. Когда и сторожку упразднили, Иадова с сокрушённым сердцем уехала в Ленинград, там ей дали комнату недалеко от того дома, где жили Ядовы. Тата пошла проверить, как там девочки, но Муси и Али не было: в квартирах, которые когда-то принадлежали их отцам, а потом уплотнились, ходили совершенно незнакомые люди. Тата осталась одна, она думала, что пережила всех своих врагов: их смыло волной, а она крепко стояла на ногах – седая, сильная, с прямой спиной и хорошей пенсией.

В Татиной коммуналке было много народу, мимо её двадцатиметровой аккуратной комнаты с рюшами и подзорами ходили на цыпочках, но бдительный Хозяин всё слышал и грозно рычал. Справа от Таты жила одинокая мать с Лидочкой, слева – голодный студент. Тата обзывала соседку карлицей-одиночкой, но Лидочке благоволила: угощала слипшейся карамелью. Студента «учила жизни»: оставляла на кухне кастрюлю, полную дивной тушёной капусты, и снимала крышку, парень не выдерживал одуряюще-кислого запаха и клал себе ложечку, надеясь в душе, что соседка специально для него еду оставляет, что ей его жалко и она хочет помочь – инкогнито, как добрый старик у Бальзака. Но Тата не собиралась помогать. Она сыпала в еду слабительное, которое покупала в аптеке у знакомого старенького фармацевта, потом с загадочной улыбкой слушала, как воришка стонет в местах общего пользования и с проклятиями стирает штаны.

В комнате с балконом в аварийном состоянии проживала Зинаида Владимировна, мощью своей не уступавшая Тате. Зинаида питалась жаренной на сале картошкой, она помогала студенту, но не инкогнито: кормила и одалживала рубль, осыпая бранью и насмешками. Тата и Зина были заклятыми врагинями. После двух жарких схваток на кухне они замкнулись и друг с другом не разговаривали; словно тени мамонтов, то одна, то другая проплывали по длинному тёмному коридору. По субботам мамонты ходили в баню, Тата потела в парилке, Зина париться не могла. Зинаида Владимировна весь день просиживала на скамейке среди банного звона, шума, плеска, командовала девушками, зычным окриком улаживала небольшие конфликты, следила за шайками и очередью в душ. На её боках и квадратной спине было несколько длинных рубцов – Зина дошла до Берлина. Зинин муж, будёновец, тяжело болел, лежал в постели. Его хватил удар, когда он ночью, решив ненадолго отлучиться, стал перелезать через жену, а это было непросто. «Через Зинку перелезть – это как через

135

Кордильеры перевалить», – хихикал Лев Абрамович с медалью «За отвагу» и кривой покалеченной ногой; он жил в комнате без окна у сортира, то есть в кладовке.

Весной пионеры встречались с ветеранами. Зину приглашали в школу рассказывать про войну. На встречах говорили в основном учительница и Лев Абрамович, дети читали стихи. Зина сидела на стуле молча, ничего не рассказывала, дома после этих встреч пила водку, сморкалась в рукав.

Тата пережила всех стариков в коммунальной квартире. Одряхлев, она завещала свою комнату Лидочке с тем, чтобы Лидочка приносила ей еду и водила в баню. Лидочка в баню её не водила, кормила одной манной кашей. Она рассказывала собутыльникам, что перед смертью старуха – сморщенная, худенькая – молилась, звала какого-то дедушку и читала стихи на немецком.

Логин Самсонович Евсеев построил себе избушку из брёвен и досок, заготовленных активистом КВЧ. Его старый дом так и остался в яме – расползшейся карстовой пустоте. Хозяин залезал в него через чердак – за молотком, за чугунком. Однажды Логин Самсонович почувствовал слабость: устали ноги, устали руки и голова. Он лёг в сколоченный Гришей гроб – удобный, маленький, уютный – и закрыл глаза. Его душа вылетела в дырку.

Остапыч остался за главного. Стадо одичало. Суровые условия жизни сделали своё дело – вывелась новая порода козлов: неприхотливых, сверхвыносливых, хитрых и сильных. Остапыч дожил до перестройки, побив рекорды козлов-долгожителей. Своим грозным видом он распугивал охотников и грибников. Ходили слухи, что это не сам Остапыч, а его призрак шляется по болотам, наводит страх загробным блеянием, электрическим мерцанием глаз; кто-то говорил, что это всего лишь правнук Остапыча, а привидений не бывает.

Весной 1987 года в Кедровом Шоре в окно одной избы сунул морду белый козёл с мощными рогами, уронил герань, послушал новости с Горбачёвым, покачал с сомнением головой. Но кто это был – Остапыч, его внук или нечистик, мы, к сожалению, не знаем.

Петя Мотовилов после освобождения остался в Печоре, работал в школе учителем литературы, истории и географии. В 1948 году поехал в Ленинград, его взяли в Институт этнографии на должность младшего научного сотрудника. Целый год он пил чай с карамелью «Победа», гулял по прекрасному городу, влюбился в сотрудницу Эрмитажа, читал её Толику «Путешествия Юнкера по Африке», начал диссертацию о скифах. В 1949 Петю снова арестовали и послали осваивать ресурсы полуострова Таймыр. Там он чуть было не отправился в Долину мёртвых, его вернули с полпути врач Нина Ивановна и санитар Нгондуо Дяйкуевич Турдагин. В 1956 году уголовное дело Мотовилова было прекращено за недоказанностью вины, Петя вернулся в Ленинград, бросил диссертацию о скифах, женился на маме Толика, написал диссертацию о шаманизме у нганасан, сдал кандидатский минимум, к защите допущен не был. Мама Толика родила ему дочку. Петя водил детей и внуков в Большой театр кукол и в театр Деммени, покупал в буфете газировку, корзиночки с кремом и всякий раз не забывал сказать, что здесь мог бы работать лучший кукловод Советского Союза Гриша Недоквасов.

МИТРОФАНУШКА ДУРАСОВ

Марии Наумовне Виролайнен

Жарким майским днём 1794 года на пыльной, гудящей, звенящей, лающей, ржущей, грохочущей ярмарке Митрофанушка Дурасов изумлённо смотрел, как крутится колесом итальянский комедиант Пьетро по прозвищу Сальтофромаджо. Со взмокшим хохолком, ротиком буквой «о» и вытаращенными глазами Митрофанушка был похож на брошенного в траву ерша.

Яркий, будто язык пламени, жёлто-красный костюм плотно и неприлично обтягивал гибкое тело паяца, на поясе болталась палка с толстым концом, ею Пьетро грозил девушкам, выглядывающим из-за плеч пьяненьких мужчин, которые крутили усы и подбадривали артиста криком и хохотом: «Вот чёрт! Крутится, как чёрт! Чёрт бы его побрал! А-ха-ха!»

Митрофанушкина голова со слипшимися кудрями и рыжими бакенбардами высоко парила над весёлой толпой, окружавшей помост, где кривлялся Пьетро. Взрослого в Митрофанушке были только рост и возраст, а в душе и мыслях он оставался маленьким мальчиком и с утра до вечера только и делал, что *изумлялся*. Его ровесники давно были женаты, служили в Петербурге – вот как Андрюша Бердюкин, например (когда он со своей Софьей Ивановной приезжал в родительское Коньково, его встречали колокольным звоном, и сбегалась вся деревня); Митрофанушка же спокойно жил в своих Подъёлках с бабушкой Александрой Степановной, ходил в церковь, перебирал с девками ягоды, читал «Экономический магазин», ездил обедать к Киприану Ивановичу Бердюкину и совершенно не мог себе представить другого существования.

«Митрофанушка, ты что застыл?» – спрашивала бабка. Открыв рот, Дурасов разглядывал свои перепачканные руки и рукава или подолгу смотрел на потолок в пятнах и разводах – он казался ему ожившей картой военных действий с лесом, озером и болотцем: словно мухи, летали ядра и картечь, из красного угла спешили усатые гренадёры, в гущу сражения врезался толстый генерал, совершил атаку, но отвлёкся малиновым вареньем. «Бабушка, я изумляюсь! В "Магазине" пишут – если в медный таз положить гороховые листья и оставить на ночь, туда залезут все насекомые в доме. А если смешать желток со спиртом и потереть чернильное пятно, оно исчезнет. Изумляюсь!» Митрофанушка изумлялся жучку с синезелёной спинкой, мужику, задушевно тренькающему на балалайке, бодливому козлу, который на простой народ кидался, будто пёс цепной, а при виде господ почтительно вставал бочком и вежливо нюхал бабушкины розы.

«Странненький» и «блаженненький» – говорила про Митрофанушку Александра Степановна. «Что с ним будет, когда помру? Кто защитит сироту? Вся надежда на Киприана Ивановича».

На помост вскочила пастушка в пёстром платье, с бубном, затанцевала, запрыгала. «Ах!» – закричал Митрофанушка. В толпе засмеялись. На Дурасова пялились не меньше, чем на артистов, – так необычно выглядел этот похожий на исполинского младенца голубоглазый пухлый барин, громко и непосредственно «изумляющийся» всему, что происходило на сцене, и невольно повторяющий движения паяца, подаваясь вперёд, назад, вбок и наступая на ноги зевакам, которые кричали ему: «Медведь!»

Пьетро-Арлекин проголодался – сделал жалобную мину и принялся тереть живот. Потом замер и стал вращать глазами. Зажужжали мухи – это паяц жужжал сквозь сомкнутые зубы. Вот он прыгнул и схватил одну муху, нет – упустил! «Ах!» – кричит Митрофанушка. Паяц грозит кулаком в небо. Вот ещё прыжок, и ещё! Поймал муху! Рассмотрел внимательно и сунул себе в рот. Блаженно прищурился, пожевал, проглотил, дёрнувшись всем телом, замер и снова сделал несчастную голодную мину. Пастушка стала обходить толпу с протянутым бубном. В бубен кидали монеты, она их ловко подхватывала, вспархивая, как бабочка. «Савелий, кошелёк пода-ай!» – закричал Митрофанушка кучеру: тот по бабушкиному приказу зорко следил за барином и держал при себе его деньги. Бородатый казначей выдал Дурасову две медных монеты.

* * *

В Коньково, в Церкви Рождества Богородицы, шла литургия. Золотые луковки мутно светились у грозовых облаков, дул тёплый ветер, вокруг колокольни металась стайка стрижей. «Со страхом Божиим и верою приступите!» – пробасил дьякон отец Евстохий. Митрофанушка рухнул в земном поклоне. Рухнул и заснул, потому что устал от усердной молитвы: сначала он слёзно просил Бога упокоить в блаженном и отрадном месте души родителей, которых не помнил и знал лишь по бабкиным рассказам и портретам в гостиной, потом просил послать старенькой Александре Степановне безболезненную, непостыдную и мирную христианскую кончину (чтобы никакой татарин не срубил бы кривой саблей её милую трясущуюся голову в кружевном чепце), потом молился о плавающих и путешествующих (чтобы кораблик не били волны и путника не замела метель).

Священник отец Евпсихий благодушно смотрел на Дурасова: он мирно храпел, подложив под голову кулаки и подняв широкий зад. Александра Степановна, сокрушённо качая головой, вспоминала, что в точно такой позе внучок засыпал, когда был маленьким. «Тело Христово примите, источника бессмертия вкусите», – подпевала она дрожащим голоском. «Странненький, блаженненький. Вот актёров итальянских притащил. Корми их теперь. Фигляр на чёрта похож. Как бы чего не украл. И Коломбине этой доверять нельзя. Кланяется, улыбается, а сама так и зыркает по сторонам. Надо завтра же их отправить к Киприану Ивановичу».

«Причащается раб Божий Киприан драгоценного и святого Тела и Крови Господа», – гудел отец Евпсихий. Киприан Иванович с толстым носом и круглым животом, на котором лопался праздничный зелёный кафтан, широко разевал рот, принимая причастие. Солнце заглянуло в церковь, его лучи, как скрещённые шпаги, упали на Митрофанушку. Над спящим образовался столб света, в нём весело кружились пылинки.

За обедом Киприан Иванович объявил, что завтра в его театре будет представлена новая пьеса – «Арлекин на луне»: в роли Арлекина – Миня, Михаил Телегин, Коломбины – Нюта, а Панталоне будет изображать длинноносый Понс. В прежние времена Понс был учителем Андрюши, единственного сына Киприана Ивановича. Когда Андрюша вырос, Понс, не зная, куда себя деть, остался приживалой у Бердюкина и усердно выполнял самые важные поручения благодетеля, а именно: читал газеты его супруге Настасье Петровне, похожей на свинью с совиным клювом вместо пятачка, писал под диктовку письма, составлял партию в дурака, переводил с французского комедии для коньковского театра. Во время представлений Понс суфлировал, выставляя из будочки изрытое оспинами лицо; иногда «пробовал себя на сцене», ему особенно удавались роли идиотов и похотливых стариков.

После обеда бабушка пошла с Настасьей Петровной калякать и дремать в кресле, а Митрофанушка – гулять по бердюкинскому парку. Он казался ему волшебной страной, где на каждом шагу творятся чудеса.

Киприан Иванович всё устроил романтично, «как в самой природе»: вокруг прудов, затянутых ряской, замерли жёлтые ирисы, ручейки журчали, дорожки из разноцветных кирпичиков пробегали через лужайки, где паслись козочки, потом плутали в чащах, где шелестели и сплетались ветками дубы и клёны, потом вдруг, делая сюрприз, выходили к роскошным цветникам и оранжереям, или к деревянным резным беседкам в русском вкусе, или к античным ротондам, или к фонтанам с мраморными рыбами, амурами и психеями. Добренький Киприан Иванович разрешал Митрофанушке свободно гулять по парку. Савелий незаметно крался за барином, следя, чтобы он не свалился в пруд или чего-нибудь случайно не сломал.

Ступая по разноцветным кирпичикам, Дурасов слышал, как за кустами топочут копытами фавны, как фыркают кентавры (это чихал Савелий), как дриады перешёптываются в кронах деревьев. Тропинка вывела его к знаменитому бердюкинскому амфитеатру – в хорошую погоду там давали представления. Митрофанушка посидел на тёплых мраморных ступенях, помечтал, двинулся дальше. Пройдя через берёзовую рощу, оказался у грота с Венерой. Перед гротом была маленькая сцена, перед сценой под *восточным* навесом – голубая софа. На софе возлежал Киприан Иванович. Восемь львиных ног поскрипывали под тушей Бердюкина. На сцене прыгала Нюта в жёлтом платьице с чёрными пятнышками, на голове у неё качались высокие перья. Она исполняла танец какой-то птицы. «Выше, Нюта! Ещё выше! Прыгай, голубушка! Выше, красавица!» – кричал ей с софы Бердюкин. Нюта часто дышала и была похожа на бьющуюся в клетке канарейку. Митрофанушка замер, Савелий сел под липу, Нюта прыгала, а Киприан Иванович, откинув голову, громко храпел.

* * *

Пьетро Сальтофромаджо с длинным горбатым носом и драматически изломанными бровями сидел за накрытым столом с остывшей едой. Сложив на груди руки, выставив острый подбородок, он злобно и устало обводил глазами комнату, в которой поселил его «этот странный барин Дураццо». Карлотта чинила бубен. Время от времени она им встряхивала, и всякий раз Пьетро вздрагивал от резкого звука и сжимал пальцами лоб. Дела их были плохи – жизнь пошла по сценарию заурядной комедии: Арлекин и Коломбина, полюбив друг друга, сбежали от Панталоне, то есть сеньора Казасси, хозяина знаменитого театра и любовника Карлотты.

Несколько лет назад Казасси привёз в Петербург труппу итальянских актёров. Гастроли шли блестяще, сборы – огромные. Успехом все были обязаны в первую очередь Пьетро: его виртуозные пантомимы и акробатические трюки поражали воображение. Захваченные действом зрители теряли чувство реальности и забывали, где, собственно, находятся. Однажды во время спектакля загорелась декорация. Арлекин, только что хваставшийся любовными победами, молниеносно принял образ испуганного дурака, стал комически метаться, срывая ткань и затаптывая огонь. На сцену выбежал Бригелла, дал Арлекину ведро с водой. Паяц залил пылающие тряпки. Оставшиеся капли полетели в толпу. Все засмеялись. Никому и в голову не пришло, что это не часть комедии, а настоящий пожар, и актёр своей отчаянной импровизацией только что спас от гибели в давке десятки людей.

Казасси панически боялся, что после этого неприятнейшего инцидента театр потеряет добрую репутацию. На следующий день Пьетро повторил своё «лаццо с огнём», дабы никто не усомнился в том, что все опасные трюки тщательно продуманы и вписаны в сценарий. На этот раз он незаметно поджёг бумажную звезду – её на нитке спустили к нему с неба. Пока звезда *совершенно безопасно* горела, Арлекин «в ужасе» метался с ведром по сцене, обливал как себя, так и стонущих от хохота зрителей.

Покидая театр навсегда, Карлотта прихватила шкатулку Казасси с деньгами и ценными вещицами. Какое-то время влюблённые жили, продавая краденое добро. Выступления паяца-одиночки, пусть даже очень талантливого, дохода не приносили. У него не было красивых декораций, его уникальные обтягивающие костюмы (он сам их придумал и сшил) превратились в лохмотья. После отягченного кражей бегства от Казасси, Пьетро боялся показываться в Петербурге, он выступал на провинциальных ярмарках перед людьми, которые ничего не смыслили в искусстве комедии и радовались в первую очередь фокусам, прыжкам и непристойным шуткам.

Когда деньги стали заканчиваться, итальянец решил убраться из России: сначала навестить родителей в деревне на берегу озера Лугано, у подножия Монте Дженерозо, где делают лучший в мире козий сыр, а потом ехать в Париж и там играть – уже не для народа на грязной площади, а для графов, во дворцах. Набрать свою – сильную – труппу; пригласить туда самых талантливых, самых способных, тех, кто сможет совместить в игре искусство актёра, певца, акробата. Выйти за пределы избитых сюжетов, найти новые темы, новые образы, новые способы выражения – вот о чём мечтал Сальтофромаджо. Полёты на драконах, оживающие портреты и невероятные превращения потрясут благодарную публику. Он станет богатым и знаменитым. Он будет веселить королей!

Коломбина встряхнула бубном. Хмурясь, Пьетро думал о предстоящем путешествии, о грязи, о дожде, об усталых лошадях и скверных трактирах с холодными постелями, где под заплесневелыми простынями ползают насекомые. Итальянец не выносил сырость, после сна в таких постелях у него начинали ныть локти и колени, и каждое движение, каждый прыжок сопровождался болью. Путешествие на корабле было не по карману.

«Где взять деньги? Кажется, этот Дураццо не на шутку влюбился в Арлекина с Коломбиной... Наверно, бедолагу в детстве уронили, головой стукнули. Думал бабку обрадовать. Мы её только напугали. Завтра нас, конечно же, попросят уйти подобру-поздорову. А как нужны деньги!» Козёл сунул голову в окно. Пьетро скормил ему кусок хлеба. Карлотта повязала на рога два розовых банта.

На следующий день Митрофанушка, не веря своему счастью, вёз гостей на спектакль к Бердюкину. Сейчас он покажет Киприану Ивановичу настоящих итальянских актёров! Как порадуется Киприан Иванович! Как всё будет хорошо и интересно! Лошадки резво бежали, колокольчик звенел, Митрофанушка хлопал ресницами, Пьетро учтиво ему улыбался и скучающим взглядом обводил бесконечные ровные дали. Карлотта пела песенку. На голубом ещё небе поблёскивал месяц.

Бердюкин принял гостей в хлеву: сидя на крепком табурете, кряхтя и раскрасневшись, он доил корову. Вокруг столпился народ, все с благоговением смотрели, как сквозь пухлые кулаки бьют белые струйки. Киприан Иванович подал Сальтофромаджо стакан парного молока.

Над амфитеатром повисла огромная луна. Внутри луны горел фонарик. В траве стрекотали кузнечики и перемигивались светляки. Деревья таинственно шелестели. Киприан Иванович, его супруга, гости и родственники приготовились смотреть представление. В первом ряду сидели дети с корзиночками, там было что-то вкусное.

Михаил Телегин понравился Пьетро. Он хорошо себя чувствовал на сцене, двигался смело, говорил искренне. Коломбина Нюта обманула влюблённого Арлекина и пошла танцевать с богатым Панталоне – бездарным нелепым Понсом. Телегин закричал, что отныне он – гражданин Луны, потому что только на Луне есть справедливость, истинная любовь и всеобщее равенство, там нет коварства и жадности, там ценят человека за ум и доброе сердце, а не за деньги и высокое происхождение. Киприан Иванович согласно кивал головой.

Панталоне высмеивал Арлекина. Понс не верил, что Миня летал на Луну. Дети были недовольны маловерием Понса, кидали в него орехами и кричали, что Арлекин не врёт. Кто-то попал Понсу в глаз. Панталоне встал, как столб, вытащил платок и принялся тереть лицо. Зрители затопали. Нюта, чтобы исправить положение, стала кружиться вокруг Панталоне, дуть на него и нежно утешать. Это позабавило публику, но Понсу не помогло. Спектакль был на грани срыва. «Господин Сальтофромаджо, сейчас нужно палкой побить Телегина!» – взволнованно сказал Митрофанушка. Пьетро, с презрением наблюдавший за происходящим на сцене, вдруг выпрямился, как пружина, и через мгновение оказался рядом с Арлекином. Он грозно посмотрел на бердюкинцев и вдруг состроил мину, которая придала ему удивительное сходство с чёртом. Все охнули и замолчали. Пара ужимок, ловких прыжков – и Понс был устранён со сцены, а Пьетро полностью захватил внимание зрителей. Теперь он был жестоким Панталоне, грозил палкой и кричал, что если Арлекин не прекратит свои безумные речи, то его отправят в сумасшедший дом. Телегин, испуганный, изумлённый, восхищённый неожиданным появлением *настоящего* Панталоне, вдруг ощутил себя подлинным Арлекином. «Поверьте, на Луне люди счастливы! Я там жил! Лунный император назначил меня своим визирем! Я спустился на землю, чтобы поведать о лунной жизни. Там нет места страданию.

Там царство добра и истины!» – «Бред! Бред! Ты бредишь, – кричал Панталоне резким птичьим голосом, коверкая русские слова, – вот я тебя проучать, и ты забываете этот нелепица! Вот тебе! Вот и вот! Ты несчастный дурак, а не визирь! Коломбина, смейся над ним!»

Телегин, видя, что пьеса несколько съехала с намеченной колеи, пустился импровизировать – комически упал, схватился за голову, задрыгал ногами и застонал: «Голубчики, отцы родные заступитесь! Как больно бьётся проклятая палка! Пропадает моя головушка! Спаси меня, матушка! Меня гонят злые люди! Но я забыл, что я сирота! Нет, я визирь! Почему визирь? Император! Я лунный император!»

Взрослые зрители хохотали, дети всхлипывали, жалея Арлекина. Телегин величаво прошёл по сцене и вдруг скукожился: «О, меня бросила Коломбина! Я хочу себя убить! Я больше не дышу. Прощайте! – Арлекин зажал себе нос двумя пальцами и приготовился умирать. – Нет! Ничего не получается – воздух заходит через зад! О бедный правитель Луны!»

Пьетро с тонкой улыбочкой смотрел на Арлекиновы кривляния. В его глазах Миня читал одобрение. Итальянец был доволен Миней – в игре Телегина угадывались движения взволнованной души, страдание, мятеж, вдохновение. Сальтофромаджо был убеждён – ничто так не украшает фарс, как намёк на трагедию; буффонада в сочетании с волнением и слезами заставляет смеяться громче; шутовство становится ярче на фоне несчастья; и наоборот, способность заставить зрителя смеяться и плакать одновременно – проявление высшего мастерства. Пьетро не знал, чем именно заканчивался вариант знаменитой пьесы, которую разыгрывали у Бердюкина. Побив Арлекина, он показал зрителям несколько гимнастических трюков и лаццо голодного с мухой, намекая, что представление окончено и всем пора ужинать.

Зрители кричали и хлопали. Демонический шут спрыгнул к детям и занёс над ними палку. Дети охнули. В мгновение ока чёрт превратился в доброго дзанни, стал ловить мух над кудрявыми головками и жадно их поедать. Мухи жужжали у него во рту и щекотали живот изнутри, заставляя уморительно дёргаться. Дети протянули Пьетро свои корзиночки. Закатывая глаза и мыча от удовольствия, шут ел сладости и целовал детские ручки.

Киприан Иванович был в неописуемом восторге. Он стал дурачиться и тоже изобразил Панталоне: потрясая тростью, побежал за Миней Телегиным, ударил его по спине, погрозил пальцем и дал рубль. Морщась, Миня поклонился. За ужином Бердюкин угощал Пьетро лучшим вином, Карлотте подарил борзую и в конце концов сердечно пригласил артистов пожить в Коньково и поучить людей высокому искусству комедии. Пьетро и Карлотта низко поклонились. Настасья Петровна недружелюбно глянула на Коломбину.

* * *

В бердюкинской библиотеке Митрофанушка, охая и ахая, рассматривал альбом с видами Италии. Изумлялся античным развалинам, горам и морю, по которому шли кораблики.

– Это самая красивая страна на свете! Мне жаль того, кто не видел Италию! – говорил Пьетро, пристально глядя в голубые глазки Митрофанушки.

– Господин Сальтофромаджо, возьмите меня с собой! А то как же я увижу Италию?

– Путешествовать очень разорительно, мой друг.

– Вот беда-то...

Пьетро нашёл у Киприана Ивановича редкую книгу со сценами из итальянских комедий, представленных во Франции во время правления Генриха III.

– Что вы видите на этот картинка, мой друг?

– Арлекин едет на осле с копьём наперевес. На голове котёл. Осёл тощий, старый. Задрал голову и ревёт. Написано по-французски: «Подобно рыцарям Круглого стола, я еду прославлять имя прекрасной дамы Франчискины». Над Арлекином все смеются, собака лает, капитан Орасио знаки непристойные показывает.

– Бедный Арлекин! Он видит себя благородным рыцарем, которого ждут великие подвиги, а на деле это всего лишь жалкий безумец. Кого вам напоминает этот Арлекин? Хитроумного идальго Дон Кихота, не правда ли?

– Конечно! Мы с бабушкой читали во французском переводе.

– Создавая Дон Кихота, Сервантес вспоминал Арлекина из итальянской комедии, он её видел во Франции. Дон Кихота нам подарила комедия дель арте. Читали вы с бабушкой Данте?

– Нет, господин Пьетро.

– Вот Данте, – сказал Пьетро, доставая книгу. – Инферно. Канто двадцать первый. Аликино, Калькабрина, Барбариччья, Граффиканте, Фарфарелло, Либикокко. Драгиньяццо, Чириатто, Рубиканте!

– Что это вы, господин Пьетро, – колдуете? Наколдуйте мне денег для путешествия!

– Мой друг, это имена чертей. Они гуляют в аду среди кипящей смолы, кривляются, дерутся и ведут себя совершенно как шуты на карнавальной площади. Великие писатели и поэты вдохновлялись итальянской комедией, и в будущем – я уверен – какой-нибудь русский сочинитель полюбит Арлекина и напишет о нём прекрасную повесть. На площади, в балагане он увидит носатого дурака, который жалкими шутками потешает публику, но при этом – жаждет высокой любви и говорит правду о человеке. Шут будет плакать сквозь смех и смеяться сквозь слёзы. Он войдёт в сердце поэта и останется там навсегда.

На улице послышались крики. Пьетро высунул нос в окошко. Бердюкин в окружении испуганной дворни орал на Миню Телегина. У Киприана Ивановича лицо было красное, как кирпич, кулаки сжимались, щёки тряслись. Рядом плакала Нюта в птичьем платьице, с перьями на голове. Миня, театрально жестикулируя, что-то запальчиво объяснял барину, издали было похоже, что это лунный император призывает людей стать добрыми и справедливыми. Бердюкин замахнулся тростью и ударил Миню по лицу. Пьетро захлопнул окно.

– Аликино, Фарфарелло, Рубиканте, пошлите Дураццо деньги! Помогите мне убраться из России!

* * *

Целое лето Пьетро учил бердюкинскую дворню играть комедию дель арте. Все соседи и родственники Киприана Ивановича были оповещены, что скоро в амфитеатре дадут *лучшее* представление, которому столичные театры позавидуют. Постановка знаменитого итальянца Сальтофромаджо! Он же – в главной роли! Все с нетерпением ждали премьеру.

Пьетро привязался к Телегину. Он видел его рабское положение и жалел, что молодому таланту суждено увянуть, не раскрывшись, в мирке Бердюкина. Итальянец делился с юношей секретами актёрского мастерства, учил импровизации и, главное – внушал, что за всеми буффонными трюками и дурачествами должны стоять «высокие идеи».

157

Миня не совсем понимал, о каких именно высоких идеях говорит Сальтофромаджо, но интуитивно придавал своей игре ту двусмысленность, которую итальянец хотел видеть в пьесах. Сквозь его шутовство пробивалось сильное чувство: дурак говорил серьёзные, важные вещи о несовершенстве человека, о его слабостях, глупости и надежде на лучшую жизнь.

Пьетро ставил комедию выше трагедии. Трагедия однозначна – в ней люди страдают и погибают, побеждённые злой судьбой. В комедии тоже страдают, но злодейка-судьба одурачена, ведь повсюду смех. Шут, на которого обрушиваются несчастья, не только смеётся сам, но и смешит весь свет. В смехе – мудрость и сила маленького человека, бедного дзанни.

Пьетро учил Телегина свободно выражать свои чувства на сцене, ибо сцена для того и существует, чтобы раскрывать сокровенное и высказываться, никого не боясь, – ведь с шута взятки гладки: глупо возмущаться дураком, тем более, что за все слова и выходки он бит, унижен и осмеян. А ещё итальянец учил не бояться быть смешным и жалким: «Сильному не страшно показаться слабым. Умный не боится дурачеств. Смеясь над собой, то есть высмеивая своего героя, актёр смеётся над всем человечеством, ведь главные черты комических персонажей – глупость, алчность, тщеславие – свойственны любому человеку, даже вам, мой дорогой Миня, даже мне, великому Пьетро, даже вашему барину Бердюкину, ха-ха-ха!»

В бердюкинском театре было задействовано много народа – кто-то хорошо пел, кто-то лихо плясал, кого-то природа наградила смешным рылом. Всех этих горе-артистов Пьетро терпеливо обучал умению двигаться по сцене, декламировать и правильно махать руками. Карлотта давала уроки танца и французского коньковским певуньям и плясуньям. Бердюкин обещал щедро заплатить за труды, но вперёд ничего не давал – боялся, что итальянец съест раньше времени. Пьетро с подругой имели крышу над головой (им отвели целый флигель рядом с господским домом), обедали вместе с Киприаном Ивановичем и надеялись, что после премьеры смогут покинуть Россию. Итальянец страдал несварением желудка от жирных бердюкинских блюд, он мечтал о нежном козьем сыре и винограде, зреющем у подножия Монте Дженерозо, где всегда светит солнце и нет комаров.

Пьетро решил поставить «Арлекина-дикаря» – он любил эту пьесу, несмотря на то, что автором её был француз (к французам, ловко и беззастенчиво перекраивающим на свой лад итальянскую комедию, Пьетро испытывал зависть и ревность, в которых, впрочем, ни за что никому бы не признался). Обнаружив в библиотеке Бердюкина «Arlequin Sauvage», он взялся было за перевод, но, поразмыслив, решил, что лучше всё оставить по-французски, чтобы сохранялась некоторая отстранённость от печальной коньковской действительности. Бердюкин, деспотичный в жизни, был совсем не против вольнодумства на сцене, особенно если пьеса была иностранная: мол, это авторы не про наших, про своих дураков пишут, пускай пишут, а мы над ними посмеёмся. Однако в «Арлекине-дикаре» высказывалось так много колкостей в адрес жирных, тупых, чванливых и богатых, что Сальтофромаджо решил *проявить деликатность:* пусть всё будет по-французски, слов поменьше, а трюков побольше.

Миня старательно входил в образ обитателя «американских лесов» и пугал людей резким хохотом и прыжками. Костюмы шили в Подъёлках. У Александры Степановны были две портнихи – сёстры Авдотья и Аксинья. Они считались лучшими мастерицами в округе, бальные и свадебные платья шили только у них. Благосостояние старухи Дурасовой и Митрофанушки напрямую зависело от труда этих весёлых красивых женщин. Авдотья и Аксинья были замечательными певуньями и за шитьём всегда пели на два голоса духовные стихи, поморские и казачьи песни. Митрофанушка очень любил их слушать, плакал от избытка чувств и подпевал баском. Мальчик дни напролёт просиживал с Авдотьей и Аксиньей и не бездельничал – шил мундирчики своим деревянным солдатикам. Служил живым манекеном – важно прохаживался перед зеркалом, путаясь в парчовых и шёлковых подолах. Чтобы посмешить Авдотью и Аксинью, кланялся и строил глазки. Сейчас Митрофанушка с восторгом примерял престранный головной убор из гусиных перьев и камзол из лоскутков, расшитый бубенчиками, бисером и мехом. Растянув рот до ушей, «американец» побежал показать себя в бабкину спальню. Послышались испуганные крики.

Тёплым сентябрьским днём соседи и родственники Бердюкина съезжались на премьеру. Кареты, кибитки, телеги вползали в Коньково, поднимая золотую пыль. Пахло яблоками и грибами. В парке играл оркестр, бегали дети, столы с белыми скатертями были уставлены закусками, пирогами, бутылками. Желтеющие берёзки и рябины с тяжелыми гроздьями весело качались на ветру.

Все заняли свои места, не было только Киприана Ивановича – он решил устроить сюрприз: выйти в роли Панталоне. «Киприан Иванович уехал. Будем смотреть пьесу без Киприана Ивановича!» – провозгласил Понс.

Взвизгнули флейты, заголосил бердюкинский хор.

Пьетро-Лелио расспрашивал своего друга Миню-Арлекина, «выходца из американских лесов», нравится ли ему жизнь цивилизованных людей.

– Несчастные безумцы! – запальчиво отвечал Миня. – Они гордятся пышными нарядами, важно задирают головы – ну совсем как страусы! Их возят в клетках, их кормят, укладывают в постели, потом оттуда вынимают, будто у них нет рук и ног. Что значит – цивилизованные люди? Что это такое, не могу понять.

– Цивилизованные – это те, кто живёт по законам.

– Ха-ха-ха! Ну что за дикари: для того, чтобы жить честно, им нужны законы! Это значит, что все они рождаются плутами и мошенниками. Они не могут обойтись без законов. Ха-ха-ха! А ещё они рождаются дураками: им не дойти своим умом до простых вещей. Они не могут догадаться, что нужно быть любезными и обходительными, и тогда всем будет хорошо. Чёрт возьми, кто бы мог подумать, что для того чтобы быть порядочным, человеку нужен какой-то закон!

Тут на сцену выкатился Киприан Иванович в красном плаще, в маске с длинным носом, с белой, как у отца Евстохия, бородой. Миня лоб в лоб столкнулся с барином.

– Ой! Какое странное животное, никогда такого не видел! Забавная морда! Как оно называется, Фламиния?

– Это не животное, а уважаемый господин, и быть вам битым, если не перестанете говорить глупости! – сказала Нюта-Фламиния.

– Это человек? Ха-ха! Это чудище!

– А вот я задам тебе трёпку!

Панталоне, пыхтя и размахивая палкой, бегал за Арлекином, Лелио, спотыкаясь и падая, спешил за Панталоне и умолял его сжалиться над бедным дикарём, Нюта с Карлоттой забрасывали разгневанного старца разноцветными бумажками. Бердюкинцы смеялись, топали и хлопали. Митрофанушка был совершенно счастлив – он тоже принимал участие в представлении: ему доверили вырезать конфетти.

На следующий день после блистательной премьеры Сальтофромаджо пошёл к Бердюкину за расчётом. Киприан Иванович, увидев итальянца в окно, выбежал из дома задами и укрылся в хлеву, предавшись своему любимому занятию (оно всегда настраивало его на философский лад и приводило к мудрым решениям). Друг Талии прекрасно доил коров. Он хорошо знал, что сначала доить надо медленно, размеренно, без рывков, а потом – всё быстрее, увереннее, энергичнее. Киприан Иванович чувствовал скотину, а скотина чувствовала его.

Сосредоточенно дёргая соски своей рыжей Матильды, помещик обдумывал, как бы задержать Сальтофромаджо. Он ясно видел, что итальянец может возвести на небывалые высоты коньковский театр, обучить актёров тонкостям игры, о которых и не слыхивали в России. А уж денег Бердюкин не пожалеет! В мечтах Киприан Иванович строил огромное здание театра в античном вкусе, читал о себе в газетах хвалебные статьи и упивался славой.

Пьетро, хмурясь и подозревая недоброе, бродил по парку. Осенний ветер трепал его волосы и лез под воротник. Наконец, когда уже стемнело, Киприан Иванович позвал итальянца, налил вина, игриво звякнул бокалами и сообщил, что «Арлекина-дикаря» совершенно необходимо сыграть у генерала Синекопытова, у депутата от дворянства Горихвостова и у судьи Аполлона Пафнутьевича Тряпкина. На все возражения Пьетро Бердюкин отвечал лишь обиженным дрожанием трёх подбородков, утопающих в пышном жабо, словно ягодное желе во взбитых сливках.

Выйдя от Бердюкина, Пьетро долго смотрел на луну, низко повисшую над Коньково (рукой подать), и перемигивающиеся звёзды. Ему казалось, что на серебряном шаре сидит кто-то родной – горбатый и длинноносый. Он тоже внимательно смотрит на Пьетро и взволнованно шепчет: «Спеши, спеши, скоро море покроется льдами, снаряжён последний корабль. Гардемарин Неплюев блестяще сдал теорию и практику, теперь он офицер и звонко покрикивает на матросов. Купец Моллво из Любека изловчился и продал в Петербурге вина на пятьдесят тысяч. Вот он собрался плыть за новой партией товара – в Германию, потом в Испанию и Португалию. Он пьёт мадеру с капитаном, они хохочут и обнимаются и поют моряцкие песни. Корабль вот-вот отчалит! Спеши, Сальтофромаджо!»

Всю долгую зиму Пьетро провёл в плену у Бердюкина. Он хворал, хирел, проклинал русские морозы, целыми днями лежал, отвернувшись от мира к стене, оклеенной голубенькой бумажкой, потом вставал и, стиснув зубы, шёл «возвеличивать» коньковский театр.

Весной, перед премьерой балета-пантомимы «Некромант, или Арлекин доктор Фауст», Пьетро с Карлоттой исчезли из Коньково – внезапно, незаметно и бесследно, будто их черти унесли. Во флигеле скулила забытая борзая, на полу валялись бараньи кости. Бердюкин был в отчаянии – театр пропадёт без Пьетро! «И как это он усыпил мою бдительность! Это всё потому, что я не давал ему денег. Зря не давал. Но ведь я боялся, что с деньгами он сможет уехать. Это не из алчности. Это из предосторожности! Куда он скрылся? Далеко убежать не мог – он ведь гол как осиновый кол. Надо найти, надо найти». Но не нашёл Бердюкин Сальтофромаджо. В скором времени прибежали в Коньково из Подъёлок – исчез Митрофанушка! А с ним и деньги, хранимые Александрой Степановной в чулках за старинным зеркалом и за портретом покойного дедушки Гермогена Дурасова, у которого были *совершенно живые* глаза.

В детстве Митрофанушка очень боялся дедовых глаз и к портрету не приближался. Но вот сейчас он тихо заходит в тёмную спальню: теплятся перед Боженькой синие и красные лампадки, бабушка лежит на высоких кружевных подушках, у неё уродливо открылся рот, похожий на чёрную яму, и щёки впали, как у покойницы. Митрофану

165

становится страшно, он замирает, его сердце колотится так громко, что разбужен домовой на чердаке. Александра Степановна ровно дышит, с хрипотцой втягивая в грудь спёртый воздух. Внук с нежностью смотрит на бабку, затем, вздрогнув при виде испуганного бледного лица, тянет из-за зеркала старый чулок с деньгами. Теперь очередь за Гермогеном Дурасовым. «Дедушка, ты не смотри так строго, ведь это мои деньги, бабушка их для меня скопила, чтобы я потратил, когда она помрёт. А мне сейчас нужно, меня ждёт господин Сальтофромаджо, нам пора в путь».

Дедушка смотрит с укоризной, его глаза разгораются гневом, наливаются кровью, вот он становится боком и выпрыгивает из портрета! Митрофанушка кричит и просыпается... Дул ветер, скрипели снасти. Корабль мощно рассекал балтийскую воду и переваливался с боку на бок, как медведь. В углу каюты за привинченным к полу столом сидел Пьетро Сальтофромаджо, он загадочно смотрел на Митрофанушку, его глаза мерцали в полутьме.

* * *

«Помилуй мя, Господи, яко немощен есмь, исцели мя, Господи, яко смятошася кости моя», – бормотал Митрофан Дурасов, с трудом продвигаясь по заснеженной горной дороге. Иногда его заносило вбок, он проваливался в вязкие сугробы, становился на четвереньки, поднимался и проваливался снова. Его одежда стала мокрой и тяжёлой, а лицо закрыла колючая белая маска. Впереди шёл Пьетро, ведя под узцы усталую лошадь, на которой сидела Карлотта. Падал и падал снег крупными хлопьями. Карлотта закуталась в платок, на её голове вырос белый колпак. Карлоттины руки и ноги замёрзли, она задремала и видела сон, будто борзая царапает её когтями и кусает пальцы. «Милка, оставь меня», – крикнула женщина, встрепенулась и снова задремала.

Смеркалось. Немые торжественные горы, блиставшие днём на солнце, постарели, посерели, посинели. Путники сбились с пути: они шли целый день и давно должны были добраться до «большой дороги» и гостиницы. Вокруг раскинули чистую скатерть, но не было никакой «Белой лошади» с шумом, влажным теплом, запотевшими окнами и жирным супом; одни лишь высокие ели, как солдаты навытяжку, охраняли царство снега и покоя. Нужно было срочно найти укрытие от холода. Дошли до развилки. Главная дорога побежала дальше – к призрачным гостиницам с котлами, в которых вокруг розовой свиной ноги кружились в весёлом лендлере и гросфатере нежные капустные листья, а отделившаяся тропа полезла вверх: там, на склоне, как клякса на бумаге, темнела пастушья хижина.

В хижине было тихо и холодно. Дурасов застонал и мешком повалился в угол, пропахший мышами. Приторный запах живо напомнил ему родные

Подъёлки – бабушка грустно взглянула на Митрофанушку.

Оцепеневшая Карлотта легла в кровать с высокими бортами, закрыла глаза и задрала острый носик, прощупывая затылком хрустящую мякоть ледяной подушки. Она была похожа на спящую красавицу, а источенная червями кровать – на гроб или на старую рыбачью лодку, принесённую сюда с Фирвальдштетского озера каким-то старательным джинном. Пьетро развязал тюки и укрыл подругу всей имевшейся одеждой, затем принялся торопливо разводить огонь в обложенном камнями очаге. Вскоре затрещали поленья, запахло смолой, на стенах и потолке заплясали нетопыриные крылатые тени.

Через два часа в хижине стало тепло, все согрелись. Пьетро хотел растопить немного снега и сварить кусок жёсткой, как дубинка, ослиной колбасы, но в хижине не было никакой посудины, кроме огромного котла, в котором можно было бы сварить и целого осла. Оттаявшая, ожившая Карлотта вытащила из-под кровати расписанный цветами и амурами ночной горшок. Пьетро, кривляясь, зажимая себе нос и дёргаясь всем телом от отвращения, чистил горшок, потом варил в нём колбасу, потом ловил невидимых мух и стряпал гарнир. Вот он взмахнул расшитой скатертью, вот поставил на стол фарфоровые тарелки (ой, одна чуть не упала, успел подхватить!), вот открыл бутылку чудесного вина. Это – окорок, это жареный гусь, это сыр! Пьетро режет пирог. Пьетро разливает суп. Он закатывает глаза и падает в обморок от запаха вкуснейшей еды.

Карлотта и Митрофанушка смеялись, глядя на чудачества Сальтофромаджо. Митрофанушка знал, что тяжёлое путешествие, растянувшееся на долгие месяцы и поглотившее весь дурасовский капитал, вот-вот закончится, они спустятся к прекрасному озеру Лугано и в отчем доме Пьетро отдохнут от жизненных бурь и невзгод. Осталось потерпеть четыре дня — так ему сказал Сальтофромаджо.

Дурасов проснулся от тёплого луча, настырно лезшего в ноздрю, чихнул, вспугнув мышонка, сел, зевая и оглядываясь по сторонам. Хижину заливал мягкий свет, за маленьким окошком шумела капель. На столе уютно лежали колбасные дубинки. В очаге дымилось полено. На стене висела картина с коровами, друг за дружкой идущими в гору. Дорога змеёй вилась снизу вверх по картине. На крутых поворотах коровы оказывались вниз головами, это их никак не смущало, они невозмутимо шли дальше и потом, на повороте, обретали естественное положение, но ненадолго, до следующего виража. Над странным шествием парила Пречистая Дева. Казалось, она пела «йодл-ай-и-и-у-у-у!» и подбадривала скотину. Коровы, на радостях преодолев закон земного притяжения, спешили к ней вниз головами. Если бы какой-нибудь великан, гуляющий в Альпах, заглянул одним глазом в пастушью хижину, он бы увидел там волшебный мирок с замершим картонным Митрофанушкой, с картонной мебелью и нарисованным очагом.

Митрофанушка почувствовал, что очень хочет есть. Последние дни он был почти всегда голодным – деньги, на которые друзья жили в Германии и Швейцарии, вдруг закончились. «Четыре дня осталось до Италии. Хорошо, что есть запас ослиной колбасы!» Митрофанушка потянулся, снова лёг и закрыл глаза. Перед его внутренним взором стали летать красивые пряничные немецкие домики и готические соборы с разноцветными витражами. Потом он вспомнил святых с отбитыми лицами и девочку Од.

Это была семилетняя дочка хозяев деревенской гостиницы в швейцарском кантоне Во. Подружки рассказали Од, что на склоне горы, недалеко от деревни, есть грот Лесной Девы. Там происходят чудеса: девочкам является Богородица. Про грот все знали, но ходить туда строго запрещалось, потому что он был «католический». А Од больше всего на свете хотелось бы туда попасть и увидеть чудо. Однажды после обеда, когда родители уехали в город, она побежала в лес – искать грот – и заблудилась. Тропинки двоились, троились и разбегались в разные стороны. Ноги скользили по мокрой земле, ботинки облепила грязь, подол хватали и рвали колючие ветки ежевики. Од плакала. Белки, шурша по коре коготками, быстро взбирались на верхушки деревьев и оттуда с равнодушным любопытством смотрели на испуганную девочку. Од собралась было звать на помощь ангелов или дровосека, но вдруг увидела привязанный к ёлке ящичек, там за стеклянной дверцей среди бумажных роз стояла Пречистая Дева. Она улыбалась и будто бы говорила, что не надо ничего бояться. Рядом лежал покрытый мхом трухлявый ствол. Вдоль него бежала сухая утоптанная дорожка, над ней зелёными сводами склонились ветки орешника.

Падая от усталости и всем своим сердцем надеясь на чудо, Од пошла по этой дорожке. Она становилась шире. Лес расступился, и девочка оказалась на площадке, выложенной красивыми камешками. Площадка была у подножия высокой скалы. Ручей прыгал сверху по серым камням и срывался вниз шумным водопадом. В скале зияла чёрная дыра. Оттуда веяло сыростью и прохладой. Это был грот! У входа в грот лежали валуны, а над валунами в теневом воздушном пространстве летела, простирая руки, Лесная Дева. У Од заколотилось сердце, она встала на колени и, запинаясь, прочитала молитву.

Дева молчала. Присмотревшись, Од поняла, что это всего лишь статуя. Зато один из валунов пошевелился и поздоровался. Ребёнок вскрикнул. «Не бойся!» – валун оказался русским барином, который жил в гостинице и за ужином всякий раз просил добавку своих любимых макарон со сливками. В шляпе и широком плаще он совершенно слился с природой. Митрофанушка помог Од умыться, вытер грязь с её ботинок, взял девочку на руки и пошёл в гостиницу. Он пообещал Од, что не расскажет родителям, где с ней повстречался. Чтобы развлечь ребёнка, русский барин затянул песню:

Ты детинушка-сиротинушка,
Бесприютная ты головушка!
Без отца ты взрос ты, без матери,
На чужой, дальней на сторонушке.

Обхватив Митрофанушкину бычью шею, Од представляла себе, что Лесная Дева послала ей в спасение великана, который пришёл из далёкой Страны Великанов, где говорят на очень странном великанском наречии и поют заунывные великанские песни.

Хотелось есть... Митрофанушка вышел из хижины и тут же зажмурился: ярчайший солнечный свет, оттолкнувшись от белого поля, прыгнул и резанул глаза. Жёсткий морозный воздух ударил в лёгкие. Вокруг поднимались зубцы гор и остроконечных елей. Огромный Дурасов был букашкой на лысине Горного Короля. Он был один. Пьетро, Карлотта и лошадь исчезли.

«Они отправились искать дорогу... Они поехали за едой... Карлотта заболела, господин Сальтофромаджо повёз её к врачу... Что-то случилось, и им пришлось уехать... Они забрали все свои вещи... Нет, вот Карлоттин платок... Они вернутся, они не могут меня оставить здесь одного. Я не знаю доро-гу в Италию. Я не знаю, где дом Пьетро. Я буду их ждать».

Митрофанушка ждал три дня, топил снег в ноч-ном горшке, варил колбасу – такую твёрдую, что даже мышиные зубы брали её с трудом. На полке в мешочках и коробочках нашлись сушёные тра-вы, ими Митрофанушка заправлял свой ослиный бульон. Он смотрел в окошко, как садится солнце, как зубцы гигантской короны вспыхивают золо-том, а небо превращается в пурпурную мантию. Вытирая кулаками слёзы, он вспоминал свою до-брую бабушку, и выдумщика Киприана Иванови-ча, и родные Подъёлки с весёлой дворней, и Конь-ково с оранжереями и обедами. Как сейчас всё это далеко и бесконечно близко! Бедному Митро-фанушке почудился лай Трезорки и запах подсол-нечного масла, которым Александра Степановна густо смазывала свои морщинистые руки. Дурасов вздрогнул и обернулся. Бабушки не было. Запах улетучился.

Ночью поднялся ветер. Проснувшись, Митро-фанушка смотрел в темноту и слушал заунывный вой в трубе. Казалось, что вместе с бурей стая костлявых бородатых демонов с пением проно-сится над землёй. Вой становился всё громче. Вот он распался на несколько голосов. Это же волки! Окружили пастушью хижину! Требуют ослиной колбасы! «Нет у меня, ничего съедобного тут уже нет, уходите», – бормотал Дурасов, пытаясь

173

дрожащими руками развести огонь. Внезапно вой стих. Послышался хруст снега. Кто-то постучал в окошко. «Господин Сальтофромаджо!» Митрофанушка открыл дверь и вскрикнул, потому что Пьетро стоял на четвереньках, его глаза злобно горели, из оскаленной пасти вырвался грозный рык.

Волки! Митрофанушка захлопнул дверь. Она без засова! Окошко! Нужно забить доской окошко! Где гвозди? Крыша! Ветхая драночная крыша. Вот Пьетро запрыгнул на крышу. Он скребёт её когтями, роет сильными лапами. Сейчас он сожрёт бедного Дураццо! Митрофанушка в ужасе подбежал к огромному котлу, раскачал его, поставил боком, опустил себе на плечи и лёг под ним, плотно свернувшись калачиком.

Оказавшись в надёжном укрытии, Дурасов стал погружаться в дрёму и в дрёме этой вспомнил, что в детстве ему случалось вот так сворачиваться калачиком и полусонным лежать в охранительной тёплой темноте. Митрофан подумал, что, наверное, это воспоминание как-то связано с рано ушедшей и позабытой матушкой.

Дурасов очнулся, потому что нечем было дышать, тело устало от скрюченного положения, а кроме того, кто-то стучал по котлу и скрёб его когтями. Некая сила пыталась сдвинуть котёл с места, перевернуть и выковырять из него Митрофанушку, будто моллюска из раковины. Дурасову всё надоело, он, как атлант, упёрся плечом в железный купол. Чьи-то руки помогли ему поднять котёл. В ту же минуту мохнатое чудовище кинулось на Митрофанушку, чтобы откусить ему голову, но для начала стало лизать щёки, уши и шею. Резкий окрик заставил чудовище попятиться, и к Дурасову приблизилось лицо Мефистофеля, да-да, это был настоящий Мефистофель – Митрофанушка прекрасно знал, как он выглядит, потому что несколько раз видел пьесу о докторе Фаусте, которую «по неоднократному требованию публики» давали в Берлине кукольники Шютц и Дрэер. Пьетро тогда близко с ними сошёлся. Техник Дрэер придумывал «летательные машины» и сложные механизмы – с их помощью на сцене показывали превращения и путешествия по воздуху. Шютц был художником и поэтом, он писал пьесы. За кружкой пива Пьетро беседовал с ними о высоком искусстве комедии и так напивался, что путал кукловодов с висящими по стенам Касперле и Вицлипуцли, Давидом и Голиафом, Горибахом и Асмодеем.

Мефистофель пристально смотрел на Митрофанушку и, казалось, прикидывал, как бы поудобнее его схватить, чтобы унести в тартарары за то, что он ограбил дедушкин портрет. Багряный луч встающего солнца кровавил чёрную мантию Мефистофеля. Пахло жжёной смолой. Чудовище жалобно тявкало, скулило и просило разрешения ещё полизать Митрофанушку.

Вот уже тридцать лет как брат Антоний, устав от монастырской суеты и интриг, дал обет молчания и «ушёл в пустынь» – поселился в полуразвалившейся часовне на вершине горы. Семь месяцев в году дорогу в пустынь преграждали снежные крепости, и брат Антоний никого не видел, кроме своей собаки Монеллы, птиц и лесных зверей. Летом к нему приходил пастух, он приносил муку, настойку из корня горечавки (лучшее средство от ревматизма, принимать внутрь) и ворох записочек, в которых жители рассыпавшихся внизу игрушечных деревень и хуторов сообщали отшельнику, за кого и по какому поводу надо бы помолиться. Брат Антоний так ловко справлялся с заданием, что люди из Эльма, Пинью, Лакса и Флимса, Кура, Иланца и Трина почти не болели, их дети были благонравными, свиньи и овцы счастливо жирели и размножались.

Брат Антоний видел со своих высот, как заплутавшие путники укрылись в пастушьей хижине, как утром мужчина и женщина погрузили на лошадь тюки и ушли, как тот, что остался, выходил на мороз без шапки и, застыв, подолгу вглядывался в безмолвное белое пространство – наверное, надеясь, что за ним придут.

Монах несколько дней наблюдал за Митрофанушкой. С крючковатым носом, седыми бровями-клоками и круглыми недобрыми глазищами он был похож на объевшегося филина, который презрительно смотрит, как хлопочет мышь среди опавших желудей и листьев. Ночью брат Антоний услышал волчий вой. Монелла лаяла и жалобно скулила. Кряхтя, старик сполз со своего жёсткого ложа, зажёг фонарь и пошёл смотреть, что там опять творится в суетном мире.

Пастушью хижину окружили волки. Вожак прыгнул на крышу. Луна обливала горы серебряным светом. Если бы брат Антоний ездил в «Ла Скала», то ему бы показалось, что всё это очень похоже на театральное представление с искусно освещённой сценой, на которой происходит что-то очень интересное (горят свечи, воск капает на шляпы зрителей партера). Со своего пятого яруса старик видел, как звери рыщут вокруг лачуги и пытаются в неё проникнуть.

Для отпугивания волков и демонов у отшельника были заготовлены вязанки хвороста, политые смолой. Брат Антоний, путаясь в полах своего рубища, ругаясь, злорадно посмеиваясь и бормоча отрывки псалмов, вытащил из сарая несколько вязанок, поджёг их и пустил катиться с горы – к хижине, сердечно прося святого Иакова отвернуть пылающие шары от драночной крыши. Плюясь искрами, огненные саламандры с треском и гудением бежали, подпрыгивали, летели, прочерчивая темноту жёлтыми хвостами и языками. Покровитель пастухов не подкачал: горящие вязанки остановились в двух шагах от хижины. Волки разбежались.

* * *

Митрофанушка вбил в трещину последний гвоздь, накинул на него петлю, подтянулся, вылез на площадку и сел, свесив ноги над пропастью. Посмотрел на огромный мир, раскинувшийся далеко внизу, перекрестился и засмеялся. Он был выше всех. «Эх, видела бы меня бабушка! Вот кто теперь дикой Арлекин».

От разреженного воздуха кружилась голова. Внизу суетился муравьишкой брат Антоний. Святой молчальник потрясал кулаками и ругался на Митрофанушку – зачем полез в опасное место? В глубине души монах завидовал Митрофанушке: в молодости он и сам хотел забраться на эту вершину, но не мог, потому что из снаряжения у него был только молитвослов. Митрофанушка же раздобыл в деревне всё, что нужно для восхождения: верёвку, молоток, мощные крюки и гвозди. Летом вольной птицей и диким Арлекином он спускался с гор и гулял по деревенькам. Там его хорошо встречали: люди знали, что этот великан пришёл из дальних стран и вот уже три года спасается в пустыни у брата Антония – заботится о старике. Люди охотно дарили Митрофанушке еду, одежду и всё необходимое для жизни в горах. Чтобы отблагодарить деревенских жителей, Дурасов ходил с ними валить лес, выкорчёвывать камни. Да, видела бы сейчас Митрофанушку бабушка! Разве узнала бы она своего пухлого внучка в этом обросшем густой бородой и длинными волосищами мускулистом загорелом мужике, который диким козлом скакал по горам, не обращая внимания на предусмотренные тропинки, змейкой вьющиеся среди колокольчиков и столбиков горечавки. Изумлённо пялящиеся синие глаза – вот всё, что осталось от прежнего Митрофанушки.

По вечерам у каменного фонтанчика, где брали воду, Митрофанушка присаживался на завалинку, и тут же вокруг него собирались собаки и дети – послушать великанские грустные песни и весёлые прибаутки. Митрофанушка заводил заунывно – сначала тихо, раскачиваясь, будто в плывущей лодке, – потом вставал во весь рост и громко пел на всю деревню:

Как по морю, по морю,
Как по морю, по морю,
Эй-лёли-лей,
Эй-лёли-лей!
Плыли три кораблица,
Плыли три величаво,
Эй-лёли-лей,
Эй-лёли лей!
Во первом кораблице,
Во первом, золочёном,
Эй-лёли-лей,
Эй-лёли-лей!
Сам то князь-воевода,
Свет Иван да Васильич,
Эй-лёли-лей,

Эй-лёли-лей,
Во втором кораблице,
Во втором, серебряном,
Эй-лёли-лей,
Эй-лёли-лей!
Княжеская дружина,
Все бояревы сыны,
Эй-лёли-лей
Эй-лёли-лей!
Во третьем кораблице,
Во третьем, деревянном,
Эй-лёли-лей,
Эй-лёли-лей!
Цело войско несметно
Из простого народа,
Эй-лёли-лей,
Эй-лёли-лей!
Плыли три кораблица
Со врагами сражаться,
Эй-лёли-лей,
Эй-лёли-лей!*

Митрофанушка садился, смахивая набежавшую слезу, потом вскакивал и, пританцовывая, пел дурацким голосом:

Я детина небогатый,
А имею нос горбатый.
Собою весьма важеватый!
Зовут меня Фарнос – красный нос.

---

* Автор сердечно благодарит Шанти-хор парусника «Мир» за эту песню.

Три дня надувался,
Как в танцевальные башмаки обувался,
А колпак с пером надел –
Полные штаны набздел!

Дети с восторгом слушали Митрофанушку. Они, конечно же, не знали великанского языка, но по жестам Дурасова понимали, о чём речь. Подходили их родители, бабушки и дедушки. Все хлопали. Если бы ковёр-самолёт перенёс Александру Степановну из Подъёлок в Гларнские Альпы, она бы увидела, как успешно «выступает» перед благодарной публикой её Митрофанушка. Вспоминая игру Пьетро и Михаила Телегина, он старательно кривлялся и подпрыгивал. Чем громче смеялись дети, тем страннее и забавнее становились медвежьи ужимки Дурасова. Несомненно, помещица решила бы, что «блаженненький» совсем умом тронулся.

Больше всех русского великана любил Безноженька – больной мальчик, у которого была слабость в ногах: он не мог ни ходить, ни стоять. Безноженька лежал в кровати либо сидел на стуле у окна. Дурасов носил его гулять – поднимал к себе на плечи и шёл в гору, в лес, в поле. Трава и цветочки там росли такие же, как в Подъёлках: и жёлтые огонёчки, и розовые пушистые палочки, – но лес был сухой, скучный, без мхов и болот.

Дурасов учил мальчика вырезать из дерева фигурки, они смастерили целую армию: егерей, казаков, мушкетёриков, гренадёров, солдат, офицериков. Зимой Безноженька проводил на подоконнике смотры, парады, баталии. Морозными безоблачными ночами он видел мерцающий, будто звёздочка, огонёк. Ребёнок знал, что это русский великан на вершине горы топит печку, ходит за братом Антонием, мастерит новых коников и солдатиков, ждёт, когда растает снег и можно будет спуститься к людям.

Митрофанушка любил страну дикого Арлекина, своё великанское царство. С крюками, верёвками и молотком он забирался в таинственные места, куда не ступала нога человека, где летали орлы и бродили белые козлы с мощными рогами. Когда сияло солнце, козлы казались отлитыми из чистого золота. Вечером Митрофанушка смотрел, как красный шар катится по небу и падает за остроконечные башни. Он был в заповедном мире, населённом сказочными существами. В пожаре, разметавшем синие тучи, совершалась битва крылатых, рогатых, хвостатых призрачных зверей. Битва становилась всё яростнее, звери поднимались на задние лапы, беззвучно ревели и истекали кровью, потом бледнели и таяли в темнеющих небесах – улетали зализывать раны до следующей схватки. Завернувшись в бараний тулуп, Дурасов дремал у костерка. В темноте блестели чьи-то глаза, раздавался скрип и шум, похожий на спешный ход чьих-то ног по каменистой дороге. Ветер залетал в трещины в скалах, сколь-

зил по выбоинам в камнях; хор горных духов баю-
кал Митрофанушку протяжной колыбельной: всё
«а-а-а...» да «у-у-у...».

По опасной сыпухе дикой Арлекин добирался
до ледника, который распахнул свою синюю глот-
ку и дразнил прозрачным языком. Брат Антоний
смастерил для Митрофанушки кожаные подмётки,
утыканные острыми гвоздиками. Эти подмётки
надо было привязывать к башмакам, чтобы они не
скользили. Прогулка по синей глотке была очень
опасна – под снегом скрывались ямы, а в них сидели духи льда, готовые схватить и отгрызть ногу.
Митрофанушка знал, что надо осторожно идти по
льду, проверяя палкой, нет ли западни. Он был самым смелым и ловким скалолазом, покорителем
вершин и ледников, бывалые горцы-охотники не
годились ему в подмётки, тщательно и с молитвой
оббитые гвоздиками.

Шло время. Брат Антоний болел – у него ло-
мило кости, он лежал, боясь пошевелиться, то
шептал молитвы, то злобно ворчал, кляня свою
дряхлость. Он мог лишь кормить кур: крошил
на земляной пол лепёшки, испечённые Митрофанушкой. Куры налетали, сшибались головами
и озабоченно кудахтали. Осень, зиму, весну и лето
Дурасов провёл в пустыни, к людям не спускался,
растирал старика горечавкой и кормил луковым
супом. В конце сентября брату Антонию полегча-
ло, он стал сам стряпать обед и тихонько гулять по
тропинкам.

Однажды он поманил Митрофанушку кривым пальцем с разбухшим суставом и впервые с ним заговорил (до этого лишь вслух ругался):

— Он сказал: «Позаботьтесь о Дураццо!»

— Кто?

— Он мне крикнул: «Позаботьтесь о Дураццо!»

— Да кто?

— Он знал, что я тут. Он карабкался вверх, а я на него смотрел. Твой спутник просил меня о тебе позаботиться. Я ведь позаботился о тебе?

— Господин Сальтофромаджо просил позаботиться? Батюшка, вы очень обо мне заботитесь!

— Да. Он знал, что ты со мной не пропадёшь...

— С вами не пропаду! Но я так часто вспоминаю русский дом и бабушку... Неужели я здесь навечно останусь? Батюшка, помолитесь! Вернуться бы мне в Подъёлки...

Брат Антоний что-то раздражённо проворчал и захлопнулся навсегда.

«Да, со мной на четвереньках Пьетро далеко бы не ушёл, а ему надо было спасать Карлотту. Из-за меня они бы погибли. Я очень медленно шёл. Господин Сальтофромаджо оставил меня на брата Антония. Он должен был спасти Карлотту. А я им только мешал. Он не бросил меня одного. Он очень хороший человек».

Стосковавшись по царству дикого Арлекина, Дурасов решил оставить на несколько дней взбодрившегося старика. Он взял снаряжение, низкие саночки на широких полозьях, запас еды, тёплые вещи и, погрузив всё это на свои великанские плечи, пошёл проведать духов гор и льда. Дикой Арлекин весь день прогуливался по снежным вершинам, заночевал в тихом месте под скалой, защищавшей от ветра, а утром, стряхнув с волос и бороды иней, увидел внизу шествие призраков. Сотни серо-зелёных теней в треуголках, с ружьями тихо двигались сквозь туман. Они накатывали волнами – одна, другая, третья; вот осторожно пошли лошади, поскальзываясь на льду. Тени и лошади медленно тащили пушки, которые ехали с жалобным скрипом. Выглядывая из-за своей скалы, остолбеневший от изумления Митрофанушка смотрел на бесконечную процессию. Призраки перекликались. Вдруг Дурасов понял, что это русские. Они говорили по-русски!

«Братцы! Братцы!» В рядах призрачной армии началось смятение – солдаты увидели, как с горы к ним со страшной скоростью несётся на саночках косматый мужик. «В ружьё!» Тени вскинули ружья и приготовились застрелить Митрофанушку. «А-а-а! Я свой, братцы! Свой! Разголовушка моя бе-е-едная-а-а, эх, да сторонушка, ой, незнако-о-омая!» Солдаты опустили ружья, кто-то пропел в ответ: «Сторонушка незнакомая, ой, да записа-а-али, ой, младца в службицу, ой, да назнача-а-али его в конницу!»

Появление Митрофанушки затормозило движение, задние ряды напирали, нельзя было стоять. Митрофанушка пошёл с солдатами. Дурасов плакал: он никогда не видел таких несчастных, измученных людей в облепленных грязью, испачканных бурой кровью мундирах. На окоченевших, одеревеневших ногах – разбитые сапоги, дырявые штиблеты или просто онучи, из которых торчала сухая трава. Многие стонали от боли и падали от усталости. Митрофанушка вспомнил, как в детстве, болея, водил свою кукольную армию по снежным горам – коленям, накрытым белым одеялом. Деревянные солдатики точно так же ступали на негнущихся ногах и скользили по твёрдому полотну. К Митрофанушке подъехал офицер:

– Ты, братец, откуда?

– Из Подъёлок, а здесь живу четвёртый год.

– Дороги горные знаешь? Пойдём-ка. Пойдём.

– Куда, батюшка?

– К Александру Васильевичу Суворову, братец.

Офицер поскакал вперёд, а Митрофанушка, вскинув на плечи саночки, побежал за ним вдоль строя бредущих солдат.

Великий полководец сидел на камушке, завернувшись в одеяло и вглядываясь в туманные дикие дали. Он был похож на цыплёнка – маленький, худенький, бледный. На его голове был ночной колпак. Рядом стоял бородатый мужчина в шляпе, низкого роста, с толстым носом и горящими чёрными глазами; он размахивал руками и кричал про «другую» дорогу, которая почему-то нет.

Суворов поднялся и, сильно хромая, пошёл к палатке. Александр Васильевич был обут в разные сапоги: один, миниатюрный, по ноге, ступал ровно, другой, очень большой, приволакивался. Палатка дрожала, едва выдерживая удары невидимого воздушного злодея, который махал кулаками и пытался стереть в порошок хромого цыплёнка и всё его жалкое войско. Суворов подмигнул Митрофанушке и поманил в палатку. Там, за ширмой, он, то хихикая, то постанывая, стал снимать свои сапоги. Дурасов, будто в театре теней, отчётливо видел его качающийся чёрный силуэт. Над ширмой появилась голова в колпаке – острый нос, глаза навыкате, рот щелью. Александр Васильевич состроил смешную несчастную рожу и попросил Митрофанушку помочь. За ширмой возникла тень великана: он старательно стягивал сапоги с Пульчинеллы – князя Итальянского, который кряхтел и комически падал со стула. «Тело моё во гноище, Митрофанушка!» Огромный Дурасов с изумительной ловкостью снял штаны с кукольного полководца и разбинтовал его больную распухшую ногу. Её нужно было держать в тазу с лечебным раствором.

– Мне бы в Подъёлки, батюшка!

– А мне бы в монастырь!

Митрофанушка угостил Александра Васильевича настойкой из корня горечавки, а на следующее утро привязал к его сапогам намоленные подмётки и повёл армию по обледенелой тропе над пропастью, через перевал Паникс.

– Пушки придётся оставить. Будет крутой спуск. Братцы, заматывай штыки! – как в детстве, командовал Митрофанушка.

Гуськом люди шли по заснеженному карнизу, скользили, валились друг на друга. Сильный ветер сшибал их с ног и расшвыривал по ледяным гробам. С помощью крюков и верёвок дикой Арлекин Дурасов вытаскивал братцев из смертельных ловушек.

Тропа сбежала вниз и упёрлась в широкую дорогу. Изнурённые люди падали в грязь и лежали, не в силах пошевелиться. Неожиданно к ним подбегал хромой Пульчинелла. Он вдруг кукарекал и пронзительно кричал: «Васька-Васёнок, худой поросёнок, ножки трясутся, кишки волокутся. Почём кишки? – По три денежки!» Разлепив глаза, солдаты узнавали своего фельдмаршала Александра Васильевича Суворова. Смеялись, с трудом вставали и шли дальше. «Чудак покойник: умер во вторник, стали гроб тесать, а он вскочил, да и ну плясать!»

Через несколько часов армия Суворова вошла в городок Кур, где в котлах кружились вокруг окороков капустные листья и настойка из корня горечавки лилась рекой.

* * *

Безноженька лежал на кружевных подушках. В окно постучали. Это был Митрофанушка Дурасов, которого он год уже не видел. Великан помахал на прощание рукой. Он уходил в Россию, а за ним шло ожившее войско мушкетёриков-офицериков. Поражённый Безноженька встал с кровати и сделал несколько уверенных шагов.

ЭПИЛОГ

С русской армией Митрофан Дурасов вернулся на родину. В Подъёлках его встретила любимая бабушка. В Коньково произошли изменения: Киприан Иванович приболел и на время распустил театр. Митрофанушка заехал его навестить. Он поставил у изголовья Бердюкина солдатскую литую иконку, которую ему подарил Суворов. Помещик почувствовал себя гораздо лучше. Митрофанушка попросил дать вольную Мине и Нюте «в уважение к талантам». Бердюкин злобно заворчал и отвернулся. Митрофанушка долго сидел у его постели, глядя, как снежной вершиной поднимается одеяло над тяжко вздыхающим помещиком. Киприан Иванович выпростал из своего сугроба волосатую руку, схватил иконку и спрятал под подушку. Он отпустил Телегина и Нюту. Миня женился на Нюте, увёз её в Петербург и стал лучшим Арлекином на столичных подмостках.

Пьетро Сальтофромаджо прославился в Париже. Французские актёры по его примеру стали себе шить обтягивающие трико. Его стремление «украсить» классическую пьесу акробатическими трюками, фокусами и превращениями подхватили многие талантливые артисты, из его блистательных пантомим-арлекинад вылупился европейский цирк. Митрофанушка прожил долгую жизнь в своих Подъёлках. К нему часто приходили дети – послушать великанские песни и сказки о царстве дикого Арлекина. Александр Васильевич Суворов умер через полгода после завершения Швейцарского похода. Брат Антоний до сих пор живёт в пустыни, молится за нас и пьёт настойку из корня горечавки.

ГАННИБАЛ
КВАШНИН

Памяти Жанны – лучшей из бабушек

1

В детстве Леонард с замиранием сердца слушал рассказы любимого дядюшки Соломона Акере Муна про его советскую молодость: дядюшка учился в Ленинграде на факультете журналистики, носил цигейковую ушанку и ходил в Дом культуры танцевать регги. Он жил среди удивительных людей, которые бороздят просторы Вселенной, строят церкви с куполами из кремовых завитушек, а в лютый мороз гуляют без шапок и едят мороженое. Леонард сверкал голубыми белками и дрыгал в волнении ногой – ему не терпелось стать взрослым и тоже оказаться в России.

Леонард ездил на велосипеде в музыкальную школу, его учила нотной грамоте толстая Николь Окала Би. Николь обожала Чайковского. В таинственной обстановке, отгородившись плотными шторами от всего, что гудело, лаяло, чирикало, звенело за окном, она превращала стену – в сцену. «Там-та-да-да-дам-пам пам-пам-па!» Поднимался занавес, начиналось волшебство: ёлка мерцала, куклы танцевали, крёстный, нет, это дирижёр, вдохновенно махал палочкой. Леонард плакал от избытка чувств и мечтал о светлом русском заснеженном будущем.

Прошло время, Леонард стал высоким, красивым, усатеньким и абсолютно взрослым. В один прекрасный осенний день он приехал в Петербург и поселился у дядиных знакомых в унылых автовских новостройках. Леонард учил русский, ходил на занятия в Консерваторию, собираясь летом поступать на первый курс; на скорую чёрную руку сколотил группу и в клубах играл этническую музыку – абиссинские колыбельные, баллады Уганды, псалмы на геэзском.

«И будет он как дерево, посаженное при потоках вод, которое приносит плод свой во время своё, и лист которого не вянет; и во всём, что он ни делает, успеет», – пел Леонард, постукивая по барабану, встряхивая погремушкой.

В Петербурге Леонард оброс, как омелой, друзьями. Он устраивал дома весёлые пирушки; гости выпивали, закусывали, бренчали на гитарах, играли в преферанс – иногда всю ночь напролёт, пока не открывалось метро с убегающими в туманную перспективу стеклянными колоннами и мозаичной женщиной, у который были мощные бёдра и строгое лицо.

Русские друзья прозвали Леонарда Жирафом – за высокий рост и склонность к мечтательной задумчивости.

В автовской квартире была крошечная кухня со стенами, выкрашенными зелёной масляной краской. Над плитой, в самом облупленном месте, кто-то нарисовал куст чертополоха. Напевая и пританцовывая, Жираф готовил еду: ловко подбрасывал блины на сковородке, щедро сыпал разноцветные пряности в пыхтящую, словно проснувшийся вулкан, кашу. На него ворчал и порыкивал забившийся в угол престарелый «Морозко». У этого «Морозко» постоянно открывалась дверца, приходилось подпирать её камнем, принесённым с берегов никогда не замерзающей речки Красненькой.

Ночью на кухню выступала армия тараканов. Тараканы обращались в комическое бегство, как только включался свет. Основные полки были расквартированы за ржавой раковиной с бахчисарайским краном. Леонард очень просил тараканов уйти: «Уходите, пожалуйста, уводите детей и стариков!» Но тараканы не уходили и дразнили его усами. Тогда он, перекрестившись, выплёскивал за раковину кипяток из большой оранжевой кастрюли. На полу разливались лужи компота с изюмом и черносливом.

Говорят, что муравьи не живут с тараканами. В Автово – жили. Мелкие рыжие твари бежали тонкими струйками по стенам и стекались в шкаф – к хлебу. Буханки и батоны кишели муравьями. Сначала надо было постучать хлебом по столу, потом положить его и ждать, когда муравьи разбегутся, а затем уже есть.

К родителям Леонарда тоже приходили муравьи и тараканы. Заползали червяки и пауки. Прилетала муха цеце. Прилетали дивные бабочки с крыльями, которые были больше, чем ладони дяди Соломона. Эти крылья тихо колыхались, по ним текли акварельные разводы.

Да, кстати – мать Леонарда была эфиопской певицей, от неё он унаследовал тонкие черты лица, любовь к музыке и романтический взгляд на вещи. Отец работал в рукописном отделе Публичной библиотеки Яунде. Вот всё, что о них известно.

2

В Петербурге Жирафа неоднократно били. На улице он чувствовал себя белой вороной. Первый раз на него напали в сентябре у метро «Автово»; хулиганы пинали его ногами до тех пор, пока в дело не вмешались старушки, которые продавали у подземного перехода огурцы, антоновку и букеты душистого горошка. Потом его побили в ночном клубе. Несколько раз милиционеры задерживали Жирафа и обыскивали на предмет наркотиков; после обыска он никогда не находил кошелька.

Однажды зимой его подкараулила группа мальчиков – малорослых, с блуждающими взглядами и металлическими предметами в руках. Леонард возвращался с занятий, у него тёк нос, глаза слезились от ветра. Рядом с домом он заметил подозрительных ребят, испугался и быстро пошёл в другую сторону. Те стайкой голодных гиен кинулись за ним. Жираф укрылся в телефонной будке, его настигли и стали избивать. «Я не враг, я не враг!» – кричал Леонард. На этот раз он был спасён ангелами, принявшими вид двух работников ТЭЦ в очках и ушанках. Ангелы разогнали гиен сумками с портвейном и бранью на арамейском.

После этого нападения Леонард не захотел оставаться в Петербурге, он решил дождаться конца учебного года и вернуться домой. Жираф купил билет, позвонил родителям, сказал, чтобы ждали его в мае, а через день встретил Дусю Квашнину и пламенно влюбился. Был февраль, мела метель. У Дуси бежала по спине жёлтая коса, над синими глазами летели чёрные брови. Дуся приехала из Топорка гостить к тётке. Она слушала «ГО», «Кино» и «Нау», курила сигареты без фильтра и подбирала аккорды к любимым песням.

Дуся познакомилась с Жирафом в клубе «Тамтам» – там он играл с друзьями: гитара, барабаны и флейта; песни таинственных стран – зной и дрожащий воздух, в котором тонет красное солнце, сказочные звери и духи гуляют в высокой траве. «Тамтам» был рядом с тёткиным домом. Дуся сходила на два концерта, выкурила с Жирафом два косяка и совершенно неожиданно для себя стала подругой африканского музыканта.

Дуся стеснялась знакомить тётку с Жирафом. Она сказала ей, что связалась с парнем, но скрыла, что с чёрным. О том, чтобы привезти Леонарда в Топорок, не могло быть и речи: сватовство закончилось бы восстанием новгородских арийцев и мордобитием – у Дуси водились воздыхатели в Топорке.

Гулять по улицам с Леонардом Дусе было неуютно: все на них «смотрели». Дуся предпочитала оставаться на грязно-жёлтом девятиэтажном корабле Жирафа. Там, на прокуренном камбузе, они пили кофе, слушали модную музыку или просто тишину с капающим метрономом и ворчанием усталого «Морозко», смотрели в окно на море огней и обнимались. Иногда шли в какое-нибудь безлюдное место – к доту с танком, к трамвайному парку, на взлетевший над пустырями бетонный мост, по которому ползали заблудившиеся гусеницы «41», «36» и «54», на Красненькое кладбище, приняв его сначала за городской сад. По воскресным дням отправлялись в романтическое путешествие вдоль речки Красненькой к Финскому заливу – в Угольную гавань, где ржавели брошенные суда, подводные лодки, подъёмные краны и цепью тянулись заледеневшие лягушачьи царства, обнесённые крепостью сухого камыша.

На Красненьком кладбище, присев на скамеечку у какой-нибудь могилки, Жираф задумчиво курил, глядя на свою белокурую подругу с бутылкой портвейна. Весенний ветер раскачивал пластмассовые венки, шумел голыми ветками тополей. Старушки ковыляли по дорожкам – навещали усопших родственников. При виде чёрного человека они вздрагивали и шептали: «Осспади!»

В апреле солнце разбежалось по окнам новостроек, заорали коты, запахло мокрым асфальтом. Жираф купил шампанское, хлеб, колбасу и повёз Дусю в Стрельну. На дребезжащем трамвае они проехали мимо парка Ленина, где в талом снеге увязла черепаха и разинул голодную пасть гигантский крокодил, пронеслись мимо убогих дачных домиков с чёрными огородами и остановились в прекрасной в своём запустении русской Версалии. Дул крепкий ветер, руины дворца обливались капелью.

Жираф и Дуся сидели на пригорке, жёлтом от мать-и-мачехи. Дешёвое шампанское щипало в носу и пахло дрожжами. Они отмечали важное событие: в Дусином животе, скрючившись, засел маленький червячок, которому предстояло стать рыбкой, потом зверюшкой и в конце эволюции превратиться в чёрного человечка.

Накануне отъезда на родину Жираф повёл Дусю в Угольную гавань. Там, среди бескрайних пустырей с полевыми цветами, столь трогательными в помоечном пейзаже, была таинственная, неведомо кем посаженная липовая аллея, ведущая из ниоткуда в никуда — к мусорным кучам и насыпям, к мазутным болотам Маркизовой лужи. Арап и блондинка лежали под липой, слушая, как трещат по швам душистые почки и орут влюблённые лягушки. Жирная грязь блестела на солнце, пахло свежестью и гнилью.

Жираф рассказывал Дусе, как заберёт её в Страну Креветок, как родится у них прекрасный ребёнок, как пойдут они втроём гулять по вечнозелёным склонам вулкана Камерун. На озёрном берегу усядутся под хлебным деревом. К ним придут буйвол и винторогие антилопы бонго и ситатунга. Лягушка-голиаф принесёт колбасы и шампанского... Глаза слипались от полуденного солнца. Так они в последний раз заснули вместе. Из камышей вышел мужичок-рыболов с тоненькой удочкой и баночкой из-под майонеза. С удивлением посмотрел на спящих, покачал головой.

Через день Жираф уехал в Камерун – готовиться к новой жизни, а Дуся – в Топорок: растить брюхо и ждать возвращения Леонарда.

* * *

Дусина тётка, старая дева Николавна, работала учительницей в школе. Дуся была младшей дочерью её сестры-алкоголички. Старшая племянница, Наташка, в редкие минуты просветления торговала гнилыми фруктами на Окуловском рынке, а в остальное время пила по-чёрному, путалась с деревенскими гангстерами и была объектом пристального внимания участкового инспектора Голосова. Николавна Наташку боялась, Дусю – любила. Когда Дуся окончила школу, тётка решила забрать её в Петербург, в свою большую тихую комнату в коммунальной квартире, – чтобы девушка пожила в городе, поступила в учебное заведение, встала на твёрдый жизненный путь. «Раз уж так получилось», Николавне ничего не оставалось, кроме как «принять в своё сердце» Дусиного избранника. Она купила вафельный торт «Чёрный принц», полкило «Блюза», полкило «Звёздной орбиты» и была наготове, но Дуся всё не приводила жениха.

«Чего она боится?» – ломала голову Николавна. «Старый? Седина в бороду – бес в ребро. Кривой? Не с лица воду пить. Инвалид? Что делать, справимся как-нибудь. Бедный? Так работать надо, а не пиво пить. Иди работай. Или богатый, и она меня стесняется? Нет, не похоже, что богатый». Ей приснилась Дуся в церкви, в белом платье, рядом с афганским ветераном в инвалидной коляске. Предположение не подтвердилось: Дуся сказала, что её друг – музыкант. Николавна дала денег двум незрячим парням, которые пели у «Василеостровской», подыгрывая себе на гитарах. Так она тогда и не узнала, от кого ждёт ребёнка её Дуся.

3

Первого ноября в Топорке Дуся стала рожать преждевременно. «Тужься, тужься!» – кричала акушерка, потными пальцами зажимая ей нос, чтобы тужиться было легче. Когда из Дусиного тела выскользнул тёмненький мальчик, акушерка завопила от страха и неожиданности. «Ой, напугала! Ой, мать твою, напугала!» – повторяла она, схватившись за свою толстую грудь.

В простоте душевной Дуся надеялась уехать с женихом в Страну Креветок до того, как ребёнок появится на свет, поэтому она никому не говорила, что младенчик, наверное, будет не очень белый. Жираф приехал, когда мальчику был уже месяц и большая часть воинственной народности, населяющей Топорок и берега живописной речки Мсты, ждала, когда же приедет негр, чтобы отп...ть его как следует. Соседка Квашниных, мадам Мешкова, в очереди в «Экономе» объявила, что с чёрным младенцем пришла в Топорок чума двадцатого века. Тёмные слухи поползли по посёлку. Апокалиптические прогнозы Мешковой приводили в ужас даже самых разложившихся алкашей.

Леонард рвался в Топорок. Музыкант Коля Иванов, с которым Жираф играл в клубах, уговорил его остаться в Автово и поехал за Дусей сам. Аборигены догадались, что он – от негра, и начистили ему интеллигентное очкастое рыло. Дуся довела Колю до поезда, сунула ему записку для Жирафа, где объясняла, как и когда ждать её с ребёнком, а потом неожиданно вскочила в тронувшийся вагон. Младенец оставался с бабкой. Через три часа Дуся позвонила из Петербурга знакомым в Топорке, у которых имелся телефон, и попросила передать матери, что приедет завтра.

В Автово, на улице Морской Пехоты, Леонард ждал возвращения Коли. Увидев Дусю, заплакал, запел: «Святой Дух, качай ребёнок, Святой Дух, качай мой сынок. Дайте ему вода, принесите ему маниок». Коля с разбитым ртом и заплывшим глазом сказал, что заслуживает стакан портвейна. Жираф с Дусей пошли за бутылкой и уже не вернулись. Около магазина пьяные хулиганы стали кричать: «Смерть негру!» Дуся крыла их матом, Леонард, защищаясь, кого-то ударил. Жираф с подругой попытались спастись бегством, забежали в чужой парадняк и, вспугнув двух крыс, понеслись вверх по лестнице. На последнем, девятом, этаже был выход на крышу.

Пенсионерки сёстры Ветвицкие – Ия и Зоя Антоновны, проживавшие в уютной квартирке-оранжерее, заставленной цветочными горшками, в которых росли величественные амариллисы, разноцветные азалии и благоухающий, несмотря на зимнюю стужу, жасмин, – услышали, что кто-то лезет на крышу. С воплями возмущения сёстры выскочили на лестничную площадку. На крыше у них был огород: в длинных деревянных ящиках они выращивали чудные мелкие помидорки, огурчики, зелень. На зависть соседям у предприимчивых дам вызревали даже перцы и большие жёлтые тыквы. На зиму сёстры закрывали грядки фанерой и плёнкой, сверху их запорашивало снежком.

Пенсионерки считали крышу своим королевством и зорко следили за спокойствием его границ. Ия и Зоя Антоновны с ловкостью, удивительной для их почтенного возраста, быстро поднялись на крышу, нашли Дусю и Леонарда, и, невзирая на мольбы помолчать, стали громко требовать, чтобы они немедленно убирались. Чернокожий парень и его девица уходить не хотели. Более того – на крышу полезли другие гопники. Началась драка. Жирафа жестоко били, потом, почти бессознательного, наклонили над пропастью. Дуся схватила Леонарда за ноги, её толкнули, она перевалилась через низенький бортик и исчезла. Испуганные хулиганы отпустили Жирафа и кинулись вон из королевства. Жираф, не видя перед собой ничего, кроме красного маминого платья, встал, сделал несколько шагов, споткнулся и полетел за Дусей. Всё стихло. На башне остались лишь две королевы, холодный ветер трепал их космы.

4

Когда Николавна вошла в отчий дом в Топорке, там стоял гвалт: пьяная сестра Надя выла, пьяная племянница Наташка то выла, то хохотала, пьяный собутыльник рычал и матерился. Николавна едва стояла на ногах, её пригибало к земле горе и страшное чувство вины. «Ну, добилась, чего хотела?» – увидев сестру, закричала Надя. Николавна заплакала, Надя обняла её и снова завыла. «Ничего, поднимем Чебурашку!» – хрипло сказала Наташка, опрокидывая рюмку. Утром её выпустили из кутузки – два дня назад со своим сожителем Войновским она проникла в дом соседки, дачницы Птицыной, и украла множество ценных вещей, как то: пальто, три кастрюли, велосипед без колеса, тележку на колёсиках, постельное бельё с пчёлками и четыре бюстгальтера.

«Надо Чебурашку поднимать», – мычала Наташка, помогая взломщику Войновскому вытаскивать из окна добычу. Велосипед бросили на снег под берёзой, бюстгальтеры повесили на берёзу, потому что при ближайшем рассмотрении они оказались Наташке совершенно малы, кастрюли завернули в пальто, засунули в тележку и отвезли Ираиде, чтобы обменять на самогон. Самогона у Ираиды не оказалось, но была настоечка. Получив пластиковую бутылку с коричневой маслянистой отравой, Войновский с Наташкой вернулись в дом Птицыной, затопили печку и устроили поминки по Дусе.

Сначала они пили «куртульно» – за круглым столом с льняной зелёной скатертью, из «гусь-хрустальных» рюмочек, закусывая разносолами из подвала – огурчиками и грибками. Потом Войновский захрапел на диване, а Наташка, держась ещё на ногах, стала шарить по дому. Она нашла магнитофон, в котором была старая кассета «Силли Визард»: романтическая Птицына уважала кельтскую музыку. «Вперёд, Дональд МакГиллаври! Да будут прокляты все, кто предал!» – пел отважный голос. Невзирая на холод, Наташка разделась, походила задумчиво по комнате, порылась в шкафу, вытащила купальник с дельфинами, с трудом влезла в него и стала выделывать под музыку странные па перед своим храпящим кавалером. Участковый инспектор милиции лейтенант Голосов, видавший Наташку во всяких видах, с каменным лицом глядел в разбитое окно.

Войновского с четырьмя ходками оставили за решёткой, потому что у него последняя судимость «не была ещё закрыта». Наташку – трезвую, тихую, оробевшую – отпустили. К вечеру она взбодрилась и нашла себе нового мужа. «Что, Лёха, поднимем Чебурашку?» – еле выговаривала Наташка. «Поднимем!» – бурчал Лёха.

«А где ребёнок?» – встрепенулась Николавна. В соседней комнате вдруг раздался плач. Она пошла туда, но никого не увидела. «Где же мальчик?» Николавна оглядывала жаркую комнату, заваленную кучей пустых бутылок, проводов, ломаных бытовых приборов, картонных коробок. Никаких признаков жизни. Тут снова послышался плач – он доносился из большой коробки, на которой толстым фломастером было коряво написано: *«Апильсин сочни сладки»*. С замирающим сердцем Николавна в неё заглянула. Там лежала маленькая обезьянка, завёрнутая в простыню с жёлтыми пчёлками. Личико у малыша страдальчески кривилось, кулачки сжимались, чёрные глазки очень просили о чём-то Николавну.

Николавна впервые в жизни взяла на руки младенца. Немножко его покачала, он заплакал ещё сильнее. Его тельце выгибалось, казалось, у него что-то болит.

«Слава Богу, хоть один вменяемый человек появился!» – сказал кто-то строго. В комнату вошёл батюшка отец Евтропий со своей матушкой. «Мы хотели уже в опеку обращаться, – запричитала матушка, – сами-то взять не можем, у нас семеро по лавкам. Со своими не справляемся!» Матушка показала Николавне, как менять пелёнки, дала банку с белым порошком, который нужно было разводить водой в бутылочке, и, попричитав ещё для порядка, ушла вслед за батюшкой.

Вечером Николавна была дома, на Васильевском острове. Заснеженный тополь кивал ей в окно. Часы громко тикали и говорили, что «время теперь работает на нас». Мальчик мирно спал и с каждой минутой становился больше, умнее, сильней. Николавна плохо понимала, что вокруг происходит. От волнения она не могла уснуть. Чёрный ребёнок лежал у неё под тёплым боком, когда он шевелился, Николавна вздрагивала – ей казалось, что горячая молния пробегает в её груди.

5

В школе Николавна была на хорошем счету – скромная, тихая труженица, напрочь лишённая честолюбия и всякой инициативы. Будучи совершенно безобидным существом, она обладала удивительной способностью держать в узде второгодников, хамов и балбесов. Она что-то тихо говорила, внимательно глядя в наглые глаза своими маленькими глазками, и балбес укрощался, не бил уж копытом, а садился за парту и смиренно решал уравнения.

Педагогический коллектив был очень удивлён, когда Николавна несколько дней подряд прогуляла работу. Ещё больше все поразились, когда она притащилась с чёрным младенцем в канцелярию – заявлять об уходе на пенсию. Директриса подарила Николавне немного денег. Многодетный учитель биологии принёс ей старую коляску и мешок с вещичками.

Николавна едва справлялась с ролью одинокой бабушки. В кошмарных снах она сдавала мальчика в гардероб или в камеру хранения и лишь на следующий день о нём вспоминала. Когда в аптеке ей показали газоотводную трубочку, у неё закружилась голова; молоденькая продавщица дала ей понюхать нашатырь.

Николавна сидела на кровати, потряхивая кряхтящего младенца, и со страхом смотрела в будущее, когда дверь открылась и в комнату прокралась дачница Птицына, нагруженная сумками. Она села рядышком с Николавной, с умилением посмотрела на мальчика и сказала: «О, знакомые пчёлки!»

6

С появлением Птицыной жить Николавне стало легче: дачница приняла деятельное участие в судьбе ребёнка. Бойкая Птицына – с длинным острым носом, тонкими ручками и ножками – была счастливой обладательницей двух огромных квартир на Васильевском острове. В одной она жила, а другую – прекрасную, с окнами на реку – сдавала богатеньким жильцам. Птицына нигде не работала, детей не имела, носила шаль, вела светский образ жизни, якшаясь с художниками и литераторами, а лето проводила в Топорке.

Когда участковый Голосов безучастным голосом сообщил по телефону о краже и безобразной попойке в её любимом домике, она тут же кинулась в Топорок – наводить порядок. В ментовке, куда её вызвали «по делу Квашниной и Войновского», она встретила Наташку.

– Уж вы меня простите, тётя Лиза. Денег нет, а Чебурашку поднимать надо, – бубнила Наташка.

Привели Войновского. Птицына знала Войновского – он недавно чинил ей забор.

– Что ж ты, Володя, меня расстраиваешь? – корила его Птицына.

– Виноват, тётя Лиза. Лезть – лез. Ломать – ломал. Выбивать – выбивал. Сбывать – сбывал. Я вас, конечно, уважаю. Но пить-то на что-то надо!

– Ты же так скоро сдохнешь! – крикнула Птицына.

– Я никогда не сдохну, тётя Лиза! – успокаивал её Войновский.

– Какая я тебе тётя, ты же меня старше, мне двадцать пять, тебе двадцать девять, а выглядишь на сорок, не смей меня тётей называть!

– Виноват, тётя Лиза!

Соседскую Дусю Птицына знала ещё маленькой девочкой и всегда считала «не такой как все», «тонкой», «особенной». Она зазывала её в гости, угощала чем-нибудь вкусненьким, давала послушать «хорошую музыку» или почитать «хорошую книжку», например, «Северную симфонию». Дуся читала и, к радости Птицыной, «всё понимала», «всё чувствовала». «Как уютно жила королевна с родителями в башне среди леса!» – говорила десятилетняя Дуся своей взрослой подруге, студентке первого курса Лизе Птицыной. Дачница гуляла с Дусей по лесным тропинкам, рассказывала про великанов, рыцарей, туманное безвременье, про лебедя печали и козлоногих братьев, которые – вон, кивают из ветвей. Хватала её за худенькие плечи и кричала, вспугивая пташек: «Летел на меня кентавр Буцентавр, держал над головой растопыренные руки, улыбался молниевой улыбкой! Угрюмый гигант играл с синими тучами, напрягал свои мускулы и рычал, точно зверь! Его безумные очи слепила серебряная молния! И видя усилие титана, я бессмысленно ревел!» Дуся смеялась.

После страшных похорон Птицына направилась к Николавне, чтобы оказать посильную помощь. В глубине души она надеялась даже, что «неумелая мужеподобная училка» отдаст ей Дусиного сына. Не тут-то было: Николавна принимала от неё деньги и вещи, благосклонно разрешала возиться с младенцем, но о том, чтобы расстаться с мальчиком, не могло быть и речи – она приросла к нему совершенно.

У ребёнка не было имени – Дусе хотелось, чтобы его назвал отец; сама же она обращалась к нему просто: «сынок». Глядя на мальчика, Николавна вспоминала портрет задумчивого арапчонка в кабинете литературы и говорила, что Александр – хорошее имя. Птицына с ней спорила, с пеной у рта доказывая, что Ганнибал лучше. «Сначала был Ганнибал, потом уже Александр!» – убеждала она Николавну. В свидетельстве о рождении написали: Ганнибал Квашнин. Графу «отец» чиновная дама оставила пустой – никаких доказательств того, что погибший камерунец Леонард приходился Ганнибалу отцом, не было. «Цвет! Вы видите цвет ребёнка?» – кричала ей Птицына. «Это ни о чём не говорит», – отвечала неприступная женщина. От родственников Жирафа вестей в Петербург не поступало. Батюшка отец Евтропий приехал крестить мальчика. Узнав, что его записали Ганнибалом, он только плюнул. Дусин сын был наречён Александром в честь святого князя Александра Невского и великого русского поэта.

7

Прошло полтора года. «Крошка Цахес», – ласково обзывала арапчонка Птицына. Мальчик больше походил на больную обезьянку, чем на человечка: его чёрное тельце покрывала аллергическая короста.

Ровесники Ганнибала давно уже бегали, а он всё ещё ползал на четвереньках – от рождения у него одна нога была короче, и он никак не мог научиться ходить. При этом маленького Ганю все обожали – он обладал исключительной способностью нравиться, его обаяние и добродушие сражали наповал. При виде любого человека малыш тут же принимался восторженно визжать и дрожать от радости, суча ножками и всплёскивая ручками. Это обезоруживало даже соседей по коммунальной квартире. Чёрный мальчик любил всех – без причин и условий.

Птицына часто одалживала Ганю у Николавны. У себя дома на Третьей линии она завела для Гани диванчик, три корзины с игрушками и толстый зелёный ковер, по которому хромоножка ползал в своё удовольствие, строя царства зверюшек и отправляя в плавание ковчеги, гружённые львами, орлами и страусами. С утра до вечера у Птицыной гремела музыка: дачница была уверена, что если Ганя с молодых ногтей будет слушать Баха, Рамо и Корелли, то он вырастет хорошим человеком. Вскоре Птицына сделала важное открытие – мальчик был очень музыкальный. Он сходу запоминал сложные мелодии и потом выводил их своим тоненьким голоском без единой фальшивой ноты.

Когда Гане стукнуло пять с половиной, Птицына отвела его за ручку в музыкальную школу. В каминном зале старого особняка строгие учителя экзаменовали малышей. С потолка смотрели музы и фавны. Был май. Морской ветерок влетал в открытые окна и шевелил тяжёлые шторы. За окном с рёвом разворачивался белый паром. Хроменький чёрный мальчик с широкой улыбкой, умными глазками и абсолютным слухом мгновенно влюбил в себя преподавательский состав. Пианистка, похожая на фею, – с морщинами, буклями, перстнями и кружевами – цепкими пальцами взяла Птицыну за острый локоть, отвела в тёмный коридор. «Мальчик хороший, надо мальчиком заниматься, я мальчиком займусь», – процедила она Птицыной и в глаза посмотрела со значением. Усач-директор подмигнул взволнованной дачнице.

Птицына и Ганя шли по набережной. Солнце выглядывало из-за бегущих облаков, и тогда синяя вода превращалась в расплавленное золото. Трёхмачтовый парусник с разноцветными флажками стоял у причала, готовясь к далёкому путешествию. В порту подъёмные краны кивали узкими мордами на длинных шеях. «Тихий ход», – прочитал умненький Ганя большие слова на другом берегу реки.

Николавна немножко ревновала, видя, что мальчик всё больше привязывается к Птицыной, но ревность свою никак не выказывала, боясь нарушить их прекрасный романтический союз. Очень простая, очень честная и добрая Николавна стала для Гани идеальной нянькой: у мальчика был режим, прогулки на детской площадке, котлетки на пару и компот, купание в тазу с резиновой уточкой и корабликом, классический набор стихов и сказок, чистая белая постелька. Спокойно и незаметно Николавна научила Ганю читать, писать и считать. На идиотский вопрос «А сколько тебе годиков?» он отвечал степенно: «Два года пятьдесят копеек!», в то время как прочие сверстники, в лучшем случае, строили козу. «Сначала спичка, потом бумага, потом дрова, потом дом, потом – лес. *Чепная* реакция!» – предупреждал Ганя взрослых, грозя кофейным пальчиком. Когда у Николавны терялись очки или расчёска, внук принимался осматривать стены – через ситечко: «Так-так. Так-так-так. Отпечатки пальцев не совпадают!» В три года он дедуктивным методом мог найти любой предмет, затерявшийся в бабкиной комнате. В начальной школе Ганю взяли сразу во второй класс – в первом ему делать было нечего.

Николавна была бесконечно далека от тонких материй и надмирных сфер, в которые возносила Ганю Птицына.

– «Пускай сирокко бесится в пустыне, сады моей души всегда узорны!» – пугала Николавну дачница. – Необходимо будить фантазию в ребёнке! Человеку с богатым внутренним миром не скучно и не тошно. Ребёнок с развитым воображением будет творцом, будет поэтом!

Птицына таскала Ганю по музеям, они не пропускали ни одной значительной выставки, ни одного хорошего концерта. Контролёрши в Филармонии и Мариинском всякий раз умилялись, завидев вежливого арапчонка в элегантном костюмчике. В шесть лет Ганя уже знал, что Бродский, Мандельштам и Рембо – это хорошие поэты, а Брейгель, Матисс и Зинштейн – хорошие художники. «Опять пошла морочить голову ребёнку», – думала Николавна, глядя в окно, как Птицына, подпрыгивая от возбуждения, ведёт Ганю к троллейбусной остановке.

Птицына населяла Ганин мир единорогами и огненными саламандрами, «лыцарями» и драконами. Она прочила маленькому хромоножке дальние походы и великие победы, славу и любовь красавиц. Мальчик охотно внимал бредням своей Птицы, восторженно глядя на неё огромными чёрными глазами.

Забравшись на табуретку, размахивая шалью, дачница воодушевлённо декламировала:

Горы в брачных венцах.
Я в восторге, я молод.
У меня на горах
очистительный холод.
Вот ко мне на утёс
притащился горбун седовласый.
Мне в подарок принёс
из подземных теплиц ананасы.
Он в малиново-ярком плясал,
прославляя лазурь.
Бородою взметал
вихрь метельно-серебряных бурь.
Голосил
низким басом.
В небеса
запустил ананасом...

Николавна робко стояла за дверью, боясь зайти в комнату.

Птицына утверждала, что Ганя – единственный человек на свете, который её действительно понимает, и парила на седьмом небе от счастья и чувства полноты бытия. Птицына лукавила – её хорошо понимал художник Николай Ильич, который пёк драники и полемизировал с де Кирико у себя в мастерской на улице Репина. Но дачница делала вид, что совершенно этого не замечает.

Николай Ильич написал Ганин портрет – в белой рубашке, с деревянной раскрашенной птичкой в руках. Пока Николай Ильич работал, Ганя терпеливо сидел на резном стуле, найденном когда-то на помойке, смотрел в окно на серое небо и крыши, разглядывал развешенные по щербатым стенам странные картины Николая Ильича. Вот задумчивый Пегас идёт по ночному городу, в котором кто-то рассыпал апельсины. В бесплодной пустыне едут на осле два дядьки, привязанные спинами друг к другу. Осёл ревёт, торчат его страшные зубы. Арлекин сквозь метель торопится к далёкому замку. Девушка с большим животом стоит по колено в холодной реке. В пустыне восточный город тает в облаке пыли; ветер поднимает мусор, играет пластиковыми бутылками и полиэтиленовыми мешками. А здесь Птица и Николай Ильич на утлой лодочке выплывают из готических теней и держат курс на светлое будущее – к залитому солнцем мосту, на котором высятся дома с геранями на окнах. Птица – в красном платье; взмахнув веслом, она устремила острый нос в романтические дали. Николай Ильич принял вид утомлённого солдата в широкой шинели.

Николай Ильич учил Ганю рисовать, он сажал мальчика за свой рабочий стол и расставлял перед ним в художественном порядке тыквы и яблоки. Измазавшись краской, испортив бумагу, Ганя шёл на кухню. Там Николай Ильич с брюшком, обрамлённым подтяжками, тёр на ржавой тёрке крупные картофелины, истекающие мутным соком, а Птица с рюмкой в тоненьких пальцах смеялась чему-то. Птицына умывала Ганю. Николай Ильич подавал ему на тарелке с голубой каёмкой хрустящие драники.

8

Могущественная фея, которая правила в особняке с дубовой лестницей и туманными зеркалами, сдержала своё слово – она занялась Ганнибалом всерьёз. Фея уводила Ганю в класс, где почти всё пространство занимали два блестящих чёрных рояля, усаживала мальчика на высокий стульчик, хитроумно подпихивала ему под ножки скамеечки разной высоты и плотно затворяла двойные, чёрной кожей обитые двери, оставляя за ними весь глупый суетный мир. Кроме Вивальди и Баха, из золотых рам внимательно следивших за уроком, никто не видел её волшебных пассов, никто не слышал её заклинаний.

Силой свой ворожбы она заставила Ганины пальцы мелькать над клавиатурой со скоростью крыльев колибри, она завела в голове у мальчика идеальный метроном, она открыла выход его эмоциям – из сердца к локтю, от локтя к кисти руки и подушечке пальца. Если бы Николавна с Птицыной спрятались под роялем, они бы услышали колдовские слова:

– Ганнибал! Любое переживание, любое чувство, самую сокровенную мечту ты выразишь в звуке и ритме. Простым набором нот можно сказать не меньше, чем виртуозной руладой. Звук рождается на кончике пальца. Посмотри на свои руки. Когда-то они были плавниками. Ты загребал ими воду, ты был доисторическим чудищем в огромном океане. Потом тебе надоела холодная бездна, и ты вылез на берег – погреться на солнышке. Ты захотел забраться на дерево, Ганя, твои плавники превратились в когтистые лапы, покрытые шерстью. Ты бегал, на них опираясь, ты рыл ими норы и раздирал на куски добычу. А теперь твои когти стали ногтями, шерсть отвалилась. Ты опускаешь пальцы на клавиши и создаёшь музыку, которая захватывает и уносит в далёкие дали, в чудные миры, где звёзды взрываются в чёрной бездне, разлетаясь сверкающими брызгами и потоками металла, где синие планеты кружатся в хороводе, расплёскивая свои океаны и взметая песок пустынь.

А может быть, и не было никакой ворожбы, просто фея подносила к личику Гани жёлтый кулак со вздувшимися жилами и говорила, что если он будет валять дурака, то она не выпишет ему путёвку в жизнь. Поначалу маленький Ганя боялся, что фея превратит его в муху или в солнечный зайчик. Но потом он разглядел в ней добрую старуху, до мозга своих хрупких костей преданную музыке, школе и ученикам. Через два года Ганя и фея разделались с «Детским альбомом» и взялись за прелюдии и ноктюрны.

В одной из многочисленных комнат Птицыной под сенью могучего филодендрона жил старый дракон Мюльбах. Давным-давно, когда Птицы ещё не было на свете, он залетел в открытое окно к её бабушке, Ольге Георгиевне. Она была пианисткой и так привязалась к Мюльбаху, что не захотела топить им печку, даже когда взрывной волной выбило стёкла в окнах и ночью от мороза волосы стали прилипать к стене, а одеяло – трещать и топорщиться, как накрахмаленный воротничок. Ольга топила книгами, паркетом, мебелью и лестничными перилами. Также в печь шли рамы от картин, написанных её отцом. Ганя знал, что он умер от голода на железной кровати, которая стоит в комнате Птицы. Птицына очень берегла кровать, запрещала на ней прыгать и отвинчивать шарики. Умерший художник долго лежал на этой кровати. Картины у Ольги забрали «соседи снизу», оставив взамен сахар и масло. Она два раза в день съедала ложку масла с сахаром и смогла пережить зиму. Ганя слышал, как Птица говорила кому-то по телефону, что картины её прадедушки до сих пор хранятся у «соседей снизу», что иногда они продают какую-нибудь поплоше и покупают себе дачу или едут путешествовать.

Очень часто, поднимая к себе на пятый этаж сумки, набитые снедью с Андреевского рынка (скумбрия горячего копчения, судак – не «свежий» и даже не «свежайший», а просто «как для себя!», хлеб ржаной, батон «Городской», миноги маринованные, баранина и полкило курдючного жира, козий сыр, сервелат «Брауншвейгский», букеты кинзы и зелёного лука, а также любимый Ганин пирог с брусникой), Птицына видела девушку, которая тащит умершего отца, завёрнутого в скатерть с жёлтым узором. Она хочет спустить его вниз и отвезти на кладбище. Тело вырывается из рук, скользит по ступенькам и упирается деревянными ногами в стену.

Ганя знал – Мюльбаха нужно беречь. Его сберегли в войну, он был верным товарищем птицынской бабушки и пел на весь остров, когда она грела руки о его волшебные зубы. С Мюльбахом Ганя сдружился, в его компании рос, постепенно превращаясь в красавца и замечательного пианиста.

Он без конца беседовал с Мюльбахом. Мюльбах ему говорил:

– Я такой же чёрный, как ты. Я хочу быть твоим другом. Только не сбивайся с темпа, не то укушу зубами слоновой кости! Я тебя громче, старше, умнее. Задавай мне вопросы, я тебе всё расскажу.

— Почему вчера был мороз и шёл снег, а сегодня сугробы тают? — спрашивал Ганя в миноре.

— Потому что Земля сорвалась с оси и летит теперь прямо на Солнце! — отвечал дракон торжественным мажором.

— Ой, что же с нами будет, что будет? — дрожало в верхней октаве.

— Крылатые волки отнесут тебя с Птицей и Николавной на Марс! — гремело басом.

— Где мои родители?

— Мама — на острове, в океане, сидит на белой скале, — звуки лились и журчали, как пенная волна, сбегающая с каменистого берега. — Папа спит у костра в тёмном лесу, полном таинственных шорохов, — тут почтенный старец принимался кричать голосами ночных птиц, а Ганнибал шипел, свистел и подвывал в такт своему другу.

Ганя придумал себе отца-охотника, похожего на того, который бродил по горам в «Пер Гюнте»: смелого, ловкого, сильного. Ещё он, конечно, любил Горного Короля. «Вот бы такого папашу!» — мечтал Ганя. «Морда каменная, зубы — сосульки, из глаз — водопады, ручищи-ножищи лесом поросли. Идёт — грохочет. Поёт — будто тысяча волков воет».

9

Родная бабка Гани померла от пьянства, тётка пила, но в глубокий запой не уходила – её отвлекали романтические увлечения и работа на Окуловском рынке. Рынком заведовали лица кавказской национальности, некоторые были хоть куда – черноглазые, с гордым профилем орла. Белокурая Наташка производила на них впечатление. Время от времени она начинала сожительствовать – то с тем, то с другим лицом. Лицам пьяные женщины ух как не нравились. Выпивать Наташке не давали. На Наташке даже жениться хотели! Но ей было скучно жить тверёзой жизнью, она сбегала и пила – «Господи, баслави!» – со своим народцем. Ганю Наташка любила. Он её просил: «Не пей, Натали», – и рука со стопкой опускалась, и «Путинка» пряталась под стол и там стыдливо ждала, когда Ганя, послонявшись по мышиным углам Квашнинского дома, соскучится и уйдёт наконец к Птицыной.

Птицыну принимали за Ганину мать, смотрели с любопытством, но её это совсем не смущало. Напротив, ей очень нравилось быть матерью негра. Однажды в маршрутке к Птицыной прицепился пьяный мужик – назвал плохим словом и спросил, чем это ей русские парни не понравились. Маленький Ганя удивлённо смотрел на его мохнатое пальто с большими пуговицами и злую рожу. Птицына решила заплакать и посмотреть, что будет. На носу был Новый год, люди ехали весёлые, довольные, со свёртками. За Птицыну вступилась одна пассажирка, другая, третья. Пьяный хамил и огрызался. Водитель пристально смотрел в зеркало на пьяного, потом остановил маршрутку и потребовал, чтобы мужик «немэдлена» вышел. Пьяный назвал его «черноже» и хлопнул дверью. Все удовлетворённо поехали дальше. Было уютно и тесно, кисло пахло бензином, снегом и пальто. Мелькали «24 часа». Птица чувствовала, что любит свой город и свой народ.

Когда Николавна забирала Ганю у Птицыной, чтобы получить и свою порцию сладкого, Елизавета Андреевна от нечего делать погружалась в светскую жизнь. С Николаем Ильичом они гуляли по таинственным дворам и подворотням улицы Репина, рассуждая о Кьеркегоре и первичности экзистенциальности, закусывали охотничьими колбасками в забегаловке, шли в кино или на открытие выставки. На вернисажах Елизавета Андреевна головокружительно вращалась в обществе: перешёптывалась и перемигивалась с хозяевами галерей, восторженно приветствовала знакомых, коршуном кидалась целоваться, грозя проткнуть длинным клювом разнообразные щёки ценителей искусства – гладкие и небритые, бледные и румяные, пухлые и впалые.

Николай Ильич тем временем задумчиво ходил вокруг стола, уставленного рюмками, бокалами и тарелками с мелкой закуской. Он «пробовал»:

223

сначала шампанское, чтобы «отметить» событие, потом вино, потом водочку – «заполировать». Николай Ильич прекрасно знал, что градус нужно повышать, но почему-то, ловко забравшись по шкале на макушку оси *y*, он, вместо того чтобы в приподнятом настроении держать курс к дому, давал задний ход и неуклюже спускался вниз, выходя из равновесия и несолидно шлёпаясь на пол. «Боже мой, опять намешал!» – пугалась Птицына и ругала себя за то, что оставила спутника без присмотра.

Светские друзья провожали их до остановки, впихивали Николая Ильича в трамвай, любезно подсаживали путающуюся в длинной юбке Птицу и шли дальше радоваться жизни. Николай Ильич тяжко плюхался на сидение и закрывал глаза. Трамвай со скрежетом поворачивал, Николай Ильич заваливался на бок и падал. Птицына помогала ему встать. «Николай Ильич, держитесь за поручни, вас штормит», – просила Елизавета Андреевна, поддерживая крупного художника. Тот стеклянными глазами смотрел на подругу и, кажется, её не узнавал. «Слушай, девочка, да пошла ты на ...», – говорил Николай Ильич и воротил нос от дачницы. Пассажиры с интересом разглядывали светскую пару, во многих глазах Птицына читала жалость. «Давайте поможем довести до дома», – предлагали мужчины. «Брось ты его!» – кричали дамы.

Мастерская Николая Ильича была на последнем этаже. Птицына с трудом тащила пьяного, а он шатался, хватаясь за перила, и называл её ужасными словами. Около своей двери Николай Ильич долго шарил в карманах, потом с демоническим хохотом объявлял, что у него нет ключей. На лестничной площадке стояла большая коробка от телевизора. Она была замусолена, потому что в ней периодически рожали гуляющие сами по себе василеостровские кошки. Николай Ильич становился на четвереньки и пытался влезть в эту коробку, как в пещеру. В пещеру помещались только буйная голова да плечи. Оказавшись в покое и темноте, художник засыпал, а Елизавета Андреевна, всхлипывая, шла к себе.

Утром она возвращалась. Пещера была пуста. С сердечным волнением Птицына стучала в дверь. Где-то там, в глубине мастерской, раздавались нетвёрдые шаги... Художник – бледный, трагический, прекрасный – открывал, еле справляясь трясущимися руками с коварным замком. Со слезами благодарности принимал он от Птицыной пиво и умолял держаться от него подальше – его мутило от запаха «Амариж».

* * *

Ганя, Птицына и Николавна часто ездили в Топорок. Ганя называл Топорок – Томогавкин. В Квашнинском доме царили хаос и тёмные личности, поэтому Николавна с Ганей квартировали у Птицыной. Как ни странно, в Томогавкине Ганю никто не обижал. Во-первых, аборигены жалели его, сироту. Во-вторых, выправка и манеры Гани производили на всех очень сильное впечатление. Он был исключительно внимателен и добр: с каждым поздоровается, расспросит о житьё-бытьё, похвалит, рассмешит. Ганя умел найти путь к сердцу ребёнка, старухи, деревенского пропойцы, собаки, инспектора Голосова. В то же время в его обращении чувствовалась какая-то царственная снисходительность. Было ясно, что этот вежливый аристократ с одухотворённым лицом лишь на минуту заглянул в Томогавкин по дороге на Сириус.

С детства Ганя усердно пономарил, помогая отцу Евтропию; он очень хорошо – громко и чётко – читал «так, чтобы всем было понятно», и пел со старухами на клиросе, как ангел. По воскресным дням немногочисленные прихожане – алкаши, женщины, дачники, милиционеры – с удивлением и возвышенными чувствами слушали чистый и сильный Ганин голос, который, казалось, поднимал церквушку в воздух и уносил за облака. После службы Ганя наводил порядок в храме и шёл чаёвничать к отцу Евтропию, обжирать его, бедного, как говорила Птица. За чаем Ганя, чтобы повеселить батюшку, сочинял небылицы про старух, утверждая, что в «Господи, воззвах» они поют не «яко кадило», а «я – крокодила пред Тобою», а грузинского батюшкиного друга и соратника отца Шио называют – кто отцом Шило, кто отцом Вшиво.

Иногда Ганя впадал в нигилизм.

– Бог создал человека по образу и подобию Своему, значит, Он сомнительный тип гражданской наружности вроде Войновского, и нечего ждать от Него порядка ни на Том, ни на этом Свете, – заводил он батюшку.

– Господь послал людям Сына Своего во искупление грехов! Сын пришёл на землю, чтобы спасти людей!

– Бог-Отец и Бог-Сын – злой следователь и добрый следователь.

– Уймись, Квашнин!

– Да, Боженька наломал дров. Теперь надо помочь Ему сделать мир лучше.

– Помогай, помогай, – говорил усталый батюшка.

Ганя старался помочь...

Отец Шио служил в грузинской церкви, был красавцем и бессребреником, писал иконы, на огромном кулаке носил татуировку – пацифик. Борода у отца Шио начиналась сразу под глазами и спускалась лопатой на грудь. На ощупь она казалась связкой жёстких проволочек – об этом знали младенцы. Шио любил младенцев. Он хватал их, целовал им ручки и мордочки и уносил куда-нибудь за дом – показать, как бежит облако или порхает бабочка. Отец Шио часто приезжал к отцу Евтропию. За церквушкой было поле. Там попы играли в футбол с детьми, алкашами, собаками и милиционерами. Догоняя мяч, задирали подрясники,

227

под которыми обнаруживались рваные джинсы и великанские сапоги. Участковый Голосов стоял в воротах сборной алкашей.

Церквушку в Топорке отец Евтропий поднял из руин – по камешку, по кирпичику. Смиренно ходил с протянутой рукой от чиновника к чиновнику, от бандита к бандиту, от фермера к фермеру, искал деньги, искал рабочих. Денег было мало, рабочие, как водится, уходили в запой. Батюшка ползал на карачках с мастерком, его дети месили палками цемент в корыте. Отец Шио оштукатурил и расписал стены, два года он трудился над иконостасом. Его архангелы и апостолы были весёлые и удалые, с задумчивыми глазами, сочными губами и всклокоченными бородами. Казалось, что все они вчера победили чертей и драконов, а сегодня плотно пообедали.

Был весенний субботник: старухи копались на грядках, попы стучали молотками, Ганя мыл окна, Голосов возился с электричеством.

– Отец Шио, зачем Боженька нас сделал? Для чего мы Ему понадобились? На хрена сдались? – выспрашивал Ганя.

– А зачэм тебе стакан?! – волновался отец Шио. – Зачэм?! Вилька зачэм? Чайник зачэм? Тарэлка? Чтобы тебе служить! Служит вилька! Служит тарэлка! Служит стакан. Вот и Господь создал человека, чтобы он Ему служил. Понимаешь?

– Ничего не понимаю. Отец Евтропий, я похож на стакан? Зачем я Ему нужен?

– Бог – это любовь. А любовь не может быть сама по себе, она должна на кого-то литься. Вот Господь и слепил тебя, чтобы любить, ты в Его любви стоишь, как под горячим душем, – говорил отец Евтропий.

– И родителей моих слепил, чтобы любить? Почему же они померли? Неувязочка!

– А ты не задавай праздных вопросов, Квашнин. Живи честно, благородно, делай своё дело. В конце концов всё встанет на свои места. Три ацетоном, совсем тусклое стекло!

– Что, пазлы соберутся?

– Соберутся. Всё станет ясно, мы всё поймем и посмеёмся сами над собой: какими же мы были дураками! Тёмными, дикими, несчастными... Ацетончиком его!

– Аминь.

10

В Томогавкине Ганю побили лишь раз, когда ему было четырнадцать лет, а выглядел он на все двадцать. Это случилось недалеко от квашнинского дома – старшеклассники накинулись на него с криком: «Негр, вон из Топорка»! Драка была прекращена любящей тёткой, которая, несмотря на своё расслабленное состояние, заметила безобразие и умелыми действиями одной левой вывела из строя четверых из пяти нападавших. Побили Ганю на самом-то деле из-за девушки (Ганя потом жалел, что не знает даже, какой). Девушкам нравился Ганя, рядом с ним деревенские парни весьма проигрывали, им это было обидно.

Наташка «сдала» преступников инспектору Голосову. Страж порядка пригласил их в участок для воспитательной беседы. Неизвестно, какие ужасные средневековые пытки применил Голосов к обидчикам Гани – вздёргивал ли их на дыбе или жёг на головах паклю, но результат был налицо: подростки покинули участок в страхе и смущении; никогда больше они не покушались на Ганину неприкосновенность.

Единственным, тайным, недоброжелателем Гани была в Топорке интересная начитанная женщина мадам Мешкова, но не потому, что Ганя сам по себе был ей неприятен: Мешкова вообще не любила людей, однако умело это скрывала. В собственности Мешковой находился крепкий резной дом, горделиво возвышающийся над избушками Птицыной и Квашниных. Алкоголичек Мешкова ненавидела люто: при каждом удобном случае она во всеуслышание заявляла, что желает им только поскорее сдохнуть. Птицыну ценила как единственную в Топорке интересную и начитанную женщину, с которой ей, интересной и начитанной Мешковой, «есть о чём поговорить». Мадам с удовольствием ходила к Птицыной пить чай, когда было скучно и хотелось заполучить новостей, чтобы наплести сплетен. Дачница знала, что Мешкова никогда ни о ком слова доброго не скажет, но наивно предполагала, что она «толь-

ко кажется строгой». С ложной скромностью, наро-
читой небрежностью собственница рассказывала
о последних достижениях своего хозяйства. Птицына с восторгом слушала её и рассыпалась в ком-
плиментах.

Когда-то Мешкова проживала в Москве и два
раза в неделю вела в Доме культуры кружок «Уме-
лые руки» – не столько для денег, сколько для об-
щения с «интересными творческими людьми».
Мешкова любила интересных, творческих и богатых. А бедных, нетворческих и неначитанных
презирала. Её муж Гена был художником по метал-
лу, ковал витые лестницы и кружевные решётки
для московских особняков, обеспечивая сытную
жизнь Мешковой. Их сын, хороший мальчик,
учился в школе, потом поступил в институт и женился. Мешкова не захотела жить с невесткой.
Она решила, что пришла пора «стать ближе к земле», взяла мужа, «сбережения» и поехала в Топорок, где у Гены пустовал отчий дом.

Мешкова быстро освоила деревенский быт.
В народе её дом прозвали «хоромы» и «ВДНХ».
Она считалась лучшей хозяйкой в Топорке: ни
у кого не было таких прекрасных роз и георгинов,
таких весёлых ромашек и подсолнухов, таких слад-
ких ягод. В большой стеклянной теплице у Мешковой змеями расползались мощные лианы, с которых свисали сочные огурчики, баклажаны, по-
мидоры и перцы. Летом Мешкова раздавала банки
с прошлогодними соленьями и вареньями, потому

что подступал новый огромный урожай. Ей, злобной и жадной, хотелось слыть доброй и щедрой. Она угощала, конечно же, не всех, а только интересных и хоть сколько-нибудь начитанных.

В её доме царил порядок, на полу были пёстренькие половички, на окнах красовались занавески с подзором, на крыльце и подоконниках стояли горшки с чудной геранью. В треугольном зелёненьком сортире Мешковой волшебным образом никогда не воняло. Вокруг дома сидели на металлических ветках изящные металлические птицы, красивый металлический кот встречал у крыльца гостей. На растрескавшейся скамейке под рябиной обязательно лежала забытая старая книга. У прудика с задумчивыми ирисами приютилось плетёное кресло, на нём томно раскинулась шаль.

У Мешковой всё должно было быть «нарядно». Дом был нарядным, огород – нарядным, сама она тоже всегда была нарядной – в длинной юбке, в коралловых бусах, с крупными серьгами в красных ушах и браслетами на пухлых запястьях. Только Гена был у Мешковой совсем невзрачный – тихий талантливый пьянчужка с жидкой бородёнкой, низкорослый и бесхарактерный.

Спокойно и нарядно жила в Топорке Мешкова. Потом случилось невозможное, чушь, дикость: муж совершенно завязал и ушёл к «сиротке-сопливке» – в избёнку на окраине Топорка. Гену Мешкова не любила, однако жалела, что потеряла: он был нужен ей как статусная вещь. Она продолжала носить толстое обручальное кольцо, утверждая, что оно не снимается. В бывшем муже Мешкова искусно взрастила чувство вины за предательство семейных идеалов. Мучимый угрызениями совести предатель оставил ей дом со всеми потрохами и сбережения из денег, которые он, собственно, заработал, а она аккуратно сберегла. Гена был у неё в добровольном рабстве: весной и осенью приходил копать огород, по первому зову бежал что-нибудь чинить или перетаскивать. Его моленькая жена тоже чувствовала себя виноватой, она панически боялась Мешкову и никак не препятствовала Гене «помогать» бывшей супруге. А вот сын не хотел помогать Мешковой и приезжал в Топорок редко, хотя она звала его в гости, правда «без этой, только с дочками».

Полногрудая, высокая Мешкова в душе была обиженной маленькой девочкой. У неё даже кукла имелась – любимая кукла, такая, какую хотелось в детстве, но не купили. Она скучала на трюмо среди шкатулочек и безделушек. Внучкам запрещалось трогать эту куклу, они могли только смотреть на неё.

Мешкова, делая вид, что абсолютно не ревнует к сопливке, ходила пить чай в избёнку, раз в неделю вырастая на пороге с довольной и вызывающей усмешкой. Новая Генина семья состояла из трёх человек – он сам, его супруга восемнадцати лет и её младший брат-школьник. Было очевидно, что сопливка очень любит Гену, который в этой любви непростительно расцвёл. Но Мешкова всем говорила, что сироты сели ему на шею, чтобы жить было легче, да оно и понятно, кто же их осудит. Она приносила им закрутки, давала ценные бытовые советы и таким образом «пёрла на себе Генкиных сирот».

Мешкова внимательно следила за каждым Гениным шагом, поставив себе целью ни в чём не отставать от бывшего, более того – во всём его обгонять, чтобы он понял, наконец, «с кем всё-таки было бы лучше». Гена посадил две сливы – Мешкова посадила восемь. Гена построил беседку – Мешкова, не пожалев денег, возвела целый терем. Гена избёнку покрасил – Мешкова дом обшила. Гена завёл двух курочек – Мешкова устроила большой курятник и боялась, как бы «дураки» не купили корову. В общем, всё у Мешковой было лучше, чем у Гены. Вот только молодой любовник не захотел жить с Мешковой, хотя, казалось бы, всё ему, гаду, было организовано – и пиво, и кресло, и экран жидкокристаллический, и «Люди Икс» на этажерочке.

Мешкова завела у себя «среды» – пусть все видят, что она не скучает! По средам у неё собирались интересные люди: два прыщавых молодых таланта из поэтического общества «Вдохновение», певица из Боровёнки, неженатый исследователь творчества Рериха, псаломщица Алевтинушка и специалистка по Бианки из Кулотино. Однажды заехала даже Марина Борисовна из районной администрации! Мешкова пекла пироги, метала на стол икру, грибы и рыбу. В её хрустальных графинах празднично искрились настойки и наливки, несущиеся из «хором» ароматы жульенов и прочих горячих закусок вызывали рейхенбахское слюноотделение у жителей Топорка. Мадам хотелось, чтобы по всему Валдаю прошёл слух о её «тёплом радушном доме».

Гости с удовольствием ели, пили и приводили к Мешковой интеллектуальных знакомых, способных поддержать умный разговор. Но «среды» скоро наскучили Мешковой: рериховед, на которого собственница делала ставку, отдал предпочтение молодому таланту – тому, что больше жрал и громче всех смеялся, другой талант спутался с певицей, алчная псаломщица без конца клянчила деньги на облачение для «батьшек» отцов Фафуила, Пахомия и Пергета, ну а привязчивая специалистка просто надоела.

Однажды в среду, дождливым осенним вечером, Мешкова взглянула на своих галдящих пирующих гостей и почувствовала отвращение. Жирный рериховед, покраснев от водки и сделавшись вдруг похожим на гигантское насекомое, хватал короткими лапками куски пирога и запихивал себе в рот. Его юный друг-поэт дымил зловонной сигаретой и визгливо смеялся, певица с двумя накрашенными подругами завела «Моторы пламенем объяты», псаломщица тихо и упорно просила денег на демисезонные пальто для отцов Урвана и Плутодора, потому что они «люди ещё молодые, перспективные, и им нужно хорошо выглядеть». Специалистку разобрала пьяная икота. Мешкова представила себе, как спокойно и уютно сейчас в избёнке у Гены, как мирно дремлет он перед теликом, обняв жену. И стало тошно ей, хоть волком вой.

Мешкова покончила со «средами» – к великому разочарованию всех интересных личностей Окуловского района. Её ненависть к человечеству росла. Будучи женщиной неглупой и наблюдательной, Мешкова быстро подмечала чужие недостатки. Даже в хороших людях она умело прощупывала гнильцу, утешая себя в своем одиночестве. Мешкова то замыкалась, иногда даже с бутылочкой, то чувствовала сильную потребность в общении, дабы ещё раз убедиться, что все – «завистники, уроды, дураки», и ей, конечно же, по сути дела, никто не нужен. Тогда мадам принималась наносить визиты – нарядная, оживлённая, с пирожком и дивной водочкой, в которой плавали тонкие кусочки хрена. Она подолгу сплетничала, вынюхивала, расспрашивала, злорадствовала. Утолив любопытство и наболтавшись, она говорила себе: «Никто! Никто не нужен. Лучший мой собеседник – это я сама!»

Приметив дымок, означающий, что Птицына вернулась в гнездо, Мешкова бросала все дела и неслась скорей общаться. У Птицыной было много знакомых и приятелей, которые нескончаемой чередой ездили в Топорок. Мешкова их терпеть не могла и подробно расспрашивала, как все они поживают. Узнав о хорошем, радостном событии, мадам расстраивалась, раздражалась; дурные известия возвращали ей душевное равновесие. Как только порог Птицынского дома переступали гости, Мешкова была тут как тут – она со всеми весело выпивала и закусывала, разговаривала разговоры, потом возвращалась домой, оглядывала свои тихие чистые комнаты и злобно ругалась: «На черта все эти друзья поганые нужны, только жрут и срут. Приехали, развлекай их теперь». Птицына уделяла гостям много внимания, и Мешкову это ущемляло. Мадам не нравилось, что, кроме неё, у Птицыной имеется кто-то ещё – начитанный и интересный.

Увидев, что Птицына принимает участие в маленьком Гане, Мешкова взбесилась. Она настоятельно советовала соседке не приваживать Квашниных и подумать лучше о себе молодой. Птицыной это не понравилось. Мешкова, побоявшись утратить её расположение, изобразила симпатию к Гане. В душе она надеялась, что у Гани найдут какую-нибудь страшную болезнь или обнаружатся дурные наклонности, и тогда всем станет ясно, что «она была права». Но почему-то ничего плохого не происходило.

11

В Топорок ездили на поезде. На вокзале покупали пирожки. Три часа, покачиваясь, пили чай и глядели в окно на мелькающий лес, речки, озёра, дома с огородами. Чуждый всякой стеснительности, Ганя заводил беседы с пассажирами: подробно расспрашивал, кто куда едет, где живёт, чем занимается. Скучающие попутчики были рады поговорить с необычным мальчиком. Так Ганя познакомился с Сергеем Петровичем Илюшиным. Сергей Петрович сразу привлёк внимание Гани своей былинной, как выразилась Птицына, внешностью, высокими сапогами и отвлечённым взглядом поверх голов. Дачница тоже им заинтересовалась. Вскоре они разговорились.

Когда-то Сергей Петрович был известным морским инженером и работал в исследовательском институте. У него была большая семья, дети, внуки. Сергей Петрович не пил, не курил, строил корабли, занимался йогой и читал книжки по философии. В сорок пять лет он овдовел, а в пятьдесят чуть не умер от болезни сердца. Всем институтом ему собирали на клапан. Вернувшись с того света, Сергей Петрович решил начать новую жизнь, удалился в Сковородку и зажил отшельником. В Сковородке он купил старый дом на берегу озера, засадил огород картофелем и морковью, завёл себе коника и нескольких свинок. Сергей Петрович мяса не ел, свиней он продавал и таким образом успешно помогал бороться за жизнь своим оставшимся в Петербурге родственникам. В глухом лесу Илюшин подобрал огромного белого пуделя, подыхающего от голода. Он его вылечил, назвал Мобиком. Бывший инженер жил в гармонии с природой: ходил с Мобиком в бор, ловил в озере окуней и щучек, ездил на Вельможе. Ганя с Птицыной, впечатлённые рассказом про пуделя, коня и рыбалку, напросились в гости и на следующий день уже гуляли по Сковородке.

Вопреки замкнутому образу жизни, Сергей Петрович с удовольствием принимал у себя Птицыну и Николавну с Ганей, которому в ту пору было десять лет. Сергей Петрович научил его держаться в седле. Совершенно обалдев от счастья, Ганя катался на добром Вельможике. Мальчик очень полюбил коня, он обнимал его рыжую шею и страстно чмокал морду с белым пятном на лбу.

Осенним солнечным днём Сергей Петрович потчевал Птицыну и Николавну. На вкопанном под старой ивой столе лежали яблоки и куски серого хлеба, стояла банка с вареньем. Тихо падали узкие листья, похожие на золотые лодочки. Ганя медленно ехал на задумчивом Вельможе. Мобик положил морду Птице на колени. Сергей Петрович поставил на стол шипящую сковородку с грибами и чугунок с картошкой.

Птицына вглядывалась в лицо бывшего инженера и пыталась представить себе его без бороды – в мужчинах она больше всего ценила голос и подбородок. Илюшин смотрел на Птицу своими вечно затуманенными какой-то мыслью голубыми глазами и говорил негромко: «Свинья – самое умное животное. Никогда не будет гадить там, где обычно лежит, всегда отойдёт в сторонку. А мне много ли надо? Бросил в подпол мешок картошки, вот и сыт весь год».

Однажды Сергея Петровича укусил хряк. Мощными челюстями он едва не разгрыз ему коленную чашечку. Началось заражение, в больнице Илюшину чуть было не отрезали ногу. Сергей Петрович лежал в вонючей палате с тремя умирающими стариками и отморозившим ноги Булавкиным. Птицына пришла поговорить с лечащим врачом Пироговым. Взволнованный Ганя увязался за ней.

– Вы родственники?

– Родственники!

– Супруга?

– Самые близкие родственники! Скажите мне всё! Ничего не скрывайте!

– Железный организм у вашего Сергея Петровича. Скоро поправится. А кто он такой?

– Это выдающийся человек! Это великий человек! Это главный инженер!

– Да, я так и подумал. А вот у Булавкина восемьдесят на сорок, – говорил усталый врач, с интересом поглядывая на Ганю, который, оказавшись впервые в больнице, таращил на всё глаза и зажимал себе нос, борясь с нестерпимым запахом.

Пирогов радовался, что в его отделение привезли такого учёного больного. Утром врач, сёстры, санитары и все ходячие собрались вокруг кровати Сергея Петровича. Откинувшись на высокую подушку, он неторопливо, но чрезвычайно увлекательно рассказывал о кораблях, Суэцком канале и подводных лодках.

Когда Илюшину отменили постельный режим, он принялся тихонько ходить по коридорам и чинить ломаные приборы. Начал с единственного на хирургии телевизора – поковырялся в его внутренностях, из проволочной вешалки смастерил антенну. Безжизненный чёрный ящик вдруг заморгал, затрещал, засветился и запел весёлую песню, а потом стал изрыгать футбольные комментарии, пугать сообщениями о волнениях и беспорядках и врать про погоду.

Починив телевизор, Сергей Петрович пошёл к сдохнувшему холодильнику, вынул замершее сердце, потряс его, пощёлкал, покрутил, поставил на место – и вдруг покойник заурчал, захрюкал, задрожал, задышал полной грудью, бодро выпуская холодный пар.

Илюшин вернул к жизни радиоприемник, компьютер, обогреватель. Привёл в порядок несколько замков, розеток и ламп. Каждый вечер он читал лекции по физике и механике. Когда Сергей Петрович рассказывал про Большой адронный коллайдер, чёрные дыры и «странную материю», гипотетически способную засосать в себя всю Вселенную, у Булавкина подскакивало давление.

Поправившись, Сергей Петрович бросил свиноводство. Все дети его давно уже выросли и сами могли о себе позаботиться.

Ганя любил общаться с добрым, спокойным и загадочным Сергеем Петровичем. Илюшин гулял с Ганей по лесу, рыбачил. Он учил его замечать красоту не только того, что величественно и грандиозно, – бескрайнего, гудящего, как океан, леса, пылающего зарёй неба, широкого озера, – но и всего, что в природе камерно, скромно, невзрачно. Илюшин подарил Гане лупу. Мальчику открылся чудесный мир мхов, лишайников и букашек. В этом микрокосмосе, как и в большом мире, жизнь была полна драматизма: кто-то кого-то ел, кто-то куда-то бежал, кто-то просто хотел посидеть спокойно. Ганя понял, что человек – это та же букашка, а букашка – тоже человек.

Ганя был очень чувствительный. Его сердце ныло, когда он видел зарастающий иван-чаем дом с провалившейся крышей, пьяного забулдыгу, валяющегося в луже мочи, шелудивую собаку, дохлого крота. Сергей Петрович же являл собой пример полного бесстрастия. Отстранившись от всякой суеты, он старался не замечать тех ошибок мироздания, которые не в силах был исправить. Может быть, поэтому он всегда смотрел куда-то вверх.

У Сергея Петровича была старенькая «Паннония» с коляской. На этой «Паннонии» он возил Птицыну в бор за грибами. С нежностью глядя на дачницу светлыми сонными глазами, он надевал ей уродливый оранжевый шлем, тщательно его застёгивал, потом галантно усаживал даму на заднее сиденье. Огромный Мобик еле умещался с корзинами в коляске. Мощно дрыгая ногой, Сергей Петрович заводил мотор, и мотоцикл с рёвом уносился вдаль. В восторге и ужасе Птицына одной рукой хваталась за пахучий кожан Илюшина, а другой вцеплялась в косматого Мобика.

* * *

Ганя любил деревенскую жизнь. Во время каникул он целые дни проводил на русской печке с книжками и игрушками. Ему даже обед подавали на печку. Он представлял себе, что это крепкий корабль, несущийся среди бурных волн, похожих на разбросанные по полу разноцветные подушки Птицы. Он кидал в воду запечатанные бутылки с письмами, иногда попадая в собственницу Мешкову, и ловил экзотических рыб поясом от халата Николавны. Ганя мечтал поездить на печке по Топорку и мстинским берегам в окружении своры тявкающих собак или пролежать на ней тридцать три года, а потом встать да и сбацать всем на удивление «Игру воды».

Однажды Птицына дала Гане полистать «Путешествие из Петербурга в Москву». Прочитав главу «Пешки», Ганя мотнул курчавой головой и сказал: «Не понимаю!»

– Что не понимаешь? – спросила Птицына.

– «Четыре стены, до половины покрытые, так, как и весь потолок, сажею; пол в щелях, на вершок по крайней мере поросший грязью; печь без трубы, но лучшая защита от холода, и дым, всякое утро зимою и летом наполняющий избу; окончины, в коих натянутый пузырь смеркающийся в полдень пропускал свет; горшка два или три (счастлива изба, коли в одном из них всякий день есть пустые шти!). Деревянная чашка и кружки, тарелками называемые; стол, топором срубленный, который скоблят скребком по праздникам. Корыто кормить свиней или телят, буде есть, спать с ними вместе, глотая воздух, в коем горящая свеча как будто в тумане или за завесою кажется. К счастию, кадка с квасом, на уксус похожим, и на дворе баня, в коей коли не парятся, то спит скотина. Посконная рубаха, обувь, данная природою, онучки с лаптями для выхода». Птица, почему они так страшно жили? Почему же они к своей печке трубу не приделали? Ведь от дыма голова болит. Вот Сергей Петрович сложил себе печку из глиняных брусочков и кирпичиков, она у него не дымит и греет!

– Не знаю, Ганя. Может быть, кирпичики были дорогие?

– Ну из камушков, из глины сделали бы трубу... И почему они щели в полу тряпками не заткнули, как мы с тобой? А сверху – соломенный коврик положить можно, как у нас.

– Не могу сказать тебе, Ганечка. Может быть, тряпок у них не было?

– Солома-то была. А почему они пол не подметали? Веники-то бесплатные, на деревьях растут.

Веник можно очень быстро сделать. И зачем они уксус пили? Вот у Сергея Петровича целые мешки цветочного чая. Иди в поле, бери сколько хочешь, суши на солнышке. И суп он варит себе бесплатный – кладёт в воду крапиву, щавель, картофелинку, потом яйцо туда вливает, размешивает, ест с удовольствием.

– Для большой семьи, Ганя, нужен десяток яиц в суп.

– Ну так завести куриц! Пеструшку и Чернушку!

– Ганнибал, я тебя неделю буду таким супом кормить – посмотрю, как тебе это понравится.

– Но Сергей-то Петрович только им и питается, и он очень сильный, здоровый.

– Сергей Петрович особенный, тебе до него далеко...

12

Ганнибал тоже был особенный, во всяком случае, так считали в музыкальной школе. Он стал лучшим учеником, победителем всех конкурсов, на которые его посылала тщеславная фея. Старуху удивляло музыкальное чутьё Гани, его упорное стремление понять, что именно хотел выразить композитор в произведении и как это произведение на самом-то деле следует играть. Юный Ганя по-своему расставлял музыкальные акценты, и хрестоматийная вещь начинала звучать по-новому. Поначалу фея злилась, что Ганя своевольничает, но мальчик так убедительно, так страстно доказывал ей правильность своего понимания музыки, что она махнула на него костлявой рукой. «Тут надо просить, тут требовать, тут бояться и убегать, а здесь нырнуть, затаиться, потом оттолкнуться, вынырнуть и лететь, лететь, а потом раствориться в воздухе», – говорил он фее, тыча чёрным пальцем в партитуру. Для Гани в музыке не было никакой беспредметности, он очень чётко видел цвет и форму звуков, которые, сливаясь, создавали в его голове живые образы, пульсирующие геометрические пространства и строения сложной архитектуры. Музыка стала для него сверхреальностью, музыкальный мир он ощущал чётче, яснее, чем всё то, что его окружало в обыденности.

Птица была в восторге от Ганиных успехов. Николавну же его увлечение музыкой беспокоило. Она считала, что талантливых людей подстерегают всяческие опасности и жизнь их редко складывается ровно и спокойно. Доброй Николавне хотелось бы, чтобы её «такой хороший» мальчик был попроще, как все. Кроме того, ей не нравилось, что Ганя с его прекрасной памятью и сообразительностью совершенно равнодушен к школьным предметам. Он неплохо учился, но не скрывал, что русский и математика нагоняют на него скуку.

Одноклассники любили Ганю за его доброту, остроумие и особенно шутовство, к которому он имел какую-то странную, нервическую склонность и от которого никак не мог удержаться. Когда кто-то из потерявших терпение учителей орал на ребят, Ганнибал Квашнин в комическом ужасе приседал, закрывшись руками, напяливал на голову полиэтиленовый мешок и, приняв образ испуганной обезьяны, начинал метаться по классу. Даже очень усталые учителя хохотали до слёз, не говоря уж о детях.

Самым неприятным уроком для Гани была химия. Тощая как смерть Зоя Васильевна в неизменном чёрном туалете, кудрявом паричке и туфлях с огромными пряжками, взойдя на высокую кафедру, совершала опыты. «Был "па!" Все слышали "па!"? Квашнин, ты слышал "па!"?» Ганя не слышал никакого "па!" В джунглях, по узкой тропе, протоптанной дикими свиньями, он продвигался с путешественником Бэссетом к Красному божеству. Обрубками пальцев сжимая свои браунинги и сачки естествоиспытателей, они шли на странный звук, который будто пытался сообщить им некую космическую тайну, нечто бесконечно важное и ценное.

На самом интересном месте подкравшаяся химичка прервала их драматичный путь. Она выхватила книжку, спрятала её где-то за кафедрой, сказала, что отдаст только Николавне лично, и влепила Гане двойку в журнал. Ганя пришёл в ярость. Это был старый и очень ценный Джек Лондон Николая Ильича с ерами и ятями. И совсем не хотелось огорчать Николавну. Ганя встал из-за парты и начал, хромая, медленно приближаться к кафедре. При этом он совершал в высшей степени неприличные жесты и строил дикие гримасы. Зоя

Васильевна окаменела от ужаса и удивления. Класс покатывался со смеху. «Квашин, ты что – идиот?» – ледяным тоном спросила химичка, затем подпрыгнула и побежала за директрисой. Ганя добрался до кафедры, нашёл своего Лондона и стал громко читать притихшим соученикам:

– «Опять этот рвущийся ввысь звук! Отмечая по часам время, в течение которого слышался этот звук, Бэссет сравнивал его с трубой архангела. Он подумал о том, что стены городов, наверное, не выдержав, рухнули бы под напором этого могучего, властного призыва. Уже в тысячный раз Бэссет пытался определить характер мощного гула, который царил над землёй и разносился далеко кругом, достигая укреплённых селений дикарей. Горное ущелье, откуда он исходил, содрогалось от громовых раскатов, они всё нарастали и, хлынув через край, заполняли собой землю, небо и воздух. Больному воображению Бэссета чудился в этом звуке страшный вопль мифического гиганта, полный отчаяния и гнева. Бездонный голос, взывающий и требовательный, устремлялся ввысь, словно обращаясь к иным мирам. В нём звучал протест против того, что никто не может услышать его и понять...»

* * *

В школе Ганя был влюблён во всех девочек сразу и пытался за ними ухаживать одновременно. В столовой он угощал их булочками, пока в кармане не заканчивались деньги. На физкультуре помогал таскать лыжи – сразу по четыре пары, что было трогательно и нелепо. Девочки любили Ганю, особенно мил он был толстенькой Вареньке.

Одноклассники ходили на Ганины выступления, они громко хлопали в ладоши и кричали: «У! У!» «Это вам не рок-концерт!» – ругалась фея. Друзья часто заваливались к Гане в гости и толклись в единственной комнате Николавны. Чтобы им не мешать, Николавна сидела, как мышь, за ширмочкой или же уходила на кухню читать газету.

13

В голове у Ганнибала постоянно звучала музыка, в ней, словно в жестяной музыкальной шкатулке, оказавшейся в пухлых ручках малыша, без конца что-то бренчало, тенькало, пиликало и свистело. Он даже мыслил музыкально. Например, проголодавшись, устав, замёрзнув, Ганя сначала слышал птичьи голоса, пение муэдзина и грузинский хор. Через мгновение в его сознании что-то щёлкало, и перед внутренним взором появлялись, выпрыгивая, будто Петрушка из-за ширмы, предметные образы – котлета, ковёр, песок. И только потом уже выползали жирные гусеницы – слова, которые принимались медленно спариваться: «Котлета. Съесть бы котлету. А лучше шашлык»; «Надоело, чёрт с этим чтением. Хочу поваляться»; «Море. На улице холодно. Вот бы на море». Потом Ганя открывал рот и нудил: «Птица, пойдём в "Сакарт-вело"» или «Николавна, я не буду читать эту главу. Меня сегодня спрашивали, и завтра уже не спросят, спорим на пендель с разбега?» или «Птица, помнишь кафе с курятником на крыше? Был шторм, пели мусульманские батюшки, кричал осёл, курлыкали горлинки, ты ела салат из тунца».

Иногда Гане казалась, что даже задачки по математике он решает сначала каким-то утробным пропеванием, а потом уже – сложением и вычитанием.

В музыкальной школе Ганиными закадычными друзьями были Лев и Дорофей. За румяным чистеньким Львом бегала бабушка с расчёской и бутербродом. Грязненького Дорофея водила на занятия мать – то беременная, то с младенцем, то беременная и с младенцем. Ей некогда было бегать за Дорофеем. Высокая, монолитная, она сидела на диванчике у двери в класс и кормила могучей грудью, величественно кивая трубачу-директору, который, завидев её, принимался довольно урчать, и пианисту-завучу, который робел, бледнел и старался скорей пробежать мимо, как будто боялся, что сейчас она протянет длинную руку и схватит его за воротник.

У Гани, Льва и Дорофея был абсолютный слух, они писали как курица лапой, но за нотные диктанты получали пятёрки. На переменах мальчики носились по лабиринтам старого особняка, оглашаемым трубным рёвом и скрипичными стонами захваченных в плен Минотавров, либо, помирая со смеху, пачкали нотные тетради такими страшными рисунками, что учительница по сольфеджио хваталась за сердце.

«Тай-тай, налетай, кто в слепозомби играй? Африканыч – слепозомби!» Ганя закатывал глаза, поднимал руки с повисшими пальцами и, хромая, спешил догнать жертву, наталкиваясь на детей, родителей и педагогов.

* * *

Аликино, Калькабрина, Барбаричья! Черти с гнусными рожами, зловонным дыханием, когтистыми лапами, мокрыми хвостами живут в канализационных трубах под Малым проспектом. Ночью с тихим скрежетом отодвигаются крышки люков, и черти выходят пугать детишек. Особенно ценят они одарённых, особенно любят на вкус впечатлительных – так и лезут из тёмных углов, выползают из-под кроватей, суют морды в форточку. Блестит ртуть в стеклянном градуснике у Николавны. Тревожно пищит электронный градусник Птицыной. Зыбкие тени мечутся, пляшут, растут. Вот они уплотнились, приобрели очертания какой-то невыразимой гадости и наваливаются, душат, хохочут.

Главным Ганиным кошмаром был марш геометрических фигур. Армия звонко поющих квадратов и прямоугольников бодро, чётко, мерным шагом шла к своему генералу. Ужас, собственно, заключался в том, что малейшее нарушение в стройных рядах солдат должно было неизбежно повлечь за собой катастрофу мирового масштаба. А генерал – в боевой раскраске зелёных пятен на кофейном теле – слабел и чувствовал, что сейчас всё сломает и из-за него произойдёт взрыв во Вселенной: разлетится земной шар, планеты вылезут из орбит, Николавна полетит вверх тормашками, а Птица распадётся на молекулы.

Неловкий Ганя всё время что-то бил, ронял, ломал. Вот 9 Мая собрал тарелки со стола, понёс и уронил, и горько плакал, потому что они пережили войну и бомбёжки, а его, дурака, не пережили. А как он расколотил синие бутылочки Мешковой! Вот это был настоящий ужас. Главным украшением нарядного дома собственницы были предметы синего стекла. Она считала их вершиной утончённого вкуса, изящества, стиля. На синие бутылочки, которые красовались в окнах Мешковой, с почтительностью и недоумением смотрели односельчане. Мадам обожала голубенькое. Просторная веранда, где она пила чай с начитанными подругами, была выкрашена небесным цветом, на стенах висели в художественном беспорядке найденные в сарае суровые цепи, хомут, лапти, старые фото, плетёные туески, из которых торчали веретёна. В общем, всё как в музее. А по окнам, по окнам – синие бутылочки и незабудки.

Бутылочки были и в комнатах – на этажерочках. В такую этажерочку Ганя ненароком въехал плечом. Бутылочки сыпались, мадам вопила про чудовищно воспитанных детей и толстела на глазах, как надувная лодка Сергея Петровича. Николавна клала Гане на лоб маринованные огурцы, нет – тряпку с уксусом, Птицына впихивала в клацающие зубы кусок шоколада...

В девять лет Гане вдруг стало тяжело заниматься музыкой – и не потому, что фея замучила его концертами и конкурсами. В нём что-то нарушилось, что-то сломалось. Разбор и исполнение музыкального произведения неожиданно потребовали от него каких-то новых, нечеловеческих усилий. Ганя, наделённый исключительным чувством метра, вдруг осознал, что не может больше соблюдать заданный размер, что, борясь за ритмическое целое прелюдии, сонаты, ноктюрна, он начинает слабеть, терять «защиту», броню, рыцарские доспехи и, оставшись в жалкой пижаме в клеточку, оказывается лёгкой добычей для всякой чертовщины. Гремит марш вражеской армии, взвизгивают флейты, мужик в мохнатом пальто залез в экскаватор и начал мерно бить чугунной гирей по красивой белой стене. Хотелось заорать.

Приступы страха случались почти каждый день. Ганя чувствовал, что устойчивый ритм в музыке перестал совпадать с его собственным внутренним ритмом, который когда-то был правильным, но внезапно сбился, нарушился, захромал, подчинился синкопированной пульсации какой-то плюющейся искрами лавы, вдруг вырвавшейся из доисторических пластов его души, из мякоти его печёнки-селезёнки. Три и четыре четверти грызли ребёнка, как головы Горыныча, изрыгали огонь, безжалостно палящий прекрасный хаос травы и листьев. На выжженной пустоши под гул органа вырастали из земли и тянулись кверху идеальные стеклянные цилиндры и прямоугольники. Они искрились холодным светом, отражали, преломляли множество лучей. Эти лучи метались в стенах хитроумной ловушки и сверкали, никого не грея.

Нагромождение ровных поверхностей – так Ганя в детстве представлял себе смерть. В голове у него звучала ужасная фраза: «Параллельно краю стола». Ему казалось, что так кричит дьявол. Самое жуткое заклинание на свете: «Парррраллельно кррраю стола!!!» Это карканье было в сто раз страшнее, чем безобидное «Nevermore!», которым «пугала» его Птицына.

Птицына быстрее, чем туповатая Николавна, заметила, что мальчик впадает в беспокойство – время от времени подходит к столу и перекладывает предметы, чтобы они были под некоторым углом друг к другу; двигает стулья то так, то эдак; подвинул рояль, подвинул шкаф. В панике она потащила Ганю к врачу, чтобы вылечить ребёнка от «навязчивостей». Врач посоветовал укольчики и таблеточки. В таблеточки Птицына не верила. Она поехала с Ганей на море – туда, где пели «мусульманские батюшки».

Была осень. Совершенство беспорядка бурных волн внахлёст привело Ганю в восторг. Он успокоился. Бьющая в ноздри солёная свежесть, огромное небо, пустынная литораль, груды ракушек и камней, пригодных для строительства самых причудливых замков, а также жареное мясо и кислые сочные фрукты быстро поправили Ганино здоровье.

Вернувшись домой, он оставил стулья в покое, но равномерность долго ещё была постоянным сюжетом и конструкцией его детских кошмаров. С распухшим горлом хромоножка носился по оклеенному газетами коммунальному коридору Николавны либо по коврам Птицыной – в зависимости от того, в чьём доме настигала его болезнь, и колотился в двери, пытался выпрыгнуть в окна, чтобы спрятаться от наступления вражеского ровного ритма, который неизменно предшествовал появлению «грозного шара». Сначала шар был маленький – теннисный, лёгонький, белый, холодненький. Он скатывался со столика и прыгал тихонько и очень размеренно – понькь-понькь-понькь. Потом он начинал расти, становился больше, желтее, теплее, превращался в гигантский мешок, заполненный клокочущей биомассой. Страшный мешок наваливался и душил. С неба ревело: «Чудовищно воспитанные дети! По-онькь-по-онькь-по-онькь!!!» Ребёнка ловили, трясли, целовали. Бред отступал, Ганя выпрыгивал из низкого окошка квашнинской избы, валился в траву с колокольчиками и засыпал.

Однажды он пошёл с классом в Музей блокады. Дети со сползшими улыбками смотрели на страшные фотографии, крошечные порции хлеба, куски столярного клея. Активная старушка-экскурсовод, довольная угнетённым состоянием ребят, только что оравших в гардеробе, включила густой голос Левитана, потом вой сирены, потом звук метронома – биение ещё живого сердца, а в довершение всего – начало «Ленинградской» симфонии. Именно тогда Ганя всё понял про свой детский бред. Его пугал ровный шаг неотвратимо приближающейся смерти. Иногда он слышал звук её шагов в любимой музыке. Иногда замечал в родных лицах что-то чужое и страшное.

За ужином, наблюдая, как жёлтые опилки тают на макаронах, Ганя беседовал с Птицыной о страхах. С Николавной вести такие разговоры был бы дохлый номер.

– Птица, я боюсь того, что люблю.

– Вот как? И меня боишься?

– Не смейся. Послушай. Я всегда любил звёзды, помнишь – осенью в Топорке – такие яркие, праздничные? И вдруг я стал их бояться. Знаешь, когда?

Птицына мотнула головой.

– Когда мы встретили соседа, про которого я думал, что он работает в цирке.

– Владимир Николаевич? Почему в цирке?

– Потому что у него короткие брюки.

– Ха-ха! Это из-за подтяжек. Встретили, и что?

– Он был очень весёлый. Он сказал, что на кафедре отмечали открытие.

– А, помню – доказали, что Вселенная пульсирует.

– Вот именно. И с тех пор мне страшно смотреть на звёзды. Космос – страшно.

– О да, мне тоже страшно – огромное, непостижимое, пульсирует. И нам грозит, грохочет: «Раз и два, и три, и четыре, и...» Ганнибал, если ты устал от музыки – давай бросим!

– Нет, что ты!.. Или море. Такие весёлые, ласковые волны, а как представишь себе, что они накатывают и накатывают и, когда мы умрём, всё так же будут накатывать – мерно, бесчувственно, совсем о нас не жалея. И трава, и ветер... В природе всё такое милое, родное. А как подумаешь, что оно и без тебя будет расти, увядать, расти снова и снова увядать, и снова расти... Будто знает – зачем. Будто знает больше, чем мы... Всё пульсирует, а человек-букашечка – дурачок.

– Давай представим, что нас, дурачков, Кто-то очень любит, только мы Его не можем разглядеть. Он нам машет платочком, подпрыгивает, хватаясь за поясницу, подмигивает слезящимися глазками, а мы глядим на новые ворота и ничего не понимаем. А Он и волну нам гонит, и ветерком обдувает, и звёздочки зажигает, дуя на пальцы с жёлтыми ногтями. Ешь, Ганя, макароны, сыр уже застыл. – Птицына почти не верила в Бога, но, видя Ганин страх смерти, убеждала ребёнка, что он есть –

добрый и заботливый, – и ради Гани изо всех сил старалась сама в Него поверить.

– Боюсь всего, что «grandioso et pomposo»...

– Думай про маленькое, про тихое, про скромное, про щеночка, про Николавну...

– И вот Бах – так прекрасно, так торжественно, но и тревожно: пульсирует Вселенная!

– А я знаю не торжественного Баха. Уж он-то тебя не смутит – «Бахиана номер пять!»

Детские страхи, терзавшие Ганю, ушли, но к двенадцати годам у него развился странный нервный тик: музицируя, он как бы в помощь себе принимался шипеть, подвывать, мычать и повизгивать. Сначала казалось, что всё это – некая шутка, полуигра, которую Ганя может контролировать и вовремя прекратить. Потом стало очевидно, что это – болезненное состояние, и мальчику его не побороть. Чем больше душевных сил Ганя тратил во время игры, тем громче становились вылетавшие из его груди непонятные звуки, похожие, наверное, на крики и шипение каких-то доисторических, давно уже вымерших тварей.

«Меня нужно в поликлинику сдать для опытов. Мало того, что чёрный, хромой, сирота, так ещё и шиплю, как аспирин в стакане», – говорил Ганя. Но его в поликлинику не сдавали. Он очень всем нравился, его очень любили. Невроз никак не отражался на его характере – Ганя был добрый, открытый, всегда готовый посмеяться над самим собой, а ведь это свойство вплотную приближает человека к ангелам. К чужим трудностям или успехам он относился гораздо серьёзнее, чем к своим. Это делало его свободным и счастливым.

Ганя шипел не только из-за музыки. Нервный тик начинался всякий раз, когда он сталкивался с грубостью и несправедливостью. Как-то Птицына затеяла менять трубу в печке и чинить крышу. Печник – бритый наголо мускулистый красивый Витя – прикатил на чистеньких «Жигулях», врубил на полную катушку «Энигму» и принялся раскурочивать верх старенькой *галанки*. Толстый усатый Володя с прищуром знатока своего дела давал указания трём таджикским «ученикам», которые с обезьяньей ловкостью полезли на крышу. Таджики недавно спустились с гор, плохо говорили по-русски, имели профили Александра Македонского и называли Птицыну «тётка». «Тётка, дай вода! Тётка, дай тряпка!» Дачнице не нравилось такое обращение. Она просила называть себя Елизаветой Андреевной и на «вы». Ещё тётку разозлило, что парни скромно представились Федей, Сашей и Алёшей. «Файзуллох, Сайлигул, Алпамыс! У вас прекрасные имена, вы должны ими гордиться, так вас назвали ваши родители!» Таджики были благодарны тётке, которая утруждалась называть их настоящими именами.

Мужики работали хорошо, с огоньком, поэтому дачница, заплатив им за труды, повезла Ганю на озеро. К вечеру прилетела на чёрных крыльях гроза, она громыхала над лесом и плевалась молниями. Мокрые Ганя и Птицына сидели под сосной, ели бутерброды и любовались удаляющимися вспышками. Когда они вернулись в Топорок, в доме уже никого не было (мужики, закончив работу, разъехались), а их изумлённым взорам предстала оплывшая цементными потоками печка. Птицына взлетела на чердак. Там, в новенькой крыше вокруг новой трубы, зияла дыра, сквозь неё приветливо мигали первые звёздочки. Дачница в отчаянии звонила Вите и Володе: «Почему оставили дырку в крыше?» «Это дело печника!» – кричал толстяк. «Это дело кровельщика!» – огрызался лысый. Всхлипывая, дачница искала телефон Илюшина. Ганя с шипением ходил вокруг дома.

На следующий день спозаранку приехал Сергей Петрович из Сковородки. Он привёз с собой «одного хорошего человека». Сергей Петрович казался необычайно весёлым и оживлённым, было видно без лупы – он счастлив, что прекрасная дама обратилась к нему за помощью. Хороший человек развёл костерок, растопил гудрон, который замечательно пах, и пыхал, и хлюпал. Хороший человек сделал деревянную рамочку вокруг трубы, ловко её зацементировал, а сверху залил гудроном. «Должно держаться», – тихо сказал хороший человек, намыливая руки.

Птицына успокоилась, а Ганя – нет. Через несколько дней он встретил наглого кровельщика: и в ус не дуя, тот с довольным видом заходил в «Самоделкин». Ганя – за ним. Среди унитазов, газовых горелок и витрин, заваленных гвоздями, крючками, плоскогубцами, Володя балагурил с пышногрудыми накрашенными продавщицами; к одной из них он явно был неравнодушен. Вдруг все услышали странные звуки: как будто в магазин сползлись сотни рассерженных ужей. Продавщицы взвизгнули. Кровельщик в смятении оглянулся и увидел темнокожего мальчика, который дрожал от ярости и шипел. Казалось, что Ганя вот-вот бросится на толстяка и укусит его за жирную ляжку. Перепуганный кровельщик выбежал на улицу, а Ганя сел на корточки и заплакал. Продавщицы стали его спрашивать, что случилось, и он рассказал им, как кровельщик с печником обманули Птицу. Дамы были возмущены подлостью Володи. Володя навсегда утратил расположение пышногрудых накрашенных продавщиц.

В музыкальной школе Ганино шипение приводило в отчаяние учителей, возлагавших на него большие надежды. Он играл самые сложные произведения, на конкурсах ему не было равных, его ждали с распростёртыми объятиями в музыкальном училище. Но шипение всё портило. На концертах странные звуки приводили в недоумение публику первых рядов. Ганя ничего не мог с собой поделать. Игра требовала сильного эмоционального напряжения, а оно провоцировало нервный тик.

С лёгкой руки Птицыной Ганя зачитывался «Гаспаром из тьмы». Однажды майской ночью Николавна проснулась в Топорке. Месяц проложил в окно серебряную дорожку и ласково кивал старухе, манил её прогуляться среди ясных звёзд. Успешно выступал соловушка, пересмешник портил хороший концерт безумным фри-джазом. Николавна решила выйти на крылечко. Кряхтя, подняла своё тело с запевших пружин, нашарила тапки, пошла, ведя рукой по стене, в сени и вдруг в сенях через распахнутую в «Лизину комнату» дверь увидела два блуждающих огонька, которые маячили на русской печке, решив там, видимо, погреться после пробежки по росистым лугам Топорка.

Ганя и Птицына, забравшись на «корабль», при свете фонарика по очереди читали вслух кошмарные истории гнома Скарбо. Ганя дрожал от страха и смеха. Вдруг мальчик вскрикнул – под печкой заахало, заохало, заметалось белое привидение Николавна, подслушавшее про жука-могильщика: в неуклюжем полёте тот срывал «последний волосок с окровавленной головы удавленника». Привидение очень рассердилось тогда на Птицыну. Какое легкомыслие – вместо того чтобы всячески оберегать нервную систему слабого ребёнка, по ночам читать с ним «ужасы»! А Ганя дал ссебе клятву во что бы то ни стало сыграть «Ундину», «Виселицу» и «Скарбо».

Мюльбах одобрил смелое решение. Изо всех своих драконьих сил он старался помочь Гане разобрать и разжевать Равеля, не обращая внимания на вой и шипение, которые порой заглушали музыку. Он сопереживал и терпеливо ждал под своим филодендроном, когда усталый расстроенный мальчик перестанет рыдать и вернётся к нему, чтобы снова взяться за работу. Ганя был благодарен Мюльбаху. После ужина он брал подушку, одеяло и шёл спать под жёлтое брюхо старого друга.

Перед поступлением в училище Ганнибал должен был играть «Мефисто-вальс» в Капелле, но во время репетиции так расшипелся, что фея запретила ему выходить на сцену «в таком состоянии». Ганя всхлипывал, спрятав голову в колени, Николавна упрашивала его пойти в мороженицу и домой: Ганя очень любил мороженое, в детстве он всегда съедал две порции – свою и бабкину; по его щекам катились крупные слёзы, рот кривился и жевал с трудом – так жаль ему было лишённую крем-брюле Николавну! – но, превозмогая горе, он кусал и лизал мороженое до тех пор, пока от него не оставались лишь воспоминание и кисленькая палочка.

Пришла Птицына. Она села рядом с Ганей на мягкий диванчик, обняла его и несколько раз прочитала на ухо заклинание:

> Сердце бурно тараторит:
> «У меня ведь нервный тик.
> Так-так-так. Ведь я не спорю...»
> И вскипает как родник.
> Перестуками с пробелом
> С кем-то сердце так невнятно
> И морзянкой говорило.
> Только с кем? Уж позабыло...

Бьётся, будто ключ, напрасно,
Как на палубе бьют склянки.
Как телеграфист забытый
На далёком полустанке*.

Поток размеренных слов успокоил Ганю. Он сказал фее, что одну вещь может играть спокойно, сел за рояль и начал «Лунную сонату» – в довольно быстром темпе, «мощно, но при этом как будто совершенно бесстрастно». Он представлял себе огромную луну над тихой поверхностью океана, в глубине которого извергается вулкан и резвятся гигантские чудища. Гане не нравилось, когда лирические произведения исполняют «с чувством», он считал, что это смешно и глупо. Ганя разобрал сонату самостоятельно, старуха впервые слышала, как он её играет. Ганя действительно не шипел: эта простая музыка не раздражала его нервы. Прыжки под дьявольскую скрипку оставили для «своих».

На вступительном экзамене Ганя всё же сыграл вальс Мефистофеля. Он играл великолепно, но шипел отчаянно. Председателем экзаменационной комиссии был известный пианист Владимир Ильич – тихий высокий блондин. Когда Ганя сыграл, Владимир Ильич быстро вышел за ним из класса, обнял и, внимательно глядя в глаза, сказал, что, несомненно, вся эта ерунда с шипением скоро прекратится и впереди у него блестящий путь музыканта.

---

* Елена Шварц. *Примеч. ред.*

264

14

– Всё это не то, Птица, мне кажется, что это всё – не для меня, что я должен быть не здесь, что не здесь моё место, Птица.

– Где же твоё место, Ганнибал?

– Не знаю, я не знаю. Здесь все добрые, прекрасные, я всех люблю, я очень всех люблю, но меня всё мучает, мне всё мучительно, Птица.

– Это подростковая депрессия, Ганечка, это у тебя в животе бактерий не хватает, нужно пить кефир... Я тебе куплю билет, Ганя, поезжай куда хочешь, только будь счастлив.

– Я не знаю, куда ехать... Можно в Томогавкин с Варенькой?

– Хорошо... Только... Ты сам понимаешь...

– Да, понимаю...

Июнь был холодным, лил дождь. На мокром огороде смутно желтели цветы кабачка и тыквы, жирные черви в поте лица трудились на грядках, прожорливые улитки составили заговор против роскошных ирисов и незаметно подтаскивали свои дома к фиолетовой клумбе. Ганя с Варенькой топили печку и оба всё ждали чего-то, замирая, к чему-то прислушивались, брались тихонько за руки. В холодильнике нашёлся потный «Голицын». Они залезли с ним на корабль и понеслись в неизвестность среди бурных волн. Мачты гнулись, горизонт исчез во мгле, на снастях дрожали огни святого Эльма. Ганнибал хотел предложить

Вареньке написать пару предсмертных записок, запечатать их в бутылку и бросить в воду, но вместо этого вдруг стал целовать подружку в губы. Варенька обхватила длинную Ганину шею своими тёплыми ручками. Тут корабль налетел на риф и с диким шипением, как раскалённый утюг, стал погружаться в волны. Ганнибал ничего не мог с собой поделать; его сердце бешено колотилось, голова кружилась. Заикаясь, он сказал Вареньке, что сейчас всё пройдет, но продолжал изображать лопнувший дирижабль. Добрая Варенька просила его не волноваться, уверяла, что не боится и чувствует себя прекрасно, но с печки слезла и обниматься с Ганей больше не захотела. Вечером Варенька уехала. Расстроенный Ганя пошёл гулять по лесу. Дождь кончился, стояла тихая белая ночь. Ганнибал заблудился, долго бродил вокруг болота, а на рассвете вышел к незнакомому кладбищу.

Одни могилки были забытые, заросшие, с покосившимися крестами, другие – нарядные, с розовыми венками, крашеными оградками, столиками и скамеечками. Была и совсем свежая – с чёрным, прибитым лопатами холмиком, на котором лежали душистые ветки сирени и букетики ландышей. Из овальной рамочки на Ганю весело и хитро смотрела старушка. Звали её Анна Ивановна Самарина, и прожила она почти сто лет. Ганя зашёл к Анне Ивановне за оградку, сел на скамеечку, на столике увидел стакан с выдохшейся водкой, накрытый чёрной коркой, и пару конфеток. Солнце припекало, глаза слипались. Ганя лёг, положив голову на ветки сирени, и крепко заснул.

Его разбудили возгласы: на кладбище пришли две немолодые женщины. Они с изумлением обнаружили на маминой могилке спящего негра. Ганя вскочил спросонок и, хромая, побежал прочь. Женщины закричали, заохали. Ганя пришёл в себя, остановился. Надо было узнать дорогу в Топорок. Он направился к женщинам, те с причитанием стали пятиться от него. Чтобы их успокоить, Ганя решил что-нибудь спеть. Он затянул «Иже херувимы». Тётки завыли. Ганя плюнул и запел в кулак: «Крепкий утренний чай, крепкий утренний лёд, два из правил игры, а нарушишь – пропал, завтра утром ты будешь жалеть, что не спал». Тётки умолкли.

– Вы артист?

– Да, я артист, простите меня ради бога, я не хотел вас напугать, я заблудился и ходил всю ночь по лесу, скажите, пожалуйста, как мне вернуться в Томогавкин? Чёрт, в Топорок!

Тётки постепенно успокоились. На своей машинке они отвезли Ганю домой, где их встретила Птица, напуганная Ганиным отсутствием. Ганя пошёл спать дальше. Птицына напоила тёток чаем, рассказала вкратце Ганину историю. Втроём они посмеялись, потом заплакали, помянули маму – и свою, и Ганину.

15

У Мешкова родилась дочь. Пока сопливка оставалась в роддоме, мадам несколько раз призывала «изменника» «говорить по душам». Гена был бесконечно счастлив девочке и страшно озабочен безденежьем: у него не было работы, он «кормился пока огородом» и ломал голову, где бы подхалтурить. Мешкова сказала, что «по справедливости» им нужно поделить «сбережения», которые он оставил ей при разводе. Гена не верил своим ушам. Обрадованный, целовал ручку собственницы и твердил: «Маша! Спасибо, Машенька!»

Мешкова дала ему денег и налила водки. Она знала, что Гена развязался, но употреблял в меру. В тот день она напоила его до умопомрачения. Когда он проснулся бледный как полотно, налила ещё, а деньги забрала, «чтобы не пропил». Два дня Гена квасил у Мешковой, потом спохватился, что надо встречать своих из роддома. Мешкова его отпустила, выдав немного: как раз чтобы хватило на билет в лежачий до дальней станции «Запой». Нельзя утверждать, что мадам сознательно стремилась довести бывшего до белой горячки. Да, она надеялась, что сопливка умрёт от родов, да, она хотела, чтобы ребёнок оказался нежизнеспособным уродцем, но в её планы вовсе не входило отправлять Гену на тот свет.

Гена крепко засел у Мешковой. Мадам оповестила знакомых, что бывший решил вернуться и «кинулся в ноги». Вскоре пришла к ней сопливка с братом и новорожденной. Они хотели вызволить Гену. Брат держал орущего младенца, сопливка колотила в дверь, пытаясь прорваться в дом. Мешкова выскочила и изо всей силы толкнула её, повалив на клумбу с весёленькими астрами и надменными флоксами. Крикнула ей: «Ты – серое тупое существо! Что ты читала? С тобой даже не о чем поговорить! Ты никогда не сможешь его понять! Смотри, во что превратила мужика! Ты разрушила его личность! Ты убила в нём художника!»

Сопливка подбежала к окну:

– Гена, ты где? Ты здесь?

– Нет, не зззздесь, – отвечал, запинаясь, Гена. – Я нигде. Я ппподшофе.

– Где? Гена! Под шкафом?

– Я сссказзал – подшофе...

Однажды воскресным осенним деньком Ганя, Птицына и Николавна мирно поили чаем Сергея Петровича – в последнее время он зачастил в Топорок. Для него даже завели подстаканник с мчащейся тройкой и тапочки. Скрестив под столом длинные ноги в тапочках, Илюшин, по своему обыкновению, смотрел куда-то вверх и вёл о чём-то медленный рассказ. С ним было скучно и уютно. С улицы доносился стук – там, как и пятнадцать лет назад, чинил забор Войновский, которому регулярные отсидки явно шли на пользу и продлевали жизнь. Сергей Петрович умолк и задумался, широкой ладонью поглаживая рыжеватую бороду. Птицына смотрела на его руку и думала, что ей нравятся большие ладони с длинными пальцами. Ганя, напевая, намазывал хлеб вареньем. Бодрая седенькая Николавна суетливо передвигала предметы на столе, резала сыр и молила небеса, чтобы «она наконец решилась». Часы пробили три. Вдруг распахнулась дверь, и в комнату ворвался трясущийся Войновский с воплем: «Генка! Генка Мешков на берёзе вздёрнулся!» Птица с Николавной закричали, Ганя зашипел, Илюшин схватил хлебный нож, табуретку и бросился на улицу. Через двадцать минут он вернулся и пошёл к умывальнику. От него неприятно пахло, на руках и одежде была белая пена. Он делал искусственное дыхание Мешкову и сломал ему несколько рёбер. Скорая увезла живого Мешкова в больницу.

Через две недели Мешков – бледный, но просветлённый – вернулся в избёнку и начал новую жизнь. Птицына его навещала. С гуканьем и люлюканьем Гена укачивал красавицу-дочь; молодая мать по бедности варила суп из пакетиков, ела сгущенку и пельмени «Снежные». У неё было очень много молока – Птицына с изумлением смотрела, как оно бьёт пульсирующей струей прямо через лифчик. «Мадам Зло», как прозвал её Ганя, ушла в затвор, а Сергей Петрович сбрил бороду и поехал в Топорок свататься.

Изменившийся до неузнаваемости инженер прикатил с Мобиком на «Паннонии» – в белой рубашке, с букетом золотых шаров и старым театральным биноклем. Бинокль был перламутровый, в тиснёном кожаном чехле. Илюшин протянул его Птицыной.

— Что это, Сергей Петрович?

— Бабушкин бинокль. Может быть, пригодится... Простите меня, Елизавета Андреевна... Елизавета Андреевна, будьте моей женой.

Шёл дождь. Птицына стояла на веранде, глядя в мутное окно в частом переплёте. По стёклам ползли осьминоги. Дачница утирала слёзы и повторяла: «Веранда влажная шипит в дожде, как сковородка. Веранда влажная шипит в дожде, как сковородка».

— Да, Елизавета Андреевна, зажили бы в Сковородке! Как было бы хорошо, как было бы правильно, Елизавета Андреевна!

— Сергей Петрович, я не могу. Вы очень хороший, вы добрый человек, но я не смогу с вами. Мне кажется, что моё место не здесь.

— Где же ваше место, Елизавета Андреевна?

— Не в Топорке, не в Сковородке. Не знаю где. Я хочу уехать.

— Куда?

— Куда глаза глядят.

— Елизавета Андреевна, я желаю вам счастья. Давайте забудем этот разговор. Вы только помните, что кто-то вас очень любит и ждёт в Сковородке.

Илюшин стал громко сморкаться. Мобик жалобно заскулил.

16

Гане не говорили о трагических обстоятельствах смерти родителей. Он понимал, что с ними случилось что-то дикое, страшное, но не задавал вопросов, сам строил догадки. Про отца никто ничего не знал. Зато Ганя хорошо представлял себе маму – про неё много рассказывали Птицына с Николавной. Всю жизнь, засыпая и просыпаясь, он первым делом видел Дусю, которая весело ему улыбалась и махала рукой. У Гани с мамой были самые доверительные отношения, он ей рассказывал обо всём без утайки, она его понимала и всегда поддерживала в трудную минуту. Фотографий было много: маленькая девочка среди грядок – в кофте и рейтузах, школьница с большими бантами у скучной кирпичной школы, красивая девушка у Казанского собора – с гитарой, в ушанке. Также были снимки вместе с ним, Ганей. На одном она с большим животом сидела на скамейке у избы. Было подписано Дусиной рукой: «Когда ждала». На другом – стояла у родильного дома со свёртком в руках, подписано было: «Сынок».

В шкафу у Николавны висело Дусино платье. Ганя забрал его себе, хранил под кроватью, иногда таскал в портфеле. В двенадцать лет он достал из тёткиных комодов все Дусины вещи и тоже «забрал себе». Потрёпанные материнские джинсы и футболки с надписью «Гражданская оборона», «Кино», «Алиса» Ганя носил. Однажды Наташка, прорубая ход в культурном слое помоечных вещей, заполонивших квашнинский дом, обнаружила коробку с Дусиными кассетами и стопку тетрадей, в которые Дуся записывала тексты и аккорды песен. С бьющимся сердцем Ганя унёс это сокровище к Птицыной, слушал, читал, заливался слезами.

– Птица, почему мама любила такие грустные песни, такие грустные стихи?

– Ну какие грустные, Ганечка? Мама ведь была весёлой.

– Послушай, Птица. Что может быть тоскливее этого?

Светлые мальчики с перьями на головах
Снова спустились к нам,
      снова вернулись к нам с неба.
Их изумлённые утром слепые глаза
Просят прощенья,
      как просят на улицах хлеба...

– Какие страшные мальчики! Зачем мама про них пела? А вот ещё, слушай:

В каждом доме
Побитый молью привычный шёпот,
Забытых кукол смиренный глянец.
Угрюмым скопом мышиных скрипов
Зола ютится в углу портрета...

– Птица, в каждом доме – «нагие формы избитых звуков». Птица, мне очень тяжело это читать. И музыка – грустная, мучительная. В этих песнях мир такой холодный, такой бесприютный. Я не могу это выносить.

Перебирая кассеты, Ганя нашёл несколько фотографий себя взрослого с мамой. На одной они шли в пустынном месте – по тропинке вдоль узкой речки. Подпись: «Мы с Жирафом в Автово». На другой – курили у незнакомого дома, на котором было криво намалевано: «Морской Пехоты, 4». На третьем снимке Ганя стоял с мамой и каким-то длинноволосым человеком в очках у жёлтого дома на Малом проспекте. Ганя сразу узнал этот дом: рядом с ним была остановка, где они с Николавной обычно садились в автобус. Одной рукой Ганя обнимал маму, в другой держал гитару. У очкарика под мышкой был тамбурин. Подпись: «Мы с Жирафом и Коля Иванов. Концерт в "Тамтаме"».

Ганя долго смотрел на родителей. Без сомнения, это были самые красивые и хорошие люди на свете. Ему очень хотелось обняться с ними и поговорить. Ганя вырезал себя из фотографии 7 «б» класса и аккуратно вклеился у их ног.

Он пошёл в жёлтый дом на остановке, надеясь, что там ему расскажут что-нибудь про отца или хотя бы про Колю Иванова. Но дом был пуст, нем, закрыт, окна занавешены. На стук никто не отвечал.

Ганя просил Птицыну съездить с ним в Автово, найти дом четыре на улице Морской Пехоты и таинственную речку среди пустырей. Птица обещала, но путешествие откладывала – всё чего-то боялась.

Тогда Ганя поехал в Автово сам, тайком. В доме четыре он обнаружил несколько парадных с вонючими грязными лестницами и два часа бродил от одной парадной к другой – подкарауливал жильцов, показывал фотографию, спрашивал, не помнит ли кто негра, тринадцать лет назад здесь обитавшего. Негра никто не помнил. На Ганю смотрели с подозрением. Ганя всё ждал, что выйдет на улицу какой-нибудь старичок, который обязательно вспомнит негра. Но старичок весь день дремал в своём кресле с котом на коленях. Вчера он сходил за картошкой, и за кефиром, и за хозяйственным мылом. А сегодня отдыхал, накрыв лицо «Вечерним Петербургом», спрятавшись от блёклого осеннего денька. Из-под газеты торчал острый жующий подбородок, поросший белой щетиной.

Ганя вернулся домой, жалея, что нельзя рассказать Николавне и Птицыной о стеклянных колоннах и сверкающих люстрах с синим нутром на станции «Автово». А ночью в кошмарном сне он, от кого-то спасаясь, бегал по бесконечным лестницам и запрыгивал в лифты, которые, не закрывая дверей, носились с бешеной скоростью. Они ездили вверх, вниз, вбок и по диагонали. Это было очень страшно. Ганя бредил, встревоженная Николавна пыталась его разбудить. Очнувшись, Ганя завопил – ему показалось, что на голове у Николавны сидит кошка.

Ганя не смог тогда ничего узнать о своём отце, но он утешал себя хотя бы тем, что увидел дом, в котором встречались и, наверное, были счастливы его родители.

17

Прошло несколько лет. Ганя учился в музыкальном училище и жил на два дома – то у Птицыной, то у Николавны. Птицына отвела Гане две комнаты: в одной он спал, в другой, где был рояль, работал. Три раза в неделю Ганя ночевал у Николавны.

Однажды Птицына позвала мастера к расстроенному Мюльбаху. Мастер пришёл, поднял широкое крыло дракона, подтянул ему жилы, постучал по зубам. Мастер снял очки, протёр, надел и вдруг застыл в изумлении, увидев на стене парадный Ганин портрет – любимый портретик Птицыной, вставленный в золотую рамочку. Ганя был во фраке, в белоснежной рубашке, с белоснежной бабочкой на длинной шее, с мешком от сменной обуви на голове. Ганя улыбался, как Гуинплен, из глаз его сыпались бенгальские искры.

После занятий Ганя поспешил к Птице – проведать Мюльбаха. На кухне он увидел Колю Иванова – заплаканная Птица поила его чаем. Коля бросился к Гане, стал сердечно трясти ему руку.

До позднего вечера Коля рассказывал Гане и Птице о друге своём Жирафе. На следующий день он повёз Ганю в Автово. Гане не терпелось встретить людей, приютивших когда-то Жирафа, увидеть комнату, в которой жил отец. Ему казалось, что она должна была сохраниться нетронутой, как в музее знаменитого человека. На полу – циновки из тростника, диван покрыт шкурами экзотических зверей. Повсюду свирели, погремушки, барабаны. Запах пряностей. В углу копьё. Тлеют угли, закипает кофе.

Морской Пехоты, четыре. Ганя снова оказался в страшном месте. За несколько лет в доме ничего не изменилось – те же картофельные очистки на лестницах и тёмные лифты. Ганя посмеивался про себя, вспоминая уютный романтический Аид на картинах Николая Ильича – с дикими скалами, голыми деревцами, сырыми равнинами и холодными ручьями. Райские кущи по сравнению с этими вонючими лестницами и множеством одинаковых дверей.

Коля нашёл заветную квартиру и позвонил. Дверь открыл полуголый мужик в трениках. Мрачно посмотрел. На всякий случай здороваться не стал. На членораздельные Колины вопросы ответствовал мычанием. Он въехал в этот дом пять лет назад, про тех, кто жил здесь раньше, ничего не знал. Из кухни высунулась его бледная пухлая супруга в банном халате. Она испуганно пялилась на негра и очкарика. Пахло сардельками и кошачьей мочой...

– Коля, я хочу пойти туда, где всё случилось. Отведите меня на ту крышу. В каком она доме? В соседнем дворе, да?

– Послушай, дружище, у меня другой план. Дойдём сейчас до магазина, возьмём что-нибудь вкусненькое – перекусить – и прогуляемся в Угольную гавань.

– Хорошо, только сначала я должен увидеть крышу.

– Друг, зачем это надо? Не стоит расковыривать рану. Я хотел бы промочить горло, понимаешь? Пойдём, пойдём. Консерву купим. Мне стаканчик порто, тебе стаканчик крем-брюле. Навестим «Летучего Голландца», совсем уже, наверно, затонул бедняга, одни мачты торчат.

– Покажите крышу.

Коля, недовольно бормоча, вздыхая и качая головой, повёл Ганю в соседний двор. Они вошли в дом-близнец номера четыре и поднялись на последний этаж. У выхода на крышу Ганя попросил Колю с ним не ходить – подождать на лестнице. Коля сказал: «Четыре такта!», сел на ступеньку и закурил.

Ганя вскарабкался по металлической лестнице и толкнул железные дверцы. Они распахнулись с восторженным скрежетом. С солнечными лучами в унылый дом влетела волна свежего воздуха, а с ней – весёлая толпа духов, которые принялись плясать на стенах, исписанных неприличными словами. Две юные сильфиды уселись на Колины очки – щекотали ему нос и слепили слабые глаза.

Ганя вышел на широкую длинную крышу, перегороженную прямоугольниками вентиляционных труб. По небу неслись облака, дул тёплый осенний ветер. Он подошёл осторожно к краю с низеньким бортиком. Внизу, под ногами, текла суетная жизнь с людишками-муравьишками и жучками-машинками.

А здесь был другой, торжественный, мир – свет, тишина и простор. Могучие трубы ТЭЦ, речка Красненькая, убегающая к Финскому заливу, насыпи Угольной гавани, железнодорожные пути с грузовыми составами. «Интересно, что возят в этих бурых вагонах?» Вдоль рельсов стояли таинственные кирпичные здания с выбитыми стёклами и деревцами на крышах. Далеко впереди поблёскивал на солнце крошечный купол Исаакиевского собора. Забыв обо всём, Ганя замер, вглядываясь в эту удивительную живую карту местности.

«Там, та-да-да-дам, та-дам, та-дам!» – Коля Иванов курил, прижавшись ноющим затылком к холодной стене. Привередливые сильфиды от него улетели, он им наскучил. Коля был музыкантом и благородным рыцарем, но от него пахло мышами и ветошью. Лысеющий, немолодой и небогатый, он носил старый костюм с вытянутыми локтями и коленями. Его ботинки просили каши. Коля заливал за воротник, имел длинные сальные волосы и чёрные зубы. Дамы с Колей, как правило, не засиживались.

«Там, та-да-да-дам, та-дам, та-дам. Как похож на Жирафа... Такой же – изысканный... Там, та-да-да-дам, та-дам, та-дам. Что он там застрял? Сейчас докурю, вытащу его оттуда. Пива он от меня не получит. Ещё чего! Я тебе в отцы гожусь. Нужно соблюдать субординацию. У меня нет сына, видимо, уже не будет. Сколько стоит мороженое? Двадцать копеек? Двадцать рублей. Двадцать пять?

А мне – промочить горло. Должно хватить. И консерву с хлебом. Дуся. Красавица. Это я вас послал за портвейном. На погибель. И моя жизнь – насмарку». Вдруг Колины размышления были прерваны жутким воплем, раздавшимся сверху. Коля вскочил. Кричали снова и снова. Музыкант вылез на крышу. Никого. Тишина. Снова заорали – где-то за трубами. Коля кинулся на крик.

Чрезвычайно странная картина предстала его подслеповатым глазам. На крыше валялись гробы – множество грубо сколоченных старых растрескавшихся гробов. Одни гробы были закрыты, другие – распахнуты, наполнены прахом. От них шёл тяжёлый запах. Среди гробов стояли две седые старухи с большими вилками и ложками в тощих руках. Они дико орали. Тут же, спотыкаясь о страшные ящики, метался перепуганный Ганя, который никак не мог найти выход с крыши. «Сюда, сюда!» – позвал Коля. Ганя кинулся к музыканту. Они спустились на лестничную площадку и вызвали лифт.

– Ганя, откуда там гробы? Что это?

– Не знаю, Коля, я ничего не понял. Какие страшные старухи! Кошмарный сон. Фантазии в манере Калло. Жаль, Птица их не видела.

Крики на крыше утихли, но музыкальное ухо Коли уловило жалобный стон.

– Чёрт, надо к ним подняться, может быть, помощь нужна. Теперь ты меня жди.

– Коля, не ходите туда!

Коля снова вылез на крышу. Одна старуха лежала, другая с причитанием хлопотала над ней...

Пенсионерки сёстры Ветвицкие, Ия и Зоя Антоновны, три года назад уже видели призрак убившегося по их вине негра: он неприкаянно бродил вокруг дома номер четыре. А сейчас он, видимо, пришёл забрать их в преисподнюю. Сёстры готовили к зиме свои грядки – выдирали корни и стебли, рыхлили и унавоживали землю, когда перед ними вырос и встал с немым упрёком чёрный силуэт. Призрак был худой и высокий. Страшно вращая глазами, он с ужасом и отчаянием смотрел на своих губительниц. Когда огородницы начали орать, призрак повёл себя несолидно: трусливо, как заяц, забегал по крыше, спотыкаясь о ящики и опрокидывая бутылки с мочевиной.

– Это сын его, сын! – твердил Коля старухам. Несмотря на пережитое потрясение, они начали быстро приходить в себя.

– Хулиганы... хулиганы, – тихо скрипела, как старая яблоня, Зоя Антоновна.

– Принесите успокоительного! – взвизгнула Ия.

– Дружище, это не входило в мой бюджетный план, но нам придётся заглянуть в аптеку, – сказал Коля, спустившись с крыши.

Пока они искали аптеку и стояли в очереди, сёстры переместились в квартирку-оранжерею, выпили по стаканчику кагора с кипяточком и вызвали милицию. Хулиганы отдали старухам мешок с валерьянкой, корвалолом, валидолом и, чудом разминувшись с участковым инспектором Глазовым, покинули дом с гробами.

В магазине Коля с Ганей разглядывали витрины с унылыми коробочками, в которых сидели, пригорюнившись, засохшие суши, рис с морковочкой под названием «Плов», салаты «Здоровье» и «Мимоза» с увядшим листиком петрушки. Ганя хотел есть и пить. Коля хотел выпить и закусить. На убегающих к потолку полках стояло множество разнообразных напитков и консервных банок с красивыми этикетками. «Возьму, пожалуй, "Три топорика" и ветчину. Нет, жарко – пива и кальмаров. Нет, зябко – малёк и кильку», – думал вслух Коля. «Определяйтесь, мужчина!» – нетерпеливо сказала продавщица с зачёсанными назад рыжими волосами и серёжками в виде луны. Промучившись ещё минуту, он купил навагу в томатном соусе, бутылку хереса, круглый ржаной хлеб, плавленый сырок, кефир и мороженое.

Ганя был рад оказаться вдали от автовских домов. Широким шагом, раздирая ботинками травяной ковёр, шли они с Колей вдоль речки Красненькой, несущей свои вонючие воды к Маркизовой луже. В бензиновых пятнах плыли ондатры. На топких берегах сидели лягушки – неподвижно, поводя лишь одними глазами, как старухи на скамеечках. По стволу поваленной ивы Коля с Ганей перебрались через речку и вступили в обширные пустыри Угольной гавани.

Это было удивительное, сказочное, таинственное место. По заброшенному, заросшему полевыми цветами железнодорожному пути Ганя с Колей дошли до сверкающей синим яхонтом финской воды. Вдоль заболоченного берега раскинулось огромное кладбище кораблей. Над ним с пронзительным криком метались чайки. По пояс, по плечи, по горло в воде стояли забытые гиганты. Ветер влетал в железные остовы, и гиганты скрипели, гудели, стонали, пели моряцкие песни, вспоминая былые деньки. На ржавых корпусах росли деревья, из щелей торчали пучки жёлтой травы. У самого берега подъёмный кран завалился набок. Он вытянул длинную шею навстречу закатному солнцу, на его морде гнездились птицы. Один корабль затонул полностью – только нос торчал над водой. «Всё. Умер "Летучий Голландец", надо помянуть», – сказал Коля, доставая бутылку. Ганя нашёл кусок фанеры. Они сели. Молча смотрели на закат. Последние лучи скользили и прыгали по ржавому железу, стараясь согреть и утешить грустных гигантов. Вдруг Гане почудился запах дыма. Он оглянулся. Над странной конструкцией, судя по всему, бывшей когда-то грузовиком, вился дымок.

– Коля, там кто-то есть!

– Там, та-да-да-дам, та-дам, та-дам! Житель здешних мест. Подождём здесь. Пускай сам выйдет.

Ганя немного нервничал, а Коля, допив свой херес, был как раз готов завести полезное знакомство. Он прохаживался по берегу, подбирая бутылки с письмами потерпевших крушение и поглядывая в сторону дымка. Под ногами хрустел сухой тростник, приятно пахло солью и тухлой рыбой...

Вскоре из-за грузовика вышел старичок. Он осторожно приблизился к Гане и Коле и поклонился, внимательно изучая разложенные на газете остатки еды. Ганя протянул ему хлеб и пакет с кефиром. Старичок снова поклонился, всё взял, не побрезговал. Долго жевал молча. Потом ткнул пальцем в сторону затонувшего корабля и сказал:

– Минный заградитель «Волга»! В 1901-м году зачислен в списки судов Балтийского флота, в 1904-м спущен на воду, в 1909-м вступил в строй. В Первую мировую принимал активное участие в минно-заградительных операциях русского флота. В 18-м совершил переход из Ревеля в Гельсингфорс и Кронштадт. Участвовал в подавлении мятежа на фортах «Красная Горка» и «Серая Лошадь». С 1922-го года находился в составе сводного дивизиона учебных судов. Прошёл капитальный ремонт в 37-м. С 38-го года использовался как несамоходная плавучая база. Во время Отечественной войны обеспечивал базирование лёгких кораблей Балтийского флота. В июле 43-го года был сдан в порт на хранение, а с 44-го по 82-й использовался как живорыбная база в Ленинграде. Без должного ухода окончательно обветшал и сел на дно!

– Коля! – сказал Коля.

– Ганя! – сказал Ганя.

– Николай Иванович Колесов! – представился старичок, снова поклонился и ушёл к себе – за грузовик.

Солнце садилось, вливая в Маркизову лужу драгметаллы. Небо затянули жёлтым шёлком. Потом шёлк убрали и стали вытаскивать из сундука синюю драпировку со звёздочками. Коля заторопился в обратный путь. Крепко держа за руку слившегося с темнотой Ганю, он по еле видным тропинкам пробирался к мерцающей стене автовских огней.

У метро Коля сдал бутылки и сказал, что ему нужно зайти в аптеку.

– Коля, у вас что-то болит?

– Нет, друг, напротив, мы хорошо прогулялись, я чувствую лёгкость необыкновенную! Мне бы хотелось поддержать свой организм в этом прекрасном состоянии. Я должен взять *бояры* и скорей вести тебя домой, не детское уж время!

– Вам пить или капать? – спросила Колю продавщица в белом халате.

– Мне – капать. Много капать.

– Двадцать пять? Сто? Триста?

– Сто.

– Восемь пятьдесят!

Коля выпил и окончательно захмелел. Ганя проводил его до дома – он жил в коломенской коммуналке. Было совсем поздно. Коля принёс Гане расплёсканный сладчайший чай. Ганя позвонил своим, сказал, что заночует у Коли. Его голова, забитая странными мыслями, фантазиями и впечатлениями, упала на прокуренную подушку. Даже не сняв ботинки, Ганя задремал на Колиной кровати. Коля свернулся калачиком на полу. Мимо него полз по своим делам таракан.

В квартире было тихо, все жильцы спали. Только Лаура Владленовна Сыровацкая, шаркая синими ногами, ходила по длинному коридору. Она проживала со своей дочкой Сонечкой в узкой комнате с единственным окном, с которого свешивались колеблемые сквозняком полоски скотча. За ужином Сыровацкие пили растворитель «Льдинка». После десерта Сонечка отлучилась в сортир, там задумалась о чём-то хорошем и крепко заснула, положив опухшую щёку на прохладный фаянс. Лаура Владленовна время от времени подходила к закрытой на крючок двери, стучала в неё кулаком и говорила со строгостью: «Доча! Доча, домой!»

18

Елизавета Андреевна Птицына проснулась в своей квартире на Третьей линии. Серенькое утро занималось над Петербургом. Елизавета Андреевна разлепила глаза и сразу же их закрыла – смотреть было совершенно не на что. За окном, судя по всему, ничего не изменилось: мутное небо сочится мелким дождём, ржавчина гложет крыши, псевдоготический шпиль, увенчанный крестиком с шишками, тонет в тумане.

С детства Елизавета Андреевна ждала, когда же к Святому Михаилу прилетят горгульи, рассядутся по стенам и станут глазеть на островную – такую прекрасную – жизнь. Вот бегут бездомные собаки: им назначена важная встреча у конюшни в саду Академии художеств. Вот из подвала вышел рыжий облезлый кот с иронией на морде. Вот мать тащит замотанных детей. «Ой, гулёны, гулёны!» – кричит им бородатый дворник, убирающий листья. В его ручище – косматая метла. Щёки – красные яблочки. Когда он смеётся, видно, что многих зубов не хватает. Два бомжа украли крышку люка. Еле тащат. Куда тащат? Вот художник роется в мусорном баке. Вот композитор – тощенький, горбоносый, в тёмных очках, в берете – тихо идёт, прислушиваясь к вселенской музыке, несёт на сутулой спине мешок из «Пятёрочки». Вот спившийся доцент у Андрея Первозванного показывает гражданам гниющую ногу. Вот высокая нищая в платке; на рынке ей дадут кипяточка и подарят мешок подгнивших овощей. На задворках мозаичной мастерской рассыпана битая смальта. Дети роются, набивают карманы сокровищем. В полукруглых окнах мерцают хрустальные люстры. Дьявольские, ангельские, звероподобные маскароны охраняют «выцветшие» дома. На стене мелком написано: «Присмотрись. Волшебство повсюду!»

Но горгульи смеялись над скромным убранством церкви и на прекрасную жизнь смотреть не хотели: покружив над островом, всегда летели дальше. Этой ночью дикие твари с обезьяньими телами и козлиными, волчьими, львиными мордами безумствовали над головой у Птицыной. С визгом и хохотом носились они по крыше, скребли когтями в окна, выли в дымоходе. Одни были француженки и в весёлом канкане лихо вскидывали мохнатые ноги. Другие – испанки: подбоченившись, танцевали фламенко, яростно топоча копытами. Утром все унеслись – в Толедо, в Париж.

Как бы хотелось Елизавете Андреевне тоже унестись в Толедо! Свернувшись под одеялом, Птицына терпеливо ждала, когда Морфей, на минуту отлетевший – в «Штолле», за пирожным к завтраку, вернётся к ней и заключит в объятия. Но он не спешил – сидел в столовой на Малом проспекте, мял в прозрачных руках газету и ел щи «Похмельные».

«А Сергей Петрович сейчас пьёт чай. Смотрит на лес в окошко. Николай Ильич покупает творог на рынке. И зачем я проснулась так рано? Почему не спится?» – думала Елизавета Андреевна. Морфей вернулся и полез было к Птицыной под одеяло, но его спугнул за шкаф странный шум на кухне.

Там кто-то был: ходил, переставлял предметы, шуршал бумажными пакетами. Кажется, что-то искал. Кажется, что-то ел... Кто зашёл в квартиру? Ключи были только у Гани и Николавны, но это не они: Ганя не способен что-либо делать тихо, а Николавне нечего искать с утра на Птицынской кухне. Елизавете Андреевне стало очень страшно.

«Неужели забрался вор? Или бомж через чердачное окно проник на крышу и по водосточной трубе... И как неправильно быть одной... Вот если бы Сергей Петрович. Или, на худой конец, Николай Ильич. Что же делать? Надо решительно выйти на кухню!» Птицына тихо плакала под одеялом. На кухне хозяйничал вор. Наконец, Елизавета Андреевна, не помня себя от ужаса, вылезла из постели, надела халат и, еле переступая ватными ногами, пошла на кухню.

Кухню заливал ровный утренний свет. Вставало солнце, по чистому небу бежали размётанные ночной бурей розовые облака. На кухонном столе стояла большая чайка с роскошной белой грудью, искрящейся жемчугом, с бархатными чёрными крыльями, жёлтым клювом и недобрым взглядом маленьких глаз. Светская гостья, проголодавшись после утомительного бала, подкрепляла силы птицынским хлебом «Бурже» и багетом. Окно было приоткрыто. Свежий ветер трепал занавеску. «Дура!» – сказала Птицына чайке. «Ты меня напугала, дура!» Чайка высокомерно посмотрела на всклокоченную Елизавету Андреевну и клюнула хлеб.

– Убирайся, пожалуйста, – попросила Птицына.

– Сама убирайся! Ты – жалкая женщина! Боишься уйти с насиженного места! Прожила всю жизнь на кухне! Ха-ха! А я – свободная! Великолепная!

– Я тоже великолепная. Я вырастила хорошего мальчика.

– Твой мальчик уже большой, тебе незачем здесь оставаться. Убирайся отсюда.

– Куда?

– У тебя нет никаких соображений?

– Есть. Но как оставить эти линии, проспекты?

– Они «способны обойтись без тебя».

– А Топорок?

– Никуда не денется.

– А Сергей Петрович?

– И Петрович никуда не денется.

– А мальчик?

– Ему тоже пора в путь.

Чайка отвернулась и пошла, презрительно вихляя низким задом. Схватила кусок французской булки, протиснулась в окно, распахнула огромные крылья и улетела.

19

Растопыренные пальцы, поросшие шерстью, бьют, пихают и колотят клавиши, потом мелкой перебежкой их щекочут, потом снова колотят, потом тихо гладят. Блестящая лысая голова отражает лучи прожектора, которые дымятся над ней зелёным нимбом. Она то откидывается, грозя упасть с короткой шеи и покатиться, словно бильярдный шар, то возит толстым носом по белоснежной клавиатуре. Пианист смеётся, подпрыгивает на стуле, ухает и подвывает. Это джаз, это рассказ про обыкновенную жизнь, про маленького человека, который родился, чего-то хотел, куда-то бежал, кого-то любил, а потом умирал. Здесь нет ничего величественного и героического. Здесь всё – про настоящее, про дело житейское, поэтому можно шипеть, подвывать и повизгивать. Ганя понимает, о чём говорит музыкант, для него музыкальный язык яснее вербального. Чёрный, большой, как гора, пианист рассказывает про детство, бабушку, маму, первую любовь. Иногда он гортанно вскрикивает от избытка чувств, и у Гани чешутся глаза. Потом он обрывает монолог вопросом, обращённым в пустоту, и в ту же секунду эта пустота удачным образом заполняется: из тени выходит другой чёрный человек – худенький, с белой бородкой, в очках, с саксофоном. Интеллигентно и ненавязчиво он высказывает своё скромное мнение на заданную тему, и Ганя утирает слёзы. Тихо вступает в беседу контрабас, он всё понимает, он сопереживает – умный, добрый, основательный. Затем начинают цыкать и шикать ударные, они поддакивают, подгоняют, просят, чтобы собеседники не стеснялись в выражениях, чтобы выворачивали, как карманы, мысли и чувства. Музыканты высказываются по очереди, потом спорят, перебивают друг друга, убеждают в обратном, почти обижаются и вдруг – приходят к согласию. Зал рукоплещет, Ганя рыдает.

Всё началось много лет назад, когда Птица дала Гане послушать «Бахиану». Потом его поразили регтаймовые обработки Листа, Грига, Шопена.

Эти вещи дачница, вообще-то мало что смысливавшая в музыке, придуманной людьми с чёрным цветом кожи, нашла, беспорядочно запуская мышь то в одну, то в другую виртуальную нору. Потом длинноносая подруга догадалась мальчика водить на джазовые концерты. Ну а закрепил Ганины музыкальные предпочтения потрясающий спиричуэл, услышанный в машине одного попа. «Регтайм – моя музыка, она хромает совершенно как я», – говорил Ганя. Когда же Птицына разрешила ему самостоятельно и бесконтрольно прогуливаться в информационном пространстве с мышкой на поводке, он наткнулся на толстого лысого Бабея, который своим джазом заставил напыщенную Вселенную совершенно поменять свой строгий ритмический рисунок и пульсировать в такт другому, абсолютно Гане понятному и рвущемуся из его африканского нутра колченогому ритму. «Николавна, Бабей – самый крутой, спорим на пендель с разбега?» Николавна, едва доходившая внуку седой головой до подмышки, отвечала: «Кто спорит – тот говна не стоит».

Мюльбаху на старости лет пришлось учить новый язык, и от напряжения у него стали выпадать зубы. Ганя знал par cœur сотню джазовых партий для фортепиано; он с утра до вечера импровизировал сам, разбирал чужие импровизации, импровизировал на темы чужих импровизаций и хотел только одного – играть с теми, кто его понимает.

Шло время, годы мелькали – Ганя рос и не обращал на них никакого внимания, Николавна тоже не обращала, она становилась всё бодрей, сутулей, белей. А Птицына их видела и провожала с сердечной болью – в Новый год и в день рождения плакала: ей не хотелось стареть. Она не улетела – ни в Париж, ни в Толедо. Чайки кружили у её окна, хватали еду с подоконника и вместо «спасибо» кричали: «Ой дура! Ой дура!»

Ганя был весёлым, общительным и жизнерадостным подростком. Правда, иногда с ним случались приступы меланхолии, которыми он эгоистично упивался, видя, как пугаются и хлопочут вокруг него родные.

Однажды, семнадцатой Ганиной весной, Птицына, вернувшись с рынка, обнаружила своего мальчика под филодендроном в растрёпанных чувствах – он пять часов подряд слушал электронные завывания Лайтнина Хопкинса, вспомнил Вареньку, ещё кого-то с лошадиной чёлкой, в красных колготках, и вдруг почувствовал одиночество и бесконечную печаль. Голова кружилась, руки дрожали, в рёбрах завывал ветер. Нервы шалили. Длинный худой Ганя, похожий на сломанного марионеточного сарацина, валялся на полу, отказывался от обеда, а вечерами пялился на луну, как безумный Пьеро. Николавна пичкала сарацина пустырником. Коля Иванов водил «друга» на подёрнувшееся нежной зеленью Смоленское кладбище – «дышать воздухом» – и даже налил ему рюмку водки у бывшей могилки Блока. Птицына читала вслух «Николаса Никльби» и чмокала лоб и глаза, стараясь согнать с любимой физиономии тень вселенской тоски.

– Ганнибал, взбодрись немедленно!

– Птица, мне кажется, что я один в этом мире.

– А как же те, кто с тобой носится, кто с тобой колотится? Как же я, Николавна, Коля и остальные?

– Так странно – почему Васильевский остров, почему Топорок, откуда это взялось? Прости, Птица, мне кажется иногда, что вы все – плод моего воображения.

– Скотина ты, скотина.

– Помнишь, в детстве мне казалось, что я – это не я?

– Да, это случалось, когда ты был голодный. Мы шли в пышечную на Конюшенной, и там ты становился самим собой.

– Сколько я съедал?

– Просил пять, съедал четыре с половиной.

– Сейчас могу двенадцать. А помнишь, мне казалось, что предметы съезжают со своих мест?

– Да, когда температура поднималась. Ты бегал по квартире и орал от ужаса, Николавна поила тебя валерьянкой. Валерьянка – ерунда, я запихивала тебе в пасть кусок лимона, и ты сразу приходил в себя.

– Спасибо, Птица. Я куплю тебе старый маяк, если выживу. Будешь сидеть в уютной круглой комнатке, пить чай, вокруг – трёхэтажные волны и альбатросы.

Ганя отправился умирать в Сковородку, там он прожил две недели. Вельможа с Мобиком ему настоятельно советовали ехать в Париж на концерт Бабея. Илюшин согласно кивал, глядя в окошко и почёсывая отросшую рыжую бороду. В Сковородке Ганя подкреплял свои силы ухой, простоквашей, работой на грядках и прогулками по лесному бездорожью. Вельможа бежал резвой рысью, взрывая копытами свежую грязь. Под брюхом его нёсся с высунутым языком весёлый чёрный Мобик. Над болотом гремел хор влюблённых лягушек, птицы орали, воздушные потоки с запахом мокрого гнилья, коры и хвои влетали в молодой организм, изгоняя печаль.

Белой ночью Ганя с восторгом слушал пересмешника, который свистел, хрипел, трещал и бумкал. Маленькая птичка уверяла Ганю, что жизнь – огромная, прекрасная – только начинается, и стоит сделать лишь шаг, чтобы подхватило, завертело, унесло в сверкающую даль.

На заре Ганя начал получать потусторонние сигналы: его мобильный телефон неоднократно звонил, но на экране вызовы мистическим образом не обозначались. Сонный Ганя отнёс телефон в другую комнату и спрятал под подушку, но кто-то переместил его на вершину берёзы – оттуда всё утро раздавались звонки. Потом на берёзу вспрыгнула лягушка и заурчала, заквакала. Потом туда забрался Мобик и стал тявкать. Потом залез Вельможа и захрапел, зафыркал. Потом над Сковородкой раздались удивительные крики тропических птиц. Ганя и Сергей Петрович с разинутыми ртами, теряя шапки, смотрели на берёзу. И вот скворушка-пересмешник сорвался с дрожащей зелёной вершины и взмыл в солнечную синеву. Настала тишина. Сергей Петрович сунул Гане пачку денег, завёрнутую в «Окуловские ведомости», крепко обнял и пожелал счастливого пути.

20

Ганя впервые отправился в путешествие один. Раньше он ездил с Птицыной или с ребятами из музыкальной школы. Когда самолёт взлетел, Ганя почувствовал себя взрослым свободным дядькой. Он выпил стаканчик вина. Поглядывая на плывущие внизу облака, радостно сам с собой здоровался, пожимая длинные пальцы.

Бабей играл в Берси, Ганя пошёл на концерт, хотел с ним познакомиться, поговорить, но это было невозможно – к нему не пускали. Один добрый человек сказал, что может передать Бабею записи Ганиной игры, но записями Ганя не запасся. «Вот ведь дурак! Какой же я дурак!» – корил он себя, но делать было нечего. В метро к нему привязался сумасшедший негр, он хохотал и орал: «Обещала, что будет любить, а сама уехала в Монтелима-а-ар! А-ха-ха!» Сумасшедший преследовал Ганю. Когда Ганя пытался от него скрыться, он, расталкивая людей, бежал за ним, смеялся, дико вращая глазами, и всё кричал про Монтелимар и ту, что обманула. Ганя вышел из метро на Распае и направился в сторону кладбища. Негр не отставал. На кладбище было пустынно. Молчали фамильные склепы, кресты, гранитные плиты. На могиле Генсбура сидел плюшевый медведь. Ганя резко повернулся к хохочущему психу и пошёл на него со злым лицом и кулаками. «У меня неприятности! – кричал он по-русски. – Нет записей! А их могли бы передать! Чего тебе надобно? Сейчас получишь от меня! Убирайся!» Негр смутился, дал задний ход и растаял среди могил. Потом вдалеке снова послышался его смех.

Ганя гулял по пропахшим мочой набережным Сены. Девушки поглядывали на высокого хромого красавца с палочкой. Ганя тоже на них поглядывал и улыбался. Но знакомиться стеснялся – боялся расшипеться. В Люксембургском саду он ел блины, их пекли феи в деревянных киосках, украшенных гирляндами и заставленных банками с разноцветными резиновыми конфетами. На старой карусели облупленные звери с выпавшими хвостами и выразительными глазами кружили кудрявых наездников. У детей были сосредоточенные мордочки – они срывали палочками железные кольца, которые выпрыгивали из коробки. Коробкой заведовал любезный полинезиец, он тоже выпрыгнул – из картины Гогена. На горке старенький папочка бился на мечах с хорошеньким мальчиком. Папочка треснул мальчика по лбу, мальчик заплакал. Папочка гладил его по головке, сокрушённо глядя вдаль.

Ганя обратил внимание на странную беременную, которая ходила среди играющих детей. Причудливой одеждой и порывистыми движениями она напоминала Птицыну. Беременная подсаживалась на скамейки к болтающим мамашам, заглядывала в коляски к спящим малышам, в лица ребят и родителей. Она многозначительно гримасничала и заговорщически подмигивала, похлопывая себя по большому животу. Казалось, она хотела сказать: «Да-да, и я тоже, я – тоже!» Ганю удивило, что она двигалась как-то не по-беременному, в ней не было припухлости, плавности и покоя, глаза остро блестели и смотрели не внутрь (это Птицына говорила, что у беременных взгляд всегда «перевёрнут»). Очевидно, в саду беременную знали: некоторые, увидев её, отворачивались и отходили в сторону. В тени платанов, у затянутого зеленью фонтана, Ганя нашёл беременную с задранной рубашкой – она сосредоточенно поправляла привязанную к тощему животу подушку, что-то бормоча себе под нос и напевая.

В мраморной песочнице надменные малыши в шляпах взрослого фасончика, охраняемые чёрными няньками, похожими на мадам Мешкову, притесняли девочку в ненарядных трениках. «Это наш песок. Не играй с нашим песком!» – говорили они. Девочка не знала по-французски. Сначала она улыбалась, а потом, поняв, что её гонят, горько заплакала. Надменные дети заинтересовались её песочной мельницей. Девочка протянула им мельницу, она хотела подружиться. Но чёрные няньки закричали: «Максим, это не наше! Антуан, это не наше!» Они отогнали детей от девочки. «Па туше, па туше!» Мама девочки просила нянек разрешить детям поиграть вместе, но няньки делали вид, что её не слышат. Тогда мама вытащила девочку из песочницы, сказала нянькам по-русски неприличное слово и пошла к маленькому театру – там звонил колокольчик, начиналось представление. Ганя последовал за ними.

Театрик был полон, пузатый хозяин прогонял с первых рядов взрослых. С ним спорила важная дама с высокой причёской и капризной внучкой. Лукавый деревянный человечек высунулся из складок занавеса и тут же спрятался. «Гиньоль, Гиньоль!» – завопили дети. Давали «Заколдованный замок». Принц и Гиньоль ходили по мрачным залам, за ними охотился страшный паук. Паук по паутинке спускался с потолка за спинами героев, но стоило им обернуться – убегал наверх.

Гиньоль что-то рассказывает зрителям, а за его затылком шевелит мерзкими лапами паук. Дети кричат изо всех сил: «Вот он, Гиньоль, обернись!» Гиньоль оборачивается – никого нет. Он опять что-то говорит мальчикам и девочкам, паук снова спускается, дети так орут, что хочется заткнуть уши. «Где он?» – «За тобой!» – «Да где он?» – «За тобой!» Ганя не выдерживает и тоже кричит: «Дерьер туа! Дерьер туа!»

21

Следующий концерт Бабей играл в Монпелье. Ганя поехал на юг. Поезд мчался, природа менялась на глазах. Бургундия была зелёной, свежей, что твой Валдай. После Нима «пошли писать чушь и дичь» – каменистые пустоши, корявые сосны, спалённая солнцем трава.

Ганя поселился в маленькой гостинице у моря. Ночью был шторм, ветер выл, как стая волков, незакреплённые ставни хлопали, грозя сорваться с петель. Утром стая убежала, над водой разлился золотой свет. Было жарко. Ганя гулял по широкому пляжу и собирал ракушки. Они были той же расцветки, что и фасады домов – из фиолетового через голубой, бежевый, жёлтый, оранжевый плавно в коричневый. «“Каждый охотник желает знать, где сидит фазан”, – учил Николай Ильич». Два молодых человека возили вдоль воды раскрашенную тележку, они звонили в колокольчики, играли на жестяной трубе и кричали: «Мороженое! Фисташковое! Пралине! Пышки с шоколадом!» Вокруг толпился народ; от тележки отходили с маленькими рожками, на которых непонятно каким образом удерживались тяжёлые наросты вмятых друг в друга разноцветных шариков.

По высокой каменной гряде Ганя дошёл до маяка. Под ним сидел толстый рыбак с тремя удочками. На берегу отдыхала большая арабская семья. Дети прокладывали лабиринт в мокром песке, взрослые закусывали под гигантским зонтом. Ветер трепал платки и платья. В кресле сидела бабушка, замотанная в чёрное. Величавая, вся в морщинах, смотрела в синюю даль.

Накатывали волны. Ганя заметил странную пару – по пояс в воде стояли, взявшись за руки, красивая девушка и худой сутулый парень. Когда волна набегала, грозя пенным гребнем, они подпрыгивали и смеялись. Девушка была изящной, лёгкой, как рыбка. Парень – нелепый, похожий на кривой сосновый корень. Он беспорядочно махал длинными руками и неловко прыгал, подняв глаза к сияющему небу. Он был незрячий. Напрыгавшись, парень с девушкой вышли на берег. Они всё время смеялись и держались за руки, было видно, что они влюблены друг в друга. Гане сделалось грустно. Ему тоже хотелось бы вот так прыгать в волнах с девушкой.

К Гане подошёл низенький человек с бритой головой, пышными усами, пьяными глазками, в рубашке, лихо распахнутой на волосатой груди со сверкающим толстым крестом. «Привет, друг! Меня зовут Диего!» – сказал незнакомец. Он был похож на мексиканского бандита из итальянских вестернов. Николавне бы он не понравился.

Диего пристал к Гане с разговорами. Про себя он говорил не много – сказал только, что проживает в славном городе Перпиньяне и имеет большую семью. Диего подробно расспрашивал Ганю о том, как живётся простому человеку в Петербурге, о котором имел весьма приблизительное представление – всё время путал его с Сингапуром. Ганя был рад поболтать с «местным» и заодно подучить французский. Диего повёл его обедать в «хорошее место с разумными ценами», там они ели вонючих жареных креветок. Диего запивал их виски – хлопал стакан за стаканом, но это на нём никак не отражалось. Он с интересом слушал про Бабея и его музыку, сказал, что тоже обязательно сходит на концерт в Монпелье. Потом они снова пошли гулять по набережным.

Ганнибал и Диего сидели на скамеечке под пальмой и болтали обо всём, что видели вокруг и что само лезло в голову, когда вдруг седенький старичок на соседней лавочке охнул и пополз на землю. «Скорая!» – завопил Диего. «Скорая!» – завопили отдыхающие. Собралась толпа, дедушку подняли, положили на скамейку, стали поливать водой из бутылок и обмахивать газетами. Через несколько минут к нему прибежали два врача, затем прилетел вертолёт – опустился на пляж, подняв песчаную бурю. Из вертолёта выскочили люди с носилками. Не успел Диего выкурить папироску, как седенький дедушка уже взлетел в блистающее небо.

– Кто этот был? – спросил Ганя.

– Старичок? Не знаю старичка, никогда раньше не встречал.

– Почему за ним прилетел вертолёт?

– Как почему? Ему плохо стало. Увезли в больницу.

– Я подумал – это знаменитый человек.

– Почему?

– Потому что увезли на вертолёте.

– Для этого необязательно быть знаменитым, друг. Если ты сейчас вырубишься, за тобой тоже скорее всего пришлют вертолёт.

– Да? Так я ведь не француз.

– У старикашки паспорт никто не требовал.

– Какое у вас хорошее правительство, Диего!

– Нет, у нас плохое правительство. На каждом шагу нарушают права человека!

Новый друг проводил Ганю до гостиницы и заглянул к нему на минутку – выпить чашечку кофе. Посидел часок, посмотрел телевизор, чуть-чуть вздремнул, потом заторопился домой, вспомнив, что невестка должна вот-вот родить. В дверях Диего замялся и попросил у Гани двадцать евро взаймы. Ганя достал кошелёк, но денег там не оказалось. Кредитная карточка тоже исчезла. Он не мог понять, куда всё подевалось, ведь кошелёк хранился во внутреннем кармане жилета, который он снимал только дважды, чтобы искупаться, причём оба раза отдавал его на хранение арабской бабушке в чёрном. Она держала жилет на коленях, второй раз, правда, заснула, но всё было в целости и сохранности. Куда же они пропали – деньги Сергея Петровича?

Диего разволновался, сказал, что нужно срочно заблокировать карту, но главное – не отчаиваться, что завтра они вместе пойдут к одному «очень хорошему следователю», давнему его знакомому, который несомненно распутает это тёмное дело и выведет вора на чистую воду. Троекратно облобызав удручённого Ганю, он ушёл с обещанием нарисоваться утром.

Ночью Ганя плохо спал – переживал. Гостиница была оплачена за несколько дней вперёд. Но чем питаться? И на что покупать билет на Бабея? Нужно звонить домой, волновать, просить денег, а как не хочется... Ни за что...

На рассвете раздался стук в дверь. Вошёл бодрый, сияющий Диего.

– Завтракать – и к следователю!

– Как дела у невестки?

– Какой невестки?

– Которая должна была родить.

– А, Сара! Нет, пока не родила. Я не ездил в Перпиньян. Ночевал у подруги.

За ночь Диего разжился деньгами – повёл Ганю завтракать в ресторан с белыми скатертями. Они ели яичницу, круассаны с апельсиновым вареньем и пили из гигантских чашек кофе с молочной пеной. Солнце встало, но было ещё не жарко, пели птицы, шныряли коты.

Здание полиции было обшарпанным, угрюмым. Ганю и Диего записали на приём к следователю Тапарелю, к нему уже образовалась гудящая очередь. На стульях сидели две старушки (у обеих вчера на рынке украли кошельки, но они выглядели не слишком удручёнными и живо обсуждали городские новости), а также беременная лет семнадцати и с ней молодой человек, баюкающий годовалого ребёнка. Эти трое были черноглазыми брюнетами и оказались родственниками Диего. Он к ним подошёл, стал что-то весело рассказывать и щекотать малышу животик.

В самом тёмном углу приёмной сидели нищие с собаками. Ганя их знал – они работали у приморских гостиниц, он уже пару раз им подавал. Псы были здоровые, косматые. Один безмятежно зевал, скаля пасть с сахарными клыками. Другой был беспокойным, всё поднимал свой зад, заглядывал хозяину в глаза и поскуливал. Этот его хозяин обладал примечательной внешностью – именно так Ганя представлял себе в детстве романтического пирата: загорелое лицо, на котором ветер, солнце и морская соль оставили глубокие трещины, узкий лоб, голубой пронзительный взгляд из-под низких бровей, тонкие поджатые губы, выступающий подбородок и растрёпанные космы. Словом, красавец.

Ганя провёл в участке четыре часа. Они пролетели совсем незаметно. Скучать не приходилось, перед глазами разворачивалось удивительное представление. Следователь Николя Тапарель оказался молодым ещё человеком благородной наружности, с тихим, но твёрдым голосом. Он сидел в инвалидной коляске, вид имел строгий и решительный. Тапарель принимал в кабинете. Когда обстановка в приёмной накалялась, он выкатывал из кабинета, толкая сильными руками колёса коляски, и «разбирался».

– Ранение в перестрелке? – спросил шёпотом Ганя Диего.

– Нет. Он с детства не ходит.

Беременная мадемуазель (так к ней обращался следователь – «мадемуазель») требовала, чтобы ей вернули мужа, задержанного за участие в грандиозной драке с полицейскими. Она заламывала тонкие руки, рыдала, вопила, причитала, хватаясь за свой живот, который был такой круглый, что казался приклеенным к стройному телу. Она совала Тапарелю какие-то фотографии и кричала, что сейчас приведёт свидетелей. Парень с малышом, судя по всему, брат задержанного, тоже умоляюще голосил.

Диего подскочил к Тапарелю.

– Шеф! – кричал он, – я всё видел, ничего не было, шеф! Нино сидел дома, смотрел футбол, я сам смотрел с ним футбол весь день и весь вечер! Вы меня знаете, я врать не стану!

– Месье, вы не можете здесь находиться в таком виде. Выйдите и приведите себя в порядок.

– Что вам не нравится, шеф?

– Я сказал – выйдите и приведите себя в порядок.

Диего посмотрел на свою волосатую грудь с болтающимся крестом и вышел на улицу – застёгиваться. Беременная с парнем и малышом тоже ушли. Тапарель занялся нищими. Они явились в полицию за правдой и заступничеством: водители автобусов отказались возить на работу пиратского пса, потому что он плохо вёл себя в общественном месте и не имел намордника. Нищие волновались, собаки гавкали. Следователь созванивался с автобусным парком. Суд над собакой назначили на среду. Нищие вышли на улицу.

– Вот видишь, Паскаль! Я был прав. Куда катится эта страна, где плюют на закон, на собаку, на человека! – говорил пират. Тихий интеллигентный Паскаль вздыхал и качал головой. Собаки радостно писали на крыльцо полицейского участка.

Со старухами разговаривал инспектор Гарсия. Усталый Тапарель подозвал Ганю, задал ему дежурные вопросы, потом спросил, давно ли он знает Диего.

– Мы вчера с ним познакомились. Он мне помогает, вот к вам привёл.

– Я не могу с уверенностью сказать, что это Диего украл ваши деньги, но предупреждаю – держитесь от цыган подальше.

В эту минуту дверь распахнулась и в участок ввалилась толпа галдящих свидетелей во главе с беременной мадемуазель – колоритные личности, как на подбор: кто – растрёпанный пузан с седыми волосами и толстым носом, кто – знойный красавец, приглаженный и набрильянтиненный. Все – пламенные, страстные, с золотыми крестами и перстнями. Обступили Тапареля. Уважительно, но напористо уверяли в невиновности своего брата, друга, племянника и любимого сына Нино.

Тапарель разозлился, началась перепалка, в неё охотно вмешались обворованные старухи. Нино забыли, заговорили о цыганских детях, которые не хотят ходить в школу.

– Сколько город денег тратит на интеграцию цыган! – кричала одна старуха. – Моя Мари – учительница! Чтобы заставить ваших детей ходить на уроки, она в классе печёт блины. На блины они идут, а на чтение – нет! Мари читает с ними рецепты блинов! Рецепты блинов – единственный способ научить читать ваших детей!

На старуху лез пузом самый толстый цыган.

– Не смейте нам говорить про интеграцию! Мы уже пять веков как французы! Мы у себя дома! Мы голосуем и платим налоги!

Среди свидетелей Диего не было. Ганя вышел на улицу. Хотелось есть.

22

В Топорке созрела клубника. Николавна собрала её в чашечку, хотела мальчику отнести, а мальчика-то и нет! Под яблоней, за столом, накрытым красной скатертью, скучала с остывшей чашкой Птицына. Сергей Петрович ходил по заросшему саду и с размеренностью маятника косил траву. Полуденный свет заливал Топорок, было жарко. Илюшин вспотел, снял рубашку, вокруг него роились слепни, но он не обращал на них внимания. Мощный, бородатый, до пояса скрытый репейником и иван-чаем морской инженер казался кентавром. Илюшин опять зачастил к Птицыной, но о женитьбе больше не заикался, просто – был, помогал, любовался.

За обедом говорили, конечно же, только про Ганю: с утра (по пути в участок) он прислал сообщение, что поживает прекрасно, всех целует-обнимает и его совместный с Бабеем концерт не за горами. Ели суп с щавелём и крапивой, запечённого судачка из озера Ильмень, жаренную в сухарях цветную капусту, на сладкое – сырники с ягодами.

Пришла нарядная Мешкова. Она вела за ручку Генкину дочку Тонечку. Девочка была похожа на Мешкову – толстенькая, бойкая, весёлая, в красивом платьице. Чтобы поддедюлить бывшего и сопливку, мадам решила поставить себя так, чтобы девочка полюбила её больше родителей, и из кожи вон лезла, приводя в исполнение свой коварный план. «Тонечка захочет быть только со мной. Настанет час, когда она сделает свой – правильный! – выбор. Уйдёт из избёнки ко мне. Посмотрю тогда на вас... Наплачетесь... Но я вам дочку не отдам! Рожайте себе кого-нибудь другого, а Тоня будет моя. Что вы можете дать ребёнку – нищие, неначитанные?» – так тёмными ночами думала Мешкова, беспокойно ворочаясь на белоснежных простынях и пухлых кружевных подушках.

Когда Тонечка была младенцем, Мешкова приходила её мыть и качать, покупала ей самые нарядные детские вещички – погремушки, ползунки, пелёнки, платьица и одеяльца. Молодая мать, хоть и боялась Мешкову до дрожи, была рада этой помощи. Без мадам ей пришлось бы туго. Когда Тонечке исполнился год, Мешкова стала запугивать сопливку страшными рассказами о вреде долгого кормления грудью. Она ссылалась на одного компетентного эндокринолога, доказавшего, что «женские гормоны матери, сливаясь с женскими гормонами дочери, образуют крайне вредную смесь в организме девочек, у которых впоследствии слишком рано проявляется интерес к мужскому полу и нежелание учиться в школе». Мешкова своего добилась — Тонечку отняли от груди, и тогда мадам смогла беспрепятственно забирать дитя к себе в хоромы: сначала раз в неделю, потом два, потом четыре. С Мешковой Тонечка начала говорить первые слова. У Мешковой в доме она сделала свой первый шаг. Мадам читала Тонечке «Айболита», пекла с ней печенье, осыпала её подарками и незаметно запуталась в собственных сетях: она так привязалась к Генкиной дочке, что совершенно не могла без неё обходиться. Тонечка при этом любила больше маму, потом уже старенького папочку, а Мася Мешкова в её жизни делила лишь третье место с Барсиком.

Обретя с Тонечкой смысл жизни и великое утешение, Мешкова завязала с выпивкой и стала чуть меньше ненавидеть человечество. Под яблоней, за красным столом, уставленным вареньями и печеньями, Мешкова чаёвничала с Птицыной, Николавной, Илюшиным и любимой Тонечкой. А бедный Ганя в это время отчаянно боролся с ароматом жареной баранины, который летел изо всех лангедокских щелей и без приглашения лез к нему в ноздри.

Ганнибал очень хотел поиграть: во-первых, он соскучился без музыки и у него чесались руки, во-вторых, он надеялся, что кто-нибудь его покормит в награду. Он заглядывал в рестораны, гостиницы, магазины, но рояля нигде не находил: это был бедный городок, трущобный, захолустный, прекрасный в своём запустении. Ганя бродил по кривым горячим улицам вдоль домов с ажурными балкончиками и закрытыми ставнями. Перед ним вставали церкви с изнывающими от жары горгульями, куски античных строений, колонны, которые ничего не поддерживали, готические своды, которые никуда не вели.

На главной площади, окутанной мучительным запахом блинов, Ганя увидел знакомых нищих – они сидели в тени архиепископского дворца. Косматые псы работали: строили глазки прохожим и улыбались, когда им кто-нибудь подавал. Пират лениво потряхивал погремушкой, Паскаль спал. Ганя подошёл, поздоровался.

– Что, не пускают в автобус?

– Без намордника не пускают. Нет ли у вас денег на намордник для Избы?

– Изба?? Его так зовут?

– Да, это Изба, а это Индиго.

– У меня нет денег на намордник, но я хотел бы их заработать. Можно мне тут с вами постоять?

– Ты что-нибудь умеешь?

– Да, попробую спеть.

– Тогда отойди подальше, чтобы не разбудить Паскаля.

Ганя вышел на середину пустой площади. К нему подошёл Изба, сел рядом, тяжело дыша и пуская слюни на средневековую мостовую. Ганя откашлялся и громко сказал: «Грешный человече»! Поминальный духовный стих! Слова и распев народные!» И запел во весь голос:

Как ходил же грешный человече,
Он по белому свету,
Приступили к грешну человеку,
К нему добрые люди:
– Что тебе надо, грешный человече,
Ти злата, ти серебра,
Ти золотого одияния?
– Ничего ж на свете мне не надо,
Мне ни злата, ни серебра,
Ни золотого одияния.
Только надо грешну человеку
Один сажень земельки
Да четыре доски.

Как только Ганя начал петь, к нему подошли двое полицейских и стали слушать. Ганя сделал паузу и вопросительно на них посмотрел, но они ничего ему не сказали, и он запел дальше. Затем подбежали дети, подошли их родители, подошла ярко накрашенная дама, подошли испанцы с рюкзаками, подошли старички и старушки. Когда Ганя закончил, все громко захлопали и приготовились слушать дальше.

– Изба, что бы им спеть?

Пёс широко зевнул, показав публике огромную пасть красного бархата, и предложил что-нибудь казачье. Ганя запел: «Не для меня придёт весна, не для меня Дон разольётся». Все опять хлопали, но денег никто не давал; правда, Ганя их и не просил, он плохо себе представлял, как это делается. Шляпы у него не было – не идти же с протянутой рукой! Между тем, есть хотелось, а Изба нуждался в наморднике. Ганя затянул «Боже, Царя храни!» На пса гимн оказал сильное действие: он вскочил, гавкнул и громко завыл. Наверное, у него был русский прадедушка. Ганя его пнул и запел дальше – всю «Молитву русских». На последних словах – «Светло-прелестная жизнь поднебесная, сердцу известная, сердцу сияй!» – стали бить часы на башне: «Бом! Бом! Бом!» Народ хлопал. Ганя откланялся и пошёл прочь. Около автобусной остановки сидел на тротуаре дедушка в пальто. Перед ним на газете лежали остатки какой-то еды и был стаканчик, в который прохожие клали монетки. Панк с мощным гребнем на выбритой по бокам голове угостил дедушку сигареткой.

Ганя вернулся в гостиницу, выпил чаю (хорошо, что в номере был чайник и пакетики с заваркой и сахаром) и лёг спать. Проснулся к вечеру, постоял под душем, надел свою лучшую белую рубашку с янтарными запонками и пошёл гулять. На площади его узнали и начали хлопать. Петь Гане не хотелось, он поклонился, приложив руку к сердцу, и повернул на узенькую улочку. Там толпились люди, некоторые магазины были ещё открыты. В антикварной лавке стояли безлицые деревянные манекены в шляпах и сверкали круглые зеркала, из «Старой книги» выглядывал Жан-Луи Барро, похожий на Олега Каравайчука, в витрине ювелирного магазина Девушка с жемчужной серёжкой голодными глазами желала ему доброго вечера. Под вывеской с изображением воинственного петуха со шпорами, пышным хвостом и раскрытым клювом стояли круглые деревянные столы с конусами салфеток и высокими бокалами. Люди ели что-то, судя по всему, исключительно вкусное. Весёлая женщина возила от стола к столу чёрную доску на колёсиках. На ней мелком было написано: «Десерт. Кофе "Гурман" – кофе, баскский пирог, клубника в шоколаде, апельсиновые цукаты, крем-брюле. 7,50».

Ганя шёл вдоль канала. Тихо плыли кораблики, роняли жёлтые листья старые платаны. «Что же такое баскский пирог?»

– Друг! Друг!!

К Гане мчался радостный Диего.

– Друг, что сказал шеф?

– Сказал... сказал быть осторожней.

— Да, народ — такие воры! Пойдём, пойдём выпьем!

— Диего, ты ведь знаешь, у меня нет ни копейки.

— Друг, я тебе помогу! У меня есть идея, я давно хотел тебе сказать... Мы разбогатеем! Завтра же!

— Хорошо бы завтра, потому что мне нечем платить за гостиницу.

— Всё будет, всё будет!

Диего потащил Ганю ужинать в «ещё одно хорошее место». Это было неаппетитное заведение в круглом дворике с чахлой пальмой. Над барной стойкой висел портрет Генсбура. Бармен — толстый курчавый парень, похожий на сказочного людоеда, наполнял стаканы пивом, вином и ещё какой-то жидкостью, которая бродила в огромной бутыли, набитой пучками травы. В зале и на улице за пластмассовыми столиками сидели заторможенные и, наоборот, слишком возбуждённые личности — все друзья Диего. Под пальмой стоял драный диван, на нём кто-то спал. Грохотала музыка — гитара, скрипка, контрабас: «Эх раз, ещё раз, ещё много-много раз», потом «Калинка», потом «Катюша». Беззубый мужичок отплясывал с красивой девушкой. Черноволосая официантка с усталыми глазами принесла еду, бутылку виски и оплывшую толстую свечу. Диего был весел и взволнован, он заглатывал куски мяса, опрокидывал стопку за стопкой, прищёлкивал пальцами, моргал усом, подмигивал и шёпотом обещал Гане нечто такое, что его чрезвычайно обрадует. «К петушатнику! К Байрону Ренарту за

Вавилоном! Завтра же к петушатнику!» – твердил он как заклинание. Пляшущий огонёк бросал на него странные тени. Гане казалось, что на лысой голове Диего выросли рожки.

Раздался низкий рёв аккордеона. Вышла крупная босая женщина в облегающем платье. «На Бастилию!» – заорал народ. Она заиграла мощно, весело, яростно. Таращила глаза, поводила плечами и притоптывала. Все пели: «А-ля Бастий! А-ля Бастий! А-ля Бастий!» В небе загрохотало. Людоед стал поспешно крутить какую-то железяку, над двориком протянулся навес. Сверкнула ярчайшая молния, потом другая, третья. Через несколько минут с неба хлынул водопад, совершенно заглушивший музыкантов. Под ногами текла река. Диего сел по-турецки. Он никак не мог угомониться – хлопал в ладоши и всё кричал: «На Бастилию! Вперёд, на Бастилию!» Потом выдал Гане двести евро, чтобы купить два билета на концерт Бабея, но тут же забрал их обратно, сказав, что лучше даст завтра. Диего проводил Ганю до гостиницы, сердечно попрощался, потом решил подняться в номер – выпить грамульку, «ан пёти ку», и посмотреть новости. Усевшись в кресло, он тут же захрапел и безмятежно спал до утра.

23

На следующий день Диего повёз Ганю в Перпиньян – обогащаться. Гане казалось, что он попал в кино, в роман, в чьё-то сновидение, в параллельный мир: происходящее не имело ничего общего с привычной размеренной жизнью под крылом у Птицы и за пазухой у Николавны. В чужой стране, без денег, без друзей, он следовал за странным человеком, который открывал ему странный мир, населённый странными персонажами, живущими по странным законам. Ганя доверился весёлому усачу. Он решил, что самое плохое, что с ним могло случиться, – случилось, и теперь терять уже нечего, нужно стать фаталистом, плыть по течению, верить в людей и удачу. Даже Птице не понравилась бы такая философия, не говоря уж о Николавне.

Поезд мчался в Перпиньян через соляные пруды и болота. Сильный ветер гнал с моря тучи, поднимал брызги и пену, которая большими ватными хлопьями летела над серой водой, он сгибал в бараний рог шеи фламинго, сбившихся в плотное стадо, ставил бедным птицам подножки и трепал розовые перья. В городе ветер был тише. «К петушатнику! Ренарт нас ждёт!» – взывал Диего. Он повёл Ганю по бульвару, где в надутых парусом палатках продавали устриц по восемь евро за дюжину, потом по кривым улочкам, где вихрь разорял помойные баки и взметал к черепичным крышам вальсирующий полиэтилен, потом – унылыми огородами вдоль покосившихся заборов из деревяшек и проволочек. Где-то заорал петух. Диего захохотал, толкнул Ганю в плечо, присел, стал бить себя руками по бокам и кукарекать. «Всё это мне уже снилось, – подумал Ганя, – а, нет, – система доктора Смолля и профессора Перро!»

За высоким забором, опутанным плющом и лианами, драл горло целый взвод Шантеклеров. «Байрон Ренарт, это мы! Отворяй!» – закричал Диего. Высокий тип с курчавой чёрной шевелюрой открыл калитку. Это был лучший петушатник Лангедока, тренер самых сильных и яростных бойцовых петухов. «Где он? Где мой красавец?!» – кричал Диего, дрожа от возбуждения.

Ганя увидел множество клеток с разноцветными петухами. Они вытягивали шеи, вертели головами с обрезанными гребнями, беспокойно топтались на месте и косили гневными глазами.

– Где же Вавилон? – волновался Диего.

Байрон подвёл гостей к тренировочным клеткам, в которых вместо пола был большой металлический цилиндр. Цилиндр крутился, а петухи быстро переступали ногами, как спортсмены на беговой дорожке. Байрон открыл одну дверцу и достал Вавилона – рыжего воина с пышным чёрным хвостом. Диего любовно взял его в руки и принялся гладить с утробным кудахтаньем.

Байрон пригласил гостей в маленький домик с земляным полом. Там была кухня с развешанными по стенам сковородками и две забитые каким-то хламом комнаты. В одной из них на куче брошенной на кровать одежды сидел кудрявый мальчик, похожий на Байрона Ренарта. Раскрыв

318

рот, он смотрел телевизор. На телевизоре стояла Пречистая Дева в разноцветных бусах.

Петушатник Ренарт был сам похож на петуха – горбоносый, беспокойный, порывистый. Задумываясь, он наклонял голову к левому плечу. Когда Диего начал сбивать цену на Вавилона, Байрон кудахтнул и вытянул шею. Гане показалось, что он сейчас закукарекает, что клюнет Диего в наглый глаз. Диего без лишних слов положил на стол четыре бумажки. Ганя удивился – на столе у Байрона была такая же клеёнка с вишенками, как и в квашнинском доме в Топорке.

Бой был назначен на вечер. Диего взял петуха на грудь, поближе к сердцу, прикрыл его пиджаком, а Гане поручил нести большую корзину с крышкой. «Перед боем посажу его в эту корзину. Он не должен видеть врага, а то разволнуется, и его хватит апоплексический удар, как Жана. У меня был Жан – такой же чёрный, как ты. Жан увидел перед боем соперника и через минуту умер. В нашем деле всякое бывает!» Диего потащил петуха и Ганю к себе домой. Байрон с грустью смотрел им вслед, ему было жаль Вавилона.

Диего привёл Ганнибала в «свой район» – в квартал Святого Иакова. Там он опустил петуха на землю. «Иди, Вавилон! Разминайся. Сегодня тебя назовут главным убийцей в этом чёртовом городе!» Добродушный и мирный Диего вдруг стал агрессивным: он резко отвечал на Ганины вопросы, подпрыгивал, боксируя воздух, свирепо поводил плечами, словом, входил в образ тренера убийцы, да ещё и нюхал что-то время от времени.

Вавилон торопливо переступал лапками и с изумлением смотрел по сторонам – он сроду не видел такого беспорядка и антисанитарии. Благородная птица, покинув гнездо Ренарта, оказалась на самом дне общества. Дома были грязные, повсюду валялся мусор, на протянутых верёвках висели лохмотья. Вдоль потрескавшихся стен сидели на стульях старики с сигаретами и грузные женщины в цветастых платьях. Бегали лохматые дети и собаки. Впервые в жизни бойцовый петух Вавилон почувствовал страх и неуверенность в завтрашнем дне. «Сварят. Как пить дать – сварят в белом вине!» Он отчаянно закукарекал. Диего схватил его за хвост. Вокруг столпились люди. Уже начинали делать ставки. Уже близок был бой.

Вавилон устал и проголодался. Новый хозяин всё время тискал его, гладил, трепал. Он обращался с ним небрежно, неумело. Диего накормил Вавилона непривычной пищей, в которую добавил что-то из картонной коробки с нарисованной красной молнией. Когда Вавилон поклевал немного, у него сильно забилось сердце и зашумело в голове. Вокруг всё стало стереофоническим. Он вспомнил свой бой – первый и пока что единственный в жизни. Тогда он победил белого Флокона. Налетел на него, клюнул раз в башку, два раза в шею и отвернулся. Но Байрон подталкивал его к сопернику, просил продолжить бой, потому что очень нужны были деньги. Пришлось убить Флокона. Так заклевать, что он из белого стал красным. Хозяином Флокона был Диего. Диего тогда и положил глаз на Вавилона. Байрон не хотел расставаться с Вавилоном, но ведь очень нужны были деньги.

У Гани тоже всё было стереофоническим: он со страхом смотрел, как Диего раскладывает перед собой острые металлические лезвия и примеряет то одно, то другое к шпоре петуха. Цыган намотал Вавилону на лапку вату, поверх ваты – нитки, потом прицепил металлический держатель, а в держатель вставил сверкающий клинок длиной в половину Ганиного среднего пальца. Сверху всё закрепил красной лентой. Полюбовался, похихикал и надел такое же лезвие на другую лапку. Потом натянул на лезвия чехольчики.

– Ты должен шарахнуть его ногой, понял? Ты – атлет номер один, твоя ударная сила в ногах. Не подведи меня, голубчик, шарахни его, разруби пополам! – твердил Диего.

– Диего, а у противника Вавилона тоже будут такие страшные ножи на ногах? Что, если Вавилон погибнет?

– Если он нас подведёт, мы не пойдём на Бабея. Слышишь, голубчик? Нам нужны деньги, музыка и любовь! Нам нужна победа. И нужно выпить.

И Диего начал выпивать. По дому ходили женщины, мужчины, дети, но Ганя так и не понял – кто из них внук, кто сын, кто жена, кто дядя. Все косились на Ганю, никто с ним не разговаривал, все были невесёлые, один Диего прыгал и хохотал. Пришла молчаливая женщина, шаркая старыми туфлями, поставила на стол кастрюльку с супом. Это был очень острый фасолевый суп. Потом пришёл длинный парень с горбатым носом, посмотрел на Вавилона, зацокал. Потом другой, третий, они вырастали в дверях, словно тени, – худые, в тёмных костюмах, с длинными чёрными волосами. Окружили бедную птицу и качались над ней, цокали, бубнили. Вавилон беспокойно кудахтал. Ганя хотел бы взять петуха и убежать с ним из этого мрачного дома, но тени, несомненно, настигли бы их и зарезали. Ганя вышел на балкон. Там он обнаружил двух кудрявых девочек. Они играли с куклами – на балконе было кукольное царство с пластмассовым розовым домом, посудой, мебелью и запелёнутым одноглазым медведем. Юная мать тоненьким голосом пела ему колыбельную.

Гане мучительно захотелось на Васильевский остров и в Сковородку, а вместо этого он оказался на усыпанном перьями галлодроме, который находился в прокуренном кафе, полном сомнительных личностей. Два гладиатора стояли на арене, зрители – черноволосые и черноусые мужчины – так галдели, что никто не слышал, как Ганя шипит. Вавилон сидел в своей корзине, настороженно прислушиваясь к нарастающему гулу толпы. Дрались два петуха – чёрный и рябенький. Чёрный наскакивал на рябенького и клевал его в голову, а съёжившийся рябенький испуганно уворачивался от ударов. Движения птиц были так стремительны, что Ганя не мог точно видеть – попадает рябенькому или нет. Прошло несколько минут, Гане казалось – час. Чёрный безжалостно молотил рябенького, а тот не нанёс ещё ни одного ответного удара. Рябенький двигался воровато, всё старался увильнуть, кидался в ноги, будто прося пощады, потом вдруг, изловчившись, поймал голову врага своим крылом. Они замерли: рябенький – клювом вверх, взывая к небесам; чёрный – вверх хвостом, с головой под мышкой у соперника. Ганя подумал, что чёрного успокоит уютная темнота, что вопли распалившихся болельщиков там станут глуше, что он, усталый, зарывшийся в перину, сейчас уснёт. Не тут-то было – петухи разбежались, и чёрный снова кинулся в бой. Рябенький понёсся вокруг арены, чёрный – за ним. Ему порядком надоела изматывающая, сбивающая с боевого темпа тактика этого труса. Вдруг рябенький повернулся и клюнул чёрного в голову. Чёрный мгновенно упал, завалившись на спину и задрав – как-то дико, как-то совсем неприлично – лапы кверху. Ганя вспомнил свою механическую курочку: он, маленький, всё заводил её ключиком, заводил, она всё прыгала и клевала невидимые зёрнышки, а потом, наткнувшись на препятствие (карандаш или пуговицу), вот так же заваливалась на спину – беззащитная, неподвижная, холодными лапками кверху. Ганя её переворачивал, заводил, курочка снова оживала и весело клевала палец или перловку. Чёрного никто уже не заводил, он был абсолютно мёртвый. Его схватили за хвост и без всяких почестей, с болтающейся головой унесли с поля боя.

Ганя ломал пальцы. На доске мелком написали: «Вавилон – Англичанин». На арену вышли Диего с Вавилоном и долговязый мужик, держащий в унизанных перстнями ручищах великолепного длинношеего петуха. Диего с мужиком разошлись, как на дуэли, обменялись высокомерными взглядами, потом резко сошлись, чуть не столкнув птиц головами, отступили на шаг и поставили своих бойцов на землю. Вавилон с Англичанином топтались, присматриваясь друг к другу. Вавилон распушил рыжее жабо, на его мощных ногах блестели смертельные шпоры, глаза метали молнии. Англичанин презрительно смотрел на пышный наряд француза, его собственные хвост и крылья были коротки, а спина – ржаво-коричневая, но зато он мог похвастаться длинными ногами, широкой грудью и аристократической осанкой. На его лапках тоже сверкали ножи. Петухи ринулись в бой. Зрители заорали. Диего и мужик – бледные, со стиснутыми зубами – хранили молчание, впившись глазами в бойцов.

В этом сражении никто не убегал, никто не увиливал. Петухи безостановочно клевали друг друга в голову и шею, долбили, долбили, долбили, потом расходились, взлетали и в воздухе наносили страшные удары. Время шло, петухи устали, порой они сплетались шеями, склоняли головы и затихали, словно повисшие друг на друге боксёры, потом расходились и снова сбивались в клокочущий комок. Прошло всего четыре минуты боя, а щегольского Вавилона и элегантного Англичанина уже нельзя было узнать в измождённых птицах с растрёпанными перьями, разбитыми головами и взмокшими от крови шеями.

Публика неистовствовала. Ганя заметил петушатника Ренарта, неподвижно стоявшего за спинами зрителей. С высоты своего гигантского роста он внимательно следил за боем и единственный хранил молчание. Внезапно Англичанин упал на бок – он зацепился лапкой за шпору Вавилона и поранился. Хозяин бросился к нему и поставил на ноги. Петух, плохо соображая, стал пятиться, потом увидел Вавилона, взмахнул крыльями и налетел на него, как коршун. Вавилон отбил атаку, хотя плохо видел, потому что кровь заливала ему глаза. Англичанину всё надоело, он повернулся и, хромая, пошёл куда глаза глядят. Вавилону тоже надоело, но ведь очень нужны были деньги, поэтому он догнал Англичанина и клюнул в затылок. Англичанин упал замертво. Вавилон клюнул его, лежащего, ещё два раза и отошёл в сторонку.

Диего с радостным воплем сгрёб в охапку еле живого петуха. «Собирай деньги! Собирай наши деньги скорей!» – кричал он остолбеневшему Гане. Люди подходили к Ганнибалу и вкладывали ему в руки деньги, которые он машинально рассовывал по карманам. Диего, казалось, обезумел от

325

счастья, он поднял залитую кровью птицу и, встряхивая ею, запел: «Карамба, карамба!» Тени, ритмично хлопая и топая, подхватили песню. Ганя с отвращением смотрел на дьявольское веселье. Ни в одном лице не видел он сострадания. «А-ля Бастий!» – заорал Диего. Измученный Вавилон встрепенулся и дёрнул ногой. Диего тут же выпустил птицу и повалился на пол. Из его горла хлынула кровь. Все бросились к цыгану, а Вавилон, теряя перья, перелетел с арены в зрительский зал. Тут Байрон Ренарт тигриным прыжком перемахнул через скамейки, подобрал петуха и исчез с ним в клубах сигаретного дыма.

На следующий день Ганнибал пошёл в полицию и рассказал следователю Тапарелю о том, что случилось в Перпиньяне. Следователь выслушал его с сочувствием и спросил, чем может быть полезен.

– Что мне делать с выигранными деньгами? Отдать Вавилону? Или родственникам Диего?

– А ваши деньги нашлись?

– Нет.

– Оставьте их себе. Без денег вы снова в историю вляпаетесь. Желаю вам всего хорошего.

Ганя не знал, сколько всего заработали Диего с Вавилоном. В своих карманах он нашёл шестьсот восемьдесят евро. Билеты на Бабея уже раскупили. Следующий концерт должен был пройти в городе Монтрё. Солнце жарило. Ганя зашёл в тёмный собор со сверкающими витражами, посидел у Мадонны – юной, прекрасной, с маленьким носиком, опущенными глазками и насмешливой нежной улыбкой. Её головка склонилась под тяжестью большой острозубой короны. Мадонну окружали святые со сбитыми лицами, у её ног примостился ухмыляющийся чёрт.

Около собора был магазин, где продавалось всё для собачек – подстилочки, лукошки, галошки, элегантные пальтишки с разноцветными пуговками и прочие необходимые вещи. Ганя попросил намордник для крупного пса. Кудрявая блондинка с кукольным лицом подала роскошный кожаный намордник. Ганя пошёл к Избе, который усердно работал на площади, разбудил его и нацепил обновку на вонючую слюнявую пасть. Пёс принялся визжать и обиженно скрести намордник. Пират растолкал Паскаля. Нищие направились к автобусной остановке, через полчаса они были уже у моря. Изба и Индиго смотрели на волны, ветер трепал их усы и косматую шерсть. А Ганнибал купил билет на поезд, истратив почти все оставшиеся деньги, и на следующий день уехал в Швейцарию.

24

Старушка мадам Вишт, проживающая в собственном доме на Цветочной набережной города Монтрё, просыпалась рано, вылезала, кряхтя, из постели и сразу шла под горячий душ, потому что это было верное средство разогнать кровь в жилах и спугнуть мигрень. Окна ванной выходили на озеро и острые снежные вершины. «Какие они агрессивные, эти пики Савойских гор!» – говорила себе каждое утро старушка и тут же вспоминала свою покойную сестру Мари. «Да, Мари тоже была резкой. Как она разговаривала с матерью, с мужем... Хорошо, что Иво не такой». Племянник Иво, который работал в Цюрихе и не хотел жениться, сделал ей недавно сомнительный подарок: поставил в ванной большое новое зеркало. Мадам Вишт это зеркало не нравилось. Всякий раз, выходя из душа, она видела отражение своего сморщенного, как трюфель, тела. Мадам Вишт любила старые, мутные зеркала. Они разглаживали ей лицо, в них томно сияли глаза и жемчужно переливались букли. Новое зеркало издевалось над мадам Вишт – дразнило и воровало последние крупицы женской привлекательности. Стараясь не смотреть в сторону сверкающего нахала, мадам Вишт чистила зубы электрической щёткой, полоскала рот, втирала в тонкую кожу с сетью синих вен питательный крем, похожий на взбитые сливки, надевала жёлтенький халатик и шла завтракать. Мадам Вишт усаживалась в кресло, топя больную спину в подушках. С худенькими ручками, острым носиком, круглыми глазками она была похожа на состарившегося цыплёнка. По дому бесшумно ходила прислуга. Подвозили столик; на бежевом с голубыми прожилками мраморе дрожали и звякали приборы. Старуха пила кофе с молоком, идеальными протезами кусала хлеб, политый тёмным каштановым мёдом, и задумчиво жевала, глядя в окно, в которое настырно лезла подруга детства – канадская лиственница.

Мадам Вишт хорошо знала утренний распорядок на набережной. Без пятнадцати шесть в сторону замка пробежит господин Рено. Через десять минут его попробует догнать господин Агин со своей огромной Кокин. В пять минут седьмого мимо окна мадам Вишт пронесутся Роже и Мирьям – молодожёны семидесяти лет. Они бегают быстрее всех и пробегут в обратную сторону гораздо раньше Рено и Агина с Кокин. Все они добегают до Шильонского замка. Раньше мадам Вишт тоже каждое утро бегала к Шильонскому замку. А теперь она с трудом передвигает тонкие скрюченные ноги.

«О, побежал! Здравствуйте, господин Рено!» Рено на ходу кланяется седой голове в окошке. «Здравствуйте, Агин, здравствуй, милая собачка!» Бодрый низенький Агин улыбается старухе. «О, вот и наши спортсмены, что-то поздновато сегодня. Но всё равно – вернутся первыми. Кто это с ними бежит? Должно быть, гость. У них часто гости. Бежит медленно. Устал. Какой толстый. Чёрный. Настоящий великан!»

Запыхавшийся гость остановился и крикнул что-то Роже и Мирьям, которые вырвались далеко вперёд. Они обернулись, сияя улыбками. Толстяк махнул им рукой – бегите, мол, не ждите меня, я здесь отдохну. Достал платок, вытер лицо, шею и тяжёлой походкой направился к скамейке, стоявшей перед домом мадам Вишт, у воды.

На скамейке уже кто-то был. Старушка давно приметила его: незнакомый человек с длинной шеей и острыми плечами. Он сидел неподвижно, запрокинув голову, видимо, любовался восходом. Горы и озеро меняли синий на розовый. Солнце вставало. Великан плюхнулся на скамейку и что-то сказал соседу. Тот не ответил, разговор не завязался. Мадам Вишт с беспокойством смотрела на скамейку. Это была её личная деревянная скамейка с резной спинкой и коваными ножками. Над ней качалась плакучая ива, вокруг росли пунцовые розы. Скамейка была очень дорога старушке, уже несколько лет она являлась конечным пунктом её пеших прогулок – из дома через дорогу к воде. У неё была мечта – умереть на этой скамейке, глядя на горы и озеро. Выдержит ли скамейка такого толстого негра? Не придётся ли её чинить?

Откинувшись мощным торсом на жалобно постанывающую спинку будущего смертного одра мадам Вишт, великан застыл. Пылающий апельсин медленно катился по острым вершинам. Казалось, что сейчас он напорется пухлой коркой на многозубую вилку и навеки застрянет. Отдохнув, негр тяжело поднялся и пошёл восвояси, переваливаясь, как медведь, подбородком и грудью вперёд.

«Ушёл!» Мадам Вишт с облегчением вздохнула. Ей тоже захотелось посидеть на скамеечке. Слуга осторожно ввинтил её узловатые ноги в зелёные зам-

шевые туфли на толстом каблуке, вдел сухие руки-
ветки в рукава льняного пальто с бордовым клет-
чатым воротником. Мадам Вишт вышла из дома
и медленно побрела к воде, опираясь на трость
и Александра. Эту трость ей подарил на девяносто-
летие племянник. Набалдашник был в виде черепа.
Мадам Вишт сказала Иво, что грешно смеяться над
старушкой, однако тростью пользовалась, потому
что опираться на череп было удобно.

Старуха села на край скамейки, убедилась, что
с одром всё в порядке, и внимательно посмотрела на Ганю. Он спал. Его лицо было спокойным,
красивым. Высокий лоб, усики, ровное дыхание.
Мадам Вишт увидела чемоданчик. «Неужели он
здесь ночевал?» Темнокожий юноша не был похож на бродягу – элегантно одетый, с книжкой
в руках. У него тоже была палочка. Мадам Вишт
смотрела, как чайки ссорятся с вороной. Ворона
стащила где-то кусок хлеба и уселась на мачте лодочки, пришвартованной к маленькой пристани.
Это была лодка племянника. Чайки кружили над
вороной и пронзительно требовали отдать добычу, а ворона их дразнила, покачивая клювом, из
которого торчала пышная мякоть.

– Александр, на каком языке эта книжка? Это
ведь русский язык?

Слуга пожал плечами и уставился на ворону.

– Это русский, я знаю.

Мадам Вишт вспомнила русского писателя,
с которым была знакома много лет назад. Он жил

в Монтрё-Паласе и охотился на бабочек. Тоже, бывало, проносился по набережной – с сачком, горбатым носом и хищным взглядом. Теперь днём и ночью качается на венском стуле перед своей гостиницей.

Подбежали Роже и Мирьям – стройные, загорелые, с синими глазами, морщинистыми шеями и гладкими лицами. У Роже была самая большая в Швейцарии коллекция джазовых пластинок и механических пианино. Ещё он собирал картины и музыкальные шкатулки. Подбежали Агин с Кокин. Агин много путешествовал и собирал шапо. Шапо он отвёл специальную комнату. Там по стенам висели на гвоздиках фески, сомбреро, ушанки, фуражки, кружевные чепцы, индейские уборы из бисера и перьев, клобуки, ермолки, колпачки, береты с помпонами. Подбежал Рено – в его доме не было посторонних предметов, он копил лишь деньги. Чайки орали, люди громко разговаривали и смеялись, Кокин с глубоким вздохом привалилась к Ганиной ноге. Ганя встрепенулся и сказал: «Экскюзе-муа».

– Ваша книга на русском? – спросил Александр.

– Да.

– Мадам, эта книга на русском.

– Сложный язык, – сказал Агин и похвастался: «зрасуйте, пасиба, низашта, краснае сухое, щиот пажалуста». Он был на Быкылдыдяке – эвенкском празднике первой рыбы, а потом в Москве, и все знакомые страшно ему завидовали.

– «La chiotte?»* – Роже захохотал.

– По-русски «щиот» не то, о чём вы подумали, это счёт. В России в ресторанах просят «щиот». Бегите, господин Рено, я вас догоню.

– Ха-ха! Ты слышала, дорогая, по-русски «addition» это «chiotte»! Александр, мы идём к вам завтракать. Круассаны есть?

Слуга важно кивнул.

– Вы читаете по-русски? – спросила Ганю старуха.

– Да, я русский.

– Не могли бы вы мне прочитать что-нибудь по-русски?

– С удовольствием.

Ганя открыл наугад: «В любом случае жизнь – это лишь шествие теней, и одному только Богу известно, почему мы так горячо их обнимаем и с таким страданием с ними расстаёмся, если все мы тени. И почему, если это, а также многое, многое другое верно, почему же всё-таки мы, сидя в углу у окна, внезапно с удивлением осознаём, что на всём белом свете нет для нас никого реальнее, осязаемее и понятнее, чем вон тот молодой человек в кресле, – в самом деле почему? Ведь через секунду мы опять о нём ничего не знаем.

Таковы особенности нашего зрения. Таковы условия нашей любви».

Кокин тяжело снялась с места и отлучилась на газон. Присев на задние лапы, она неодобрительно

---

* Франц. жарг.: отхожее место, букв. «сральник». *Примеч. автора.*

смотрела на склочных чаек, которые носились над блестящей водой и кричали: «Хэлп! Хэлп! Хэлп!» Мадам Вишт, кажется, задремала. Гане было холодно и голодно, он закрыл книжку, встал со скамейки, пожелал всем прекрасного дня и побрёл по набережной, опираясь на палку и катя чемоданчик. Бабей был здесь, в этом маленьком городе, полном цветов и вкусных запахов, с афиш смотрело его родное толстое лицо. Как бы с ним встретиться? Как бы с ним поиграть? Ганю догнал Александр: «Мадам приглашает вас на чашку кофе». Ганя обернулся – старуха махала ему костлявой рукой.

У мадам Вишт в столовой был рояль. Косясь в его сторону, Ганя выпил кофе и торопливо съел два хрустящих круассана. Александр сделал вид, что не заметил, как юноша засыпал крошками ковер. «Можно поиграть?» Слуга милостиво кивнул. «Тише, тише! Сейчас будет музыка!» – сказала мадам Вишт расчирикавшимся молодоженам. Ганя вытер пальцы, бросил салфетку, подошёл к роялю, сел и спросил: «Григ или Шопен?» – «Григ», – сказала Мирьям. «Шопен», – сказала старушка. «Регтайм!» – крикнул Ганя так, что все вздрогнули. Он взял несколько аккордов и через мгновение потопил дом мадам Вишт в потоке таких весёлых звуков, что даже у заторможенного Александра ноги стали вскидываться сами собой. Старуха и Мирьям разахались. «Он должен это послушать!» – сказал Роже и убежал. Через десять минут он вошёл в столовую с негром – грозой скамеек. Мадам Вишт испугалась, что толстяк захочет куда-нибудь сесть, но он не садился – стоял, сложив руки на груди и вперив глаза в Ганину спину.

Инструмент звучал великолепно. Ганя начал с регтаймовых обработок Шопена, потом вспомнил лучшие композиции Джоплина, потом исполнил несколько своих сочинений, записями которых, как дурак последний, не запасся, и нечего было передать Бабею в Берси. «Да Бог с ними, с записями. Неприятности должны закончиться. Эти добрые люди не дадут мне пропасть. Вон как им нравится». Роже кричал «браво!», Мирьям несколько раз подбегала к Гане и целовала его в щёку, старуха улыбалась, слуга исступлённо хлопал.

Вдруг Ганнибалу показалось, что слева к нему придвинулась чёрная гора, нет – сам Горный Король. Это было странно, потому что он как раз импровизировал на тему «Пер Гюнта». Король потеснил Ганю на октаву и уронил поросшие лесом лапищи около его пальцев. Ганя посмотрел на короля, перепугался и зашипел. Король взвыл и зашипел в ответ. Мирьям тоже зашипела, за ней – слуга, старуха и Роже. Все решили, что это фрагмент композиции и здесь полагается шипеть.

Апельсин забросили высоко в небо, дело шло к полудню. По Цветочной набережной гулял народ. Дети катались на велосипедах, роликах и самокатах. Старички и старушки смотрели на них неодобрительно – не ровён час врежутся и ногу перебьют. Особенно они раздражали сверкающую бриллиантами ведьму в инвалидной коляске, которая злобно водила глазами и дымила, как паровоз. Ей хотелось бы «напустить на них столбняк». Из окон мадам Вишт неслись удивительные звуки – грохот аккордов и перебежка рулад, хлопки, возгласы и шипение. Сама старуха сидела в кресле у рояля – счастливая, с розовыми щеками и блестящими глазами. Плевать на зеркало, смерть и скамейку, да здравствуют круассаны, негры и джаз!

25

Через два месяца Ганя снова летел в самолёте, снова улыбался, глядя на проплывающие внизу квадраты и прямоугольники, снова поздравлял сам себя, похрустывая длинными пальцами. Было с чем: его взяли учиться в джазовую школу в Берне, он подружился с самим Бабеем, у него началась новая жизнь, о которой он мог только мечтать. А кроме того, Ганнибал встретил Саломею – в Стокгольме, на музыкальном конкурсе. Он играл Листа, она – Чайковского. В первый раз они поцеловались при очень странных обстоятельствах.

В тот ненастный шведский вечер Саломее хотелось печёной картошки с маринованными лисичками, а Гане – тефтелей с брусникой. Морской ветер в тяжёлых ботинках бегал по крышам, вертел во все стороны петухов, кошек, кентавров и ангелов, они жалобно скрипели и просили чего-нибудь горячительного. В поисках подходящего заведения Ганя с Саломеей забрели в ту часть города, где люди в основном работали, а не жили, и улицы были безлюдны, окна черны. Казалось, что внутри этих домов – не скучные нотариальные конторы и зубоврачебные кабинеты с подвесными потолками и унылой мебелью, а полные шёпотов и призрачных теней старинные залы с зелёными канделябрами и плесенью на стенах.

Вдруг во мраке блеснул огонёк. Голодные Ганя и Саломея метнулись к нему, как мотыльки, которые летней ночью выползают из сырой травы и летят к керосинке главного инженера, когда тот после «Новостей» выходит во двор проследить, не сбились ли с курса звёзды над Сковородкой. Из открытой двери лился мягкий свет, перед крыльцом валялись какие-то сундуки, рамы, стулья, покрытые тряпками. Они зашли. Это была антикварная лавка. Среди груды пыльных предметов стоял письменный стол. Над ним с тихим скрипом качались электрики Петровы, колеблемые порывами ветра, влетавшего в дверь и распахнутое в темноту окошко. При ближайшем рассмотрении они оказались всего лишь старыми костюмами на вешалках, прицепленных к потолку. Пахло ветошью. За столом у яркой лампы сидел, уткнувшись в газету, старик, похожий на Макса фон Зюдова. Увидев Ганю и Саломею, он вскочил, заулыбался, засуетился: «У нас распродажа! Хозяин устроил распродажу, сегодня последний день! Всё недорого! Выбирайте! Спрашивайте!»

Лавка была большая – длинная анфилада комнат, – но она вмещала такое количество барахла, что пройти по ней, не задев какого-нибудь дряхлого калеку, грозящего повалить за собой целый ряд мутных зеркал, кособоких буфетов и колченогих стульев, было совершенно невозможно. Ганя вспомнил Квашнинский дом в Топорке. При всём желании они не найдут в этой помойке ни одного хоть сколько-нибудь ценного предмета!

Между тем Саломея вытащила откуда-то расписную тарелку и картину с маяком.

– Смотри, какой маяк! Хорошая картина.

– О, я бы купил маяк для Птицы.

– Купи!

– Вдруг дорогая?

– Поторгуйся!

– Да я не умею.

– Давай попробую. Сколько стоит эта картина?

– У вас хороший вкус! Сразу нашли самое лучшее! Подождите минутку, мне нужно посоветоваться с хозяином. – Взяв у Саломеи картину, старик подошёл к своему столу, обогнул его, открыл незаметную дверцу в стене, оклеенной пожелтевшими афишами, и скрылся в тёмной каморке. Послышались возглас, бубнёж, возглас. Через минуту он вышел с сияющим лицом. – Хозяин сказал, пятьсот!

Саломея молча смотрела на маяк. Над ним было серое небо. Море застыло под толстым слоем льда, который белел в сумерках. В маяке горел оранжевый огонёк. Там кто-то жил, кто-то спрятался от стужи и вьюги, кому-то было тепло и очень уютно.

– Давайте-ка я ещё спрошу у хозяина! – старик снова скрылся в каморке и тут же вышел. – Распродажа! Всё в полцены! Двести пятьдесят!

– Берём! – сказала Саломея.

Ганя заплатил за картину и тарелку. С тарелкой старик тоже ходил к хозяину. Хозяин запросил двадцать шведских крон.

Макс достал лист коричневой бумаги и принялся любовно упаковывать маяк с тарелкой. Он всё время улыбался, посмеивался, болтал, расспрашивал Ганю и Саломею, где они живут и чем занимаются. Узнав, что они музыканты, старик ещё больше оживился.

– А ведь у меня в подвале много музыкальных инструментов – и пианино, и скрипки, и гитары, и контрабас, чего только нет! Пойдём, пойдём, я вам сейчас всё покажу!

Он повёл ребят вглубь помещения, там в полу из мощных дубовых досок был люк. Фон Зюдов с трудом отвалил этот люк и подпёр его красивым кованым штырьком. Раздался щелчок, внизу загорелся свет. Ганнибал и Саломея увидели лестницу, ведущую в обширный подвал, действительно забитый музыкальными инструментами. Там был даже орган.

– Спускайтесь, спускайтесь, – понукал их старик, – можете на чём-нибудь поиграть, хозяин совершенно не против! А я пока поищу верёвочку.

Ведь где-то была у меня верёвочка, куда же она подевалась? Целый моток – крепкая, длинная.

Они спустились в подвал. Там было тихо-тихо. Поблёскивали жёлтые трубы и валторны. Всё покрывал слой пыли. Саломея провела рукой по струнам гитары, они отозвались печальными звуками. Ганя нашёл шарманку, завёл её, она закашляла и сипло запела: «Птичка, милая птичка, я тебя ощиплю, я ощиплю тебе головку, я ощиплю тебе клювик». Ганя с детства знал эту песенку, её пели в школе на уроке французского, и она всегда поражала его своим идиотизмом.

Вдруг над их головами раздался грохот – люк захлопнулся. Свет погас. Они так испугались, что даже не закричали. Стояла гробовая тишина. Саломея достала мобильный телефон, чтобы позвонить в полицию, но сети не было. Отрезаны от всего мира! Она заплакала. Ганя крепко взял её за руку и сказал, что всё будет хорошо. Ещё он сказал, что её обидят не раньше, чем его порвут на куски. Это утешило девушку. Ганя, спотыкаясь, нащупал лестницу и полез наверх. Саломея светила ему телефоном. Он упёрся головой в люк, стал толкать руками, но люк не поддавался: похоже, его заклинило намертво.

В темноте послышались чьи-то тяжкие вздохи. Судя по всему, из дальнего угла вылез голодный вурдалак. Саломея взвизгнула, выронила телефон и забралась к Гане. Звуки прекратились. Телефон погас. Снова раздался хрип, потом всё смолкло.

– Это же шарманка. Саломея, не бойся, это просто шарманка!

Через плотно сбитые доски сочился едва заметный свет. Саломея, прижавшись к Ганиной ноге, тряслась от ужаса. Свой телефон Ганя, как назло, забыл в гостинице, посветить было нечем. И никто из них не курил.

– Дай-ка я спущусь! – Ганя спрыгнул и нашарил телефон. Включив его, убедился, что вурдалак уполз. Что же делать? Кричать Ганя не хотел – боялся ещё больше напугать Саломею. Да и какой смысл? Кто их услышит? Это же подвал старого дома, а не новостройки в Автово... Он взял тубу и подул в неё. Подвал заполнила волна густых звуков.

– Саломея, спускайся! Играй на трубе, нас должны услышать!

Старик фон Зюдов нашёл наконец верёвочку. Он тщательно привязал маленький свёрток к большому и затем со смешком и бормотанием стал сооружать хитроумную верёвочную ручку: чтобы нести было удобнее. Он прислушивался к доносившимся из подвала звукам и радовался, что молодёжь нашла себе развлечение. Часы – жестяные, деревянные, серебряные, с маятником, с кукушкой – в разное время пробили, прокуковали и прозвонили восемь. Пора было закрывать лавку. Звуки в подвале прекратились. Может быть, музыканты хотят купить какой-нибудь инструмент? Прекрасную старинную шарманку? Старик пошёл к ребятам. Люк был закрыт. В подвале тишина. Что они там делают?

– Эй! – позвал Макс. Опустившись на колени, он постучал в пол костяшками пальцев. – Шарманка – четыреста крон, но я могу посоветоваться с хозяином!

– Выпустите нас! – закричали Ганя с Саломеей. – Включите свет!

– А, люк опять захлопнулся! Сейчас-сейчас. Где-то тут был рычажок.

Старик нашёл какой-то ломик, просунул его в круглую ручку люка, упёр концом в пол и стал с кряхтением тянуть. Люк приоткрылся. В подвале было темно.

– А, свет опять выключился! Сейчас-сейчас. Это оно всякий раз одновременно.

Старик повернул ручку старого переключателя. Заглянув в подвал, он увидел заплаканную Саломею и Ганю, который со страхом смотрел на ломик в его руке.

Крепко прижимая к себе маяк, тарелку и Саломею, Ганя шёл по пустынным улицам, держа курс на дальние огни, сулившие ужин. Там, в подвале у старикашки, он поцеловал Саломею, чтобы она не боялась, – и не просто в щёку, а в губы. Сейчас ему очень хотелось ещё раз её поцеловать, что он и сделал, положив предварительно маяк на скамейку, около которой в темноте лежал на травке мёртвый заяц – скорая пожива двух ворон.

– Я боюсь!

– Не бойся, забудь об этой дурацкой истории.

– Я боюсь за старика: вдруг он полезет в подвал, а люк снова захлопнется? Он никогда не сможет его открыть.

– Брось, его вытащит хозяин!

– Нет никого хозяина.

– Как это нет? А кто в каморке?

– Никого, она же пустая!

На следующий день Саломея позвонила в полицию. Принимая участие в судьбе антикварного старичка, она думала о собственном дедушке. Уже много лет она жила с надеждой, что в случае чего рядом с ним тоже окажется кто-то сердобольный, кто не поленится позвонить в полицию, а то и вызвать карету скорой помощи с парой крепких санитаров.

26

В избе, почерневшей от времени и непогоды, на тёплой железной печке, украшенной гербом старинной фамилии, сидел дедушка. Он слюнил пальцы и листал газету, делая вид, что читает, а сам исподлобья злобно поглядывал на Ганю. Дедушка ревновал Саломею к Гане. Он боялся, что внучка полюбит женишка крепче, чем его, родного дедушку, который качал её, крошку, на руках, учил с трёх лет нотной грамоте, а сейчас, между прочим, платит за её учебу в Базеле и за жильё – за такую славную дорогостоящую квартирку в историческом центре города! Ещё поискать такую квартирку. И дедушку такого – поискать. А она, неблагодарная, нашла себе женишка! Подселила!

Также дедушка ревновал к Гане рояль. Он ведь и сам был музыкантом – знаменитым органистом-пианистом, сочинителем фуг, кантат и прелюдий! Дедушка получил звание почётного гражданина за великие труды и заслуги перед отечеством. А тут ещё какой-то женишок к роялю лезет. И неплохо играет, чёрт бы его побрал. Дедушка был очень раздражён. Чтобы развлечь дедушку, Саломея дала ему полистать электронный альбом с видами Стокгольма и шведских островов. Дедушка слюнил пальцы и возил ими по экрану. Ему не нравились фотографии. В лодке с женишком. Женишок тащит большую рыбу. Женишок обнимает Саломею. Гадкие фотографии. Дедушка ревновал.

«Какая неудобная печка, – думал Ганя. – Маленькая. На ней можно только сидеть. Отвезти бы дедушку в Топорок, поместить бы его на квашнинскую или птицынскую печь. Там тепло, просторно, пахнет сушёными грибами и черёмухой. На русской печке дедушке было бы гораздо привольнее, он бы вздремнул, отдохнул и не сердился бы так, не раздражался!»

Ганя и Саломея вышли на улицу. Нужно было привести в порядок дедушкино хозяйство – убрать в сарай вёдра и лопаты, сложить в сумку жестянки с сушёными травами, закрыть дрова плёнкой. У дедушки было много дров: серые ряды огромных длинных поленниц возвышались над избой, как крепостные стены. Большую часть этих дров запасал ещё дедушкин отец семьдесят лет назад. Они давно превратились в труху, но дедушка берёг их «на всякий случай».

Приближалась зима, запахи лета растворились в холодном воздухе. Саломея укрывала дедушкины клумбы и грядки. Её резиновые сапоги были облеплены жирной грязью, щёки раскраснелись, глаза слезились от ветра. Ночные колпаки туманных гор сползли на мохнатые брови и грозили лавинами.

Власти запрещали зимовать в деревне. С ноября по апрель находиться в разбухших белых горах было опасно. Все соседи давно закрыли ставни и переехали в город. Один дедушка упрямился. Сорок лет назад на деревеньку сошла лавина, она разрушила несколько домов и часовню. В ту ужасную минуту дедушкина жена была в часовенке – возилась там с уборкой: подметала пол, ставила букеты, вытряхивала на крыльце пыльные половички. Антуанетту искали, лохматая Бижу рыла лапами снег, весело лаяла и виляла хвостом, но тела не нашли. Кто-то говорил, что Антуанетта могла спастись и под шумок сбежать от мужа, кто-то утверждал, что её похитили духи леса, сам дедушка был уверен, что это бурный ручей, пробегающий через деревню, унёс жену – не иначе как из ревности. Потеряв Антуанетту, дедушка тронулся умом; его безумие нашло выражение в крайней раздражительности и неслыханной скупости.

Часовенку отстроили заново, теперь она была вся из бетона. Её алтарную часть, обращённую к горам, грозившим новыми лавинами, сделали не закруглённой, как раньше, а суженной – сведённой в острый угол, как нос ледокола «Ленин».

Приезжала полиция. Два румяных полицейских вежливо просили дедушку уехать из деревни. Пугали непослушного почётного гражданина штрафом. Взвизгнув от ярости, дедушка надел зелёные калоши, схватил палку и бросился вверх по тропинке. Это были его тропинки, его ручьи, его заросли рододендрона, иван-чая и дикого жёсткого щавеля. Ему не хотелось в город. Полицейские спешили за дедушкой – упрашивали, умоляли. Лимонное солнце тихо садилось за верхушки елей. Три бегущих силуэта – два стройных и один горбатый, с развевающейся бородой и палкой – казались вырезанными из чёрной бумаги, будто для театра теней. Через полчаса тени сбежали с горы и спрятались в избе. Дедушка вытащил из закромов твёрдые, как дубинка Гиньоля, копчёные колбасы, серый хлеб и бутылку с настойкой из корня горечавки. Саломея заварила травяной чай. Дедушка пропустил стаканчик и успокоился. Изба наполнилась говором и смехом. Только ледяной ручей бурлил, ворчал и сердился. Он изо всех сил старался размыть берег, сломать избу и унести в долину капризного дедушку с его нотами, калошами и колбасой.

В городе у дедушки был двухэтажный дом, захламлённый разнообразным пластиковым мусором.

Раньше, чтобы не платить за помойку, дедушка жёг мусор в печке. Он это делал по воскресным дням после мессы. Над домами стелился ядовитый дым от тающей в огне пластмассы. Соседи изо всех сил терпели причуды скаредного музыканта. Терпение добрых горожан лопнуло, когда он запихал в печку ломаный пластмассовый стул и дырявые калоши. На дедушку написали коллективную жалобу. Почётному гражданину запретили жечь что-либо, кроме дров и бумаги, и тогда в углах его дома стали скапливаться кучи бутылок, тюбиков, проводов, мешков, ботинок. Два раза в год, на каникулах, внучка сортировала мусор и вывозила его на помойку, а дедушка прикидывался, будто ничего не замечает.

Ганя с Саломеей гостили у дедушки неделю. Дедушка, видя, как счастлива внучка, перестал ненавидеть женишка. Он даже решил подарить Гане часы, посадил его в свою старенькую машинку и повёз в магазин. Сначала они долго ездили вокруг города в поисках дешёвого бензина. Потом ели в дешёвой столовой, хотя были совсем не голодны. Потом накупили некрасивых шапок и курток, потому что наткнулись на распродажу. «Редюксьон, редюксьон! – волновался дедушка. – Иль фо профитэ ля редюксьон!» Ганя пришёл к выводу, что у дедушки в жизни есть только два авторитета: Иоганн Себастьян Бах и Микаэль Ольссон. «У Ольссона – тридцать один миллирд долларов, что неудивительно, ведь он великий эконом и покупает себе всё на распродажах. Это его жизненный принцип. И он совершенно прав! Профитон ля редюксьон!»

Часы продавались в торговом центре. Он был совсем новый, этот центр, его построили по последнему слову моды и техники. В нём вкусно пахло, звучала приятная музыка, бесшумно скользили стеклянные лифты, за прозрачными стенами вставал грандиозный пейзаж с зелёными долинами и снежными горами.

Стуча палкой по блестящим плитам, с ненавистью глядя на ряды таинственных тёмных бутиков, дедушка искал отдел часов. Часы продавались на третьем этаже. С неба спустился лифт – с нежным звоном раскрыл объятия, выпустил красавицу с коляской, повременил немного и решил уехать. Дедушка бросился к нему, вонзил в закрывающиеся двери палку и навалился на неё, как на рычаг. Лифт в ужасе снова открылся, дедушка победно вошёл и начал хаотично тыкать в кнопки. Ганя утирал слёзы, еле сдерживая смех. Лифт поехал вверх, оставив под собой двух дам с изумлёнными лицами и какого-то согнувшегося пополам человека.

Хамфри Богарт, Одри Хепбёрн и усатенький Ди Каприо удручённо смотрели на дедушку, который бегал от витрины к витрине и злобно ругался. Им было обидно, что дедушке совершенно не нравятся «Свотч», «Омега», «Таг Хойер» – ни классических форм, ни последних моднейших моделей. «Врут, врут! Я знаю – всё это сделано в Китае! Всё плохого качества! А цены – безумие! Пойдём отсюда, ноги моей больше здесь не будет!»

Дома дедушка стал рыться в ящиках письменного стола, забитых нотами, квитанциями, проволочками, батарейками, фотоплёнкой, конфетками, спичками, и наконец вытащил на свет божий старые часы «Омега». Это были часы Антуанетты. Их не заводили сорок лет. Недовольно ворча, дедушка покрутил винтик, приложил часы к уху, насторожённо прислушался и вдруг счастливо улыбнулся, услышав тихое биение золотого сердца. Стрелки побежали вперёд. Дедушка спрятал часы в коробочку и сказал Гане, что это – подарок для его бабушки, для Николавны. Накануне Ганя рассказывал дедушке про Николавну и показывал её фотографии на фоне квашнинского дома и Мсты. Дедушке понравились и Мста, и дом, и Николавна. Он сказал Гане, что будет рад, если Николавна приедет к нему погостить.

27

Участковый инспектор милиции лейтенант Голосов пришёл домой обедать. Он надел тапочки, поцеловал жену и деток, вымыл руки, лицо, шею и прилёг на диван. Всё утро он составлял протокол по делу ночного ограбления киоска и допрашивал пойманных жуликов. Жулики украли четырнадцать шариковых ручек, сотню простых карандашей, килограмм жевательной резинки

«Орбит "Свежая мята"», несколько исторических романов и коробку с розовыми бегемотиками по тридцать четыре рубля штука. Жулики обменяли бегемотиков на три бутылки «Трёх топориков», так что топориков получилось девять и, распив портвейн тут же у ларька, заснули на тёплой земле. Был май, пели птицы. Жулики спали с открытыми ртами, вокруг их голов сияла в лучах восходящего солнца россыпь серебряных бумажек от «Орбита», который был, видимо, употреблён в качестве закуски. Ветер забрасывал жуликов мелким сором и лепестками яблоневых цветов. Отряд вооружённой полиции, прибывший на место преступления, вежливо растолкал жуликов и проводил их в машину.

Супруга позвала участкового инспектора к столу. Когда работа была напряжённой, Голосов питался в «Луне» или «Талисмане». Там был хороший комплексный обед. Но больше Голосов, конечно же, любил домашнюю еду. На Окуловском рынке жена покупала дивную свинину и готовила из неё прекрасный плотный обед. На первое был суп – крепкий мясной бульон, заправленный лучком и картошечкой. На второе – жареная свинина и лук с картошкой, обжаренные тут же сбоку на сковородочке в свином жирке. Да, это была самая любимая еда инспектора. Так кормила его мама, Анастасия Голосова. И так кормит теперь любимая жена – белая, полная, добрая, хорошая.

И дети у Голосова были хорошие – вежливые, старательные. Мальчики мечтали стать защитниками Родины. Старшая девочка хорошо училась, а младшая пока нигде не училась и ни о чём не мечтала: она была всем довольна и, радостно визжа, ползала по полу и пускала слюни.

И пол у Голосова был хороший: поверх старых досок – ровный финский ламинат. В окнах – пластиковые стеклопакеты. Потолок – подвесной, зефирный, сделанный в Китае. Русскую печь Голосов оклеил итальянским кафелем со скидкой. И всю избу снаружи обшил американкой.

Поев, Голосов снова прилёг, закрыл глаза. Над диваном висел, как водится, пёстрый ковёр, а рядом с ковром, в большой раме – семейные фотографии разных лет. Сверху – родители, ниже – молодой Голосов с братьями, мелкие фото из школы и армии. В школе ребята были хорошие, все – отличные друзья. Кроме Сникерса, конечно. Сникерса никто не любил. Он с детства был жадный и хитрый. Больше всего на свете Сникерс любил денежки, ради денежек мог на всё пойти. И в кого он такой уродился? Сникерс приносил в школу конфеты и на переменах продавал по спекулятивной цене. Ребята презирали бизнес Сникерса, но конфеты покупали, потому что буфета в школе не было, а сладкого хотелось.

Инспектор раскрыл «Окуловские ведомости» и тут же изумлённо охнул. На второй странице была напечатана толстая рожа Сникерса –

в клобуке, с плутовской улыбочкой и пышной бородой. Вокруг рожи была статья про то, как добренькие попы устраивают для сирот бесплатные чаепития с бесплатными конфетами. Голосов мысленно плюнул, закрыл глаза и на минутку заснул. Его разбудил телефон. «Полиция, лейтенант Голосов слушает!» В трубке взволнованно затрещали. Инспектор изменился в лице, надел ботинки и выбежал из дома.

* * *

А тем временем в Сковородке инженер Илюшин коптил судачка на ольховых веточках. Вельможа гонял хвостом мух. Птицына сидела в кресле под цветущей сливой, Мобик аккуратно положил морду на её острые колени. Елизавета Андреевна смотрела, как блестит синяя вода в озере, как летят и кружатся снежной метелью лепестки, которые тёплый ветер срывает с деревьев, и с опаской прислушивалась к своему организму. С некоторых пор в её нутре воцарились разброд и шатание. Ей казалось, что она больше сама – не своя. Что в её желудке, сердце, печени, лёгких теперь полновластно хозяйничает Сергей Петрович, и от него уже не спрятаться. Что, куда бы она ни пошла, куда б ни поехала, везде с ней будет Илюшин с его рыжей бородой и туманными глазами. Вот он – ходит в её животе, гремит вёдрами, копает грядки, сажает свёклу, картошку окучивает. Как такое могло случиться? Когда она успела его проглотить? Неужели теперь никуда от него не скрыться? Или всё-таки попробовать сбежать?

Птицына поднялась с кресла. Мобик предательски тявкнул, и тут же как из-под земли вырос инженер-конструктор. «Что, Лизонька? Чайку? Морсику брусничного? Яблочко мочёное? Огурчик солёный?» Птицына села, покачав головой и закрыв лицо руками. Нет, никуда не деться от Илюшина. Ни-ку-да.

Дым коптильни курился вокруг Птицыной. Елизавета Андреевна стала думать о том, как съест сейчас рыбку и выпьет бокальчик шампанского. Ведь сегодня в Петербург прилетает Ганя со своим Бабеем – это надо отметить! В Филармонии будет концерт. У них с Сергеем Петровичем и Николавной – лучшие места в ложе. Будут госпел, спиричуэлз, грохот «Заоблачного оркестра», а потом – пир на весь мир, на весь Васильевский остров.

Из дома вышел инженер с обеспокоенным лицом.

– Лизонька, ты только не волнуйся. Сейчас позвонил Ганя, он уже в Петербурге и срочно выезжает в Топорок.

– Как в Топорок? Зачем в Топорок?

– Лизонька, отца Евтропия переводят в Костылево.

– В какое ещё Костылево? А как же он будет в Топорке служить?

– Он не будет больше в Топорке служить. В Топорок Плутодор настоятелем назначен. Лизонька, куда это ты? Не торопись, сейчас рыбкой закусим и поедем. Ну, хорошо, хорошо, только не беспокойся, пожалуйста.

Илюшин выкатил «Паннонию», усадил в коляску Птицыну и мощно дёрнул ногой. Взревел мотор, мотоцикл укатился вдаль. Вельможа заржал, Мобик с обиженным лаем бросился вслед за хозяином.

* * *

По лесной дороге широким шагом шёл отец Шио – сапоги месили размокшую землю, полы подрясника побелели от грязи. Он шумно дышал, его ноздри раздувались и трепетали, как у Вельможи. Отец Шио нёс под мышкой завёрнутые в тряпку иконы. Иногда он останавливался и выкрикивал ругательства.

– Скотобаза!

– Скотобаза, скотобаза, – вторило лесное эхо.

– Цецхли!

– Цецхли, цецхли, – разносилось над перепуганными сосенками и елями.

Разбрызгивая веером бурую жижу, проехал мимо отца Шио новенький «Рендж Ровер». В машине гремел хор, дымились сигареты, качались клобуки. Из открытого окошка выставилось свиное рыло, похожее на батюшку Урвана.

– Эй, отец Шило! Про волка речь, а он – навстречь! Хочешь большо-о-ой заказ? Выгодное дельце!

Отец Шио, не оборачиваясь, шёл своей дорогой. Приняв обиженное выражение, рыло укатило. Вскоре мимо Шио проехал по бездорожью таксист Виктор Иванович на своей бежевой «Ладе». В «Ладе» тоже качалось что-то чёрное. Виктор Иванович остановился и бибикнул. На дорогу выскочил Ганя – бросился обнимать старого друга. На заднем сидении маленькой машинки были плотно утрамбованы огромный негр и роскошная негритянка с большой сверкающей грудью.

– Отец Шио, это Уолт Бабей и Махалия Роджерс. Они хотят посмотреть русскую деревню. Отец Шио, неужели это правда? Неужели отца Евтропия выгоняют? Как это возможно?

– На всё воля Божья, Ганечка, дорогой, Господь испытание послал. Грехи наши тяжкие! Надо смирению учиться и не роптать! С радостью принимать все гонения, простить врагов и возлюбить их, гадов. Скотобаза! Плутодор, Урван Бозишвили!

Виктор Иванович подъехал к церкви. Там уже собрался народ, все с тревогой смотрели на блестящую машину. Были тут и алкаши, и дачники, и местные, и Илюшин с Птицыной, и собаки, и Мешкова с Тонечкой. Худенький отец Евтропий всплёскивал руками, тряс бородкой. Над ним возвышались круглые чёрные башни – отцы Урван и Плутодор.

– Ты почему здесь? Ты где быть должен? Ты письмо от владыки получил? – гудели башни.

– Получил, получил, – лепетал Евтропий, – но ведь до последнего не верил, до последнего надеялся! Ведь по камешку строил, по кирпичику, ведь четверть века положил, чтобы из руин поднять, чтобы общину сколотить.

– Теперь в другом месте колотиться будешь. Освободить помещение! – гаркнул Плутодор. Урван зашёл в церковь, растворившись в темноте с мерцающими огоньками. Было слышно, как он топает внутри. Вдруг раздался страшный его вопль:

– Отче!! Из алтаря иконы стырили! Нет икон! А-а-а! – Урван бросился к Плутодору, он плакал, как обиженный ребёнок. – Это Шио унёс, я знаю! Вор, ворюга! Надо милицию звать, отче!

Раздался нетрезвый голос Войновского:

– Безобррразие! А мы хотим Евтрррропия! Он ест мало. И почти непьющий. Крестит бесплатно! Венчает бесплатно! Он мне мать бесплатно отпевал! А на вас у простого человека денег не хватит. А я хочу венчаться, долг исполнить. Как честный человек! Бесплатно хочу! У Евтропия!

За Войновского цеплялась пьяная Наташка.

– Евтропия! Евтропия! – закричали в толпе.

– Батюшка, прислушайтесь к голосу народа! – сказал Евтропий.

– Что? Бунт на корабле? Да тебя разденут! – взревел Плутодор.

– В каком это смысле? – крикнула, подбоченившись, Мешкова. Мадам страшно жалела о деньгах, которые когда-то отслюнила псаломщице Алевти-

356

нушке на демисезонные пальто для Урвана и Плутодора. Ещё больше ей было жаль нарядную церковку, да и отца Евтропия, который как-никак крестил её дорогую Тонечку.

– Сан снимут!

– А почему это вы так некультурно разговариваете? Вы чего это пузом лезете? Да ты мне во внуки годишься! А ну пасть закрыл! Милиция! Грабят!

– Шио – вор, ворюга! – продолжал орать Урван.

– Участковый инспектор Голосов! Что здесь происходит?

– Евтропий с Шио храм обнесли! – всхлипывающий Урван бросился к инспектору, а Плутодор, отвернувшись, стал разглядывать сороку, которая уселась на верхушку обломанной берёзы. Эта берёза – старая, треснувшая вдоль ствола – возвышалась над церковью, как мачта утлого суденышка, потрёпанного бурей.

– Ты что тут делаешь, Сникерс? – спросил инспектор Плутодора. – Чужое добро тебе покоя не даёт?

Плутодор, не ответив, полез в свой *«Рендовер»*, Урван, причитая, – за ним. Мобик гневно залаял. «Анаксиос! Вор! Ворюга!» – взвизгнул напоследок Урван. Попы уехали. И тут все увидели поразительную чёрную женщину, величественную, как Статуя Свободы, как Эйфелева башня, как пирамида Хеопса. Милостиво улыбаясь присутствующим, она подошла к отцу Евтропию. За ней шёл, хромая, сияющий от восторга Ганя. Он о чём-то пошептался со священником. Тот поклонился даме: «Добро пожаловать! Вэлкам, как говорится». Женщина зашла в церковь, народ повалил следом. Было тихо. Что-то удивительное должно было произойти. Она постояла молча, глядя на скромное убранство церковки, на старух, дачников и алкашей, и вдруг запела, да так сильно, прекрасно и радостно, что все прослезились:

> О, благодать, спасён тобой
> Я из пучины бед;
> Был мёртв – и чудом стал живой,
> Был слеп – и вижу свет.

Она пела по-английски, но переводить было не нужно: жители Томогавкина и так поняли, что речь идёт о великой милости Божьей, которая не имеет границ и простирается даже на самую скромную тварь на деревне. «Что-то божественное поёт!» – шептали старухи. Когда негритянка допела гимн, настала звенящая тишина, потом зачирикала птичка. Войновский, шмыгая носом, бросился целовать певице руку.

Через час Ганя, Бабей и Махалия сидели в птицынской избе. Они шутили, смеялись и были очень похожи друг на друга, казалось, что это дед, бабка и внук. Илюшин тихо передвигался в тапочках, наливал всем чай и вёл себя совершенно по-хозяйски. Дачница сидела в сторонке, украдкой вытирая слёзы. Она плакала – нет, не потому, что мальчик вырос, зажил своей, удивительной, жизнью, нашёл себе новых прекрасных друзей и, кажется, совершенно порвал с василеостровским прошлым. И не потому, что инженер-конструктор бесцеремонно хватает её жёлтые чашки в горошек, а также позволяет себе заходить в её парники и что-то там выращивать, и не потому, что он имел наглость завести себе вместо свиней – её, Елизавету Андреевну Птицыну! Нет, она расстроилась из-за того, что с трёхлитровой банки тушёной антоновки сорвало крышку. Банка стояла в сенях, на нижней полке, и в неё плотно набились мыши, которые не смогли выбраться на волю и трагически законсервировались в жёлтой трясине. Дачнице было искренне жаль – и мышей, и себя, и антоновку.

28

Николавна за границей не бывала, ни на каких языках человеческих, кроме русского, не говорила, всего иноземного боялась, но так скучала по Ганечке, что решила поехать в далёкую страну Швейцарию: проверить, как мальчик устроился. Вежливые работники аэропорта возили Николавну в кресле на колёсиках и водили под ручку. Ей было стыдно, но она так боялась длинных коридоров и мигающих табло, что ненадолго смирилась с ролью немощной старушки. В самолёте Николавну покормили вкусным обедом и облили томатным соком – это стало единственным происшествием её первого перелёта.

Ганя отвёз Николавну в горы – к дедушке. Дедушка был рад Николавне: она экономно готовила еду и тихо копалась в капустных грядках. «Это труженица! Это хорошая женщина!» – твердил старик. По вечерам дедушка с Николавной топили печку и мирно ужинали; дедушка был очень разговорчивый – рассказывал про свою непростую жизнь и ругал правительство. Он вёл беседу с дамой по-французски, а ругался по-немецки. Чтобы Николавне была понятнее французская речь, музыкант старался говорить громче, почти кричал ей в ухо.

Дедушка проникся такой горячей любовью к Николавне, что в горах начал таять ледник. Ночью вода в ручье резко поднялась и стала подбираться к стенам избушки. К тому же разразилась жуткая гроза. Дедушка не спал, слушая симфонию громовых раскатов, завываний дикого ветра, шума воды и скрежета чьих-то гигантских зубов. В окошко полетели брызги. Перепуганный дедушка разбудил Николавну, посадил её в машину и отъехал подальше от взбесившегося ручья. В машине было холодно и неуютно, Николавна кемарила, дедушка злобно бормотал и во всём винил местные власти. Вдруг он замолчал и стал принюхиваться, потому что сильно запахло серой. Порывы свежего ветра перебивали едкую вонь, но она снова лезла в ноздри. Николавна проснулась и закашляла. «Дьявол!

Из преисподней вышел дьявол!» – заволновался дедушка. Николавне сделалось страшно. В семьдесят восемь, в полтретьего, в Альпах, куда Суворов телят не гонял, одна с полубезумным дедушкой...

Дедушка настороженно вглядывался в темноту, потом внезапно схватил Николавну за руку и захохотал: «Это не сера! Камни трутся друг о друга, поэтому пахнет тухлыми яйцами. Ручей камни ворочает, на меня зубы точит. Ревнует. Завидует. Ему не даёт покоя мой успех у женщин. Не бойтесь, мадам! Спите! Я охраняю ваш сон!»

* * *

Родилась Дуся. Николавна ездила в Швейцарию смотреть, как растёт девочка. У Дуси прорезался зуб. По телефону Ганя педантично докладывал бабке, что ест теперь Дуся. По его словам, Дуся ела кролика, брокколи, рыбу, индейку, телятину, морковь, репку, тыкву, яблоко, грушу, персик, шпинат, артишоки. Николавна очень радовалась, что родители правильно кормят ребёнка.

Каково же было её удивление, когда она, приехав, обнаружила в холодильнике лишь бутылку минеральной воды, в морозилке – белое безмолвие, а в буфете – рядок подозрительных баночек. Она, конечно, не ожидала увидеть у молодой семьи на кухне вертел с румяным поросёнком, корзину с трепещущей форелью и угрями-змеями, горы фруктов и прочие дары природы,

361

столь поражавшие маленького Ганю в залах голландской живописи в Эрмитаже. Она надеялась найти просто – первое, второе и компот. Но были только баночки с яркими этикетками и серо-зелёным содержимым, которое любовно вмазывалось в ротик белокурой красавицы с кожей цвета крем-брюле. В мерзкие баночки зачем-то впрыгнул кролик, вкатились кочаны молодой капусты и наливные яблочки. Николавна постаралась исправить положение. Через несколько дней Дуся начала «у неё» грызть куриную ногу и кочерыжку. Дедушка тоже старался, выслуживаясь перед Николавной: подсовывал правнучке остывший наггетс из «Макдо».

Когда появилась на свет Дуся, дедушка стал ещё скупее. Он целые дни проводил в торговых центрах, выискивая самые дешёвые продукты и вещи; повадился покупать просроченный товар за символический один евро – покупал просроченных креветок, просроченных куриц, просроченные штаны и жилетки, приобрёл просроченный радиоприёмник. В один прекрасный день он заявил, что не желает больше платить за внучкину квартиру. «Те, кому ума хватает в двадцать лет детей рожать, пусть сами о себе заботятся. Стоп, приехали. Слезайте-ка с моей шеи. Эгоисты! Нет чтобы подумать о старом дедушке!» Гане приходилось каждый вечер после учёбы играть в ресторане, впрочем, ему это было совсем не сложно и даже приятно: люди забывали про фондю и рошти, отодвигали

362

тарелки и яростно аплодировали. Ганя чувствовал себя звездой и радовался, что может заработать на жильё, няньку и пропитание.

Однажды молодая семья приехала навестить дедушку в его зимнем доме в Диссентисе. Шёл снег, в окна стучал северный ветер, в комнате было жарко, гудела железная печка. Ганя и Саломея подметали, мыли, скребли, превращая дедушкин хаос в космос, Дуся рисовала кого-то страшного – с круглым телом, бородой, палкой и множеством тоненьких, как волосинки, ручек и ножек. Дедушка мрачно ходил из угла в угол и что-то бормотал себе под нос, потом поманил Ганю кривым узловатым пальцем. По тёмной лестнице они спустились в подвал со сводчатым потолком и стенами, затканными паутиной. В подвале у дедушки хранились сотни пыльных бутылок. «Зачем он меня сюда привёл?» – удивился Ганя. Старик бросил на него недобрый взгляд и достал из тёмного угла лопату. «Всё, сейчас убьёт и закопает!» Дедушка принялся рыть земляной пол, усыпанный мелкими камешками. Вскоре лопата стукнулась о что-то твёрдое. Поработав ещё минуту, дедушка, пыхтя, достал из земли жестяную коробку, перетянутую резинками. В похожей коробке у Николавны хранились нитки, пуговицы и иголки. «Всю жизнь копил! Копейка к копейке! Су к су! Это вам, купите дом. Копейка к копейке! Су к су! Это чёрные деньги. Налоговые службы про них не знают, чёрт бы их побрал. Копейка к копейке! Су к су!»

Деньги были вовсе не чёрные, а пёстренькие, синенькие – плотные пачки, перетянутые опять же резинками.

Весной Ганя, Саломея и Дуся поселились в деревне, в большом старом доме с хлевом, в котором жила кошка с котятами, и сеновалом, в котором не было сена, но зато стояла крепкая телега.

* * *

Коля Иванов приехал на джазовый фестиваль в Монтрё. В поезде ему улыбнулись две девушки, он так смутился и заволновался, что даже забыл уединиться в «чистом буржуйском сортире», чтобы сделать глоток из фляжки. Но ему и так было хорошо. В молодости он ездил на гастроли в Швейцарию, играл в Цюрихе, и в Базеле, и в Берне, а вот в Монтрё не был, и теперь с интересом смотрел по сторонам. Маленький городок гудел, повсюду сновали любители джаза. Из увитых розами деревень, облепивших склоны вокруг озера, съехались седовласые толстосумы со своими бодрыми тощими женами в бриллиантах. Они весело приветствовали друг друга, троекратно целовались, чмокая воздух, и угощались шампанским. Женственные мужички в шёлковых шарфиках пили вино из длинных бокальчиков и говорили о высоком. Коле эти люди не нравились, ему казалось, что они замечают все дефекты его, между прочим, когда-то вполне приличного костюма. Величавые горбоносые старухи сосредоточенно курили, держа сигареты в когтистых пальцах, унизанных перстнями. «Как похожи на Рифеншталь!» На валунах у воды валялись люди, они ели что-то из бумажных пакетов. Дети кидали хлеб медлительным лебедям и склочным чайкам.

В этом году на фестиваль прибыло несколько знаменитых музыкантов; с особенным нетерпением все ждали выступления Уолта Бабея. На каждом углу лезли в глаза афиши с весёлым жирафом в сюртуке и обезьянами, свирепо дующими в медные трубы; было написано: «Молодой Ганнибал, старый Бабей и Дикий Заоблачный оркестр». Коля выпил пива и пошёл прогулочным шагом по Цветочной набережной. Жаркому дню шёл на смену тёплый вечер. Солнце спряталось, огромное зеркало запотело, затуманилось, слилось с сизым небом. Где-то здесь он должен был встретиться с Ганей.

Впереди в сумерках плыл огромный человек в белом пиджаке, тугим парусом натянувшемся на мощной спине. У него была чёрная голова и складка на жирной шее. Рядом с ним, как утка – вперевалочку, ковыляла приземистая дама в серенькой курточке. Она держала под руку высокого и стройного, как кипарис, темнокожего парня, который вертел головой во все стороны и смеялся, скаля белые зубы.

– Ганя!

На Гане был элегантнейший чёрный сюртук с длинными полами и вытянутые на коленях джинсы. Он поспешил к Коле, как обычно, хромая, опираясь на палку. Приложив руку к груди, Коля поклонился Бабею, обнял Николавну; все пошли к блинному киоску. Там за пластмассовым столиком уже сидели Саломея и Дуся – большая, серьёзная, с шоколадными усами и бородой. Пахло кофе и жжёным сахаром.

– Смотри, Николавна, Шильонский замок! Главная достопримечательность – нужник над пропастью! Всё в пропасть летит, Николавна! Дубовые доски рыцарскими задами отполированы!

– Ганя, что ты глупости рассказываешь?

Великий Бабей ел блины с вареньем, был молчалив и монолитен, сонным взглядом плавал в погасшем пространстве, о чём думал – никому не известно.

Неуклюже прыгая по камням, взмахивая руками, чтобы не потерять равновесие, Коля спустился к воде – будто для того, чтобы побыть наедине с природой, а сам украдкой приложился к фляжке. Он вернулся в компанию весёлый и оживлённый.

– А где же Елизавета Андреевна? – спросил он Ганю. – Когда подойдёт?

– Никогда не подойдёт. Улетела Птица.

– Как? Куда?

– На Алтай, в гости к инженеру Перепёлкину.

– Какому ещё Перепёлкину?

– Это бывший сослуживец Сергея Петровича. Поселился на Алтае, разводит зубров.

– А! Улетела с Сергеем Петровичем...

– И с Петровичем, и с Сергеевичем...

– Каким Сергеевичем?

– Рыженьким – Сергеем Сергеевичем... Живут в селе Камлак. Ей там очень нравится – горы, пещеры, шаманы; правда, она говорит, что сердце своё оставила на Васильевском острове: спрятала его в коробочке от бахил за жестянками с чаем и сахаром в буфете Николая Ильича, в мастерской на улице Репина. А я своё оставил в Топорке. Положил вместе с коконом бабочки в спичечный коробок, коробок – в банку от сгущёнки, банку – в мешок со сменной обувью, а мешок повесил на берёзу.

Ганя вздохнул и взял на руки засыпающую Дусю. Коля подумал-подумал, тоже вздохнул и, уже не таясь, хлебнул из пузатой фляжки.

СОДЕРЖАНИЕ

София Синицкая

МИРОНЫЧ, ДЫРНИК И ЖЕМОЖАХА

Рассказы о Родине

Редактор Ева Реген
Художественный редактор Александр Веселов
Корректор Анна Кузьмина
Компьютерная верстка Ольги Леоновой

Подписано в печать 29.11.2018. Формат 84×108 1/32
Бумага офсетная. Печать офсетная
Усл.печ.л. 19,32. Тираж 1000 экз. Заказ 4348

ООО «Издательство К. Тублина»
190005, Санкт-Петербург, Измайловский пр., 14
Тел./факс (812) 712-67-06, 712-65-47
Отдел маркетинга: тел. (812) 575-09-63, факс 712-67-06

Отпечатано в Акционерном обществе
«Рыбинский Дом печати» 152901, г. Рыбинск, ул. Чкалова, д. 8
e-mail: printing@r-d-p.ru   www.r-d-p.ru